목적과 특징

① 수학 학력평가의 목적

- **하나** 수학의 기초 체력을 점검하고, 개인의 학력 수준을 파악하여 학습에 도움을 주고자 합니다.
- **둘** 교과서 기본과 응용 수준의 문제를 주어 교육과정의 이해 척도를 알아보며 심화 수준의 문제를 주어 통합적 사고 능력을 측정하고자 합니다.
- **셋** 평가를 통하여 수학 학습 방향을 제시하고 우수한 수학 영재를 조기에 발굴하고자 합니다.
- **넷** 교육 현장의 선생님들에게 학생들의 수학적 사고와 방향을 제시하여 보다 향상된 수학 교육을 실현시키고자 합니다.

② 수학 학력평가의 특징

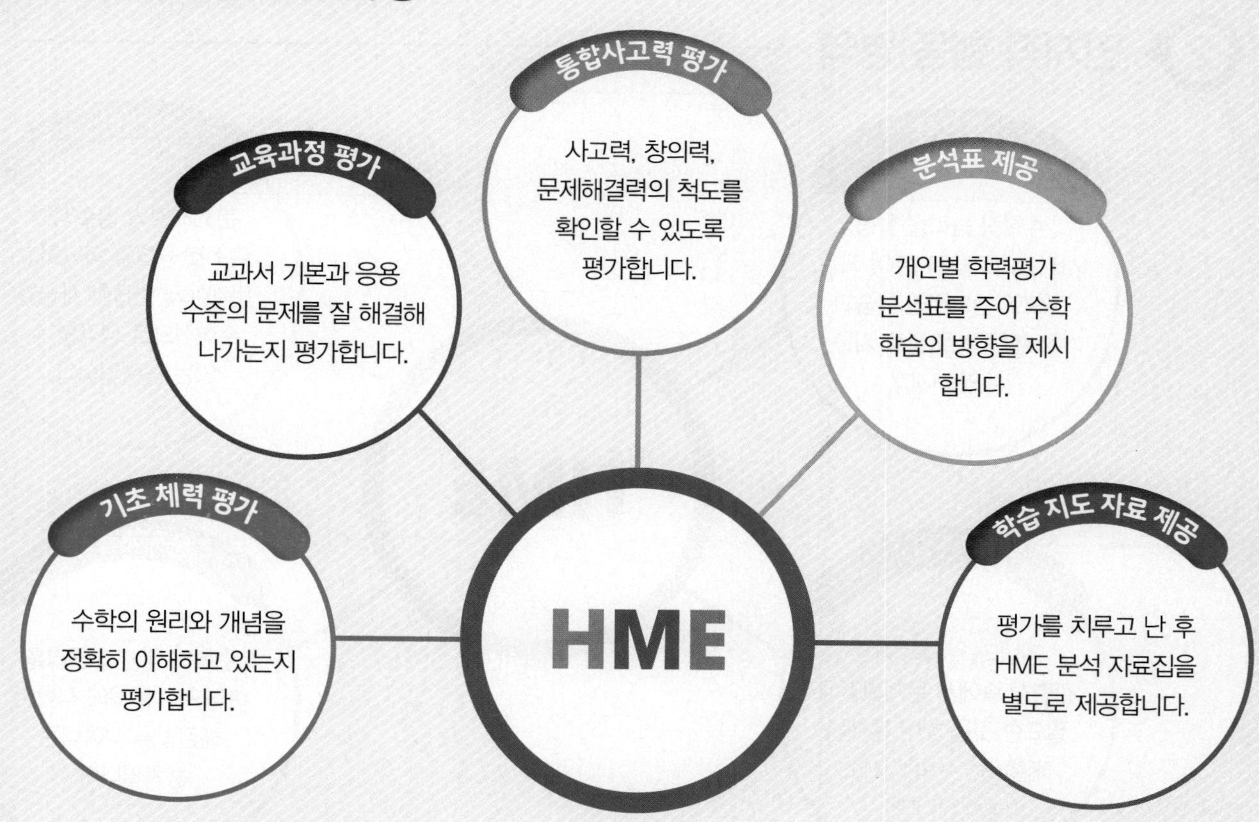

● 성적에 따라 대상, 최우수상, 우수상, 장려상을 수여하고 상위 5%는 왕중왕을 가리는 [**해법수학 경시대회**]에 출전할 기회를 드립니다.

평가 요소

수준별 평가 체제를 바탕으로 기본·응용·심화 과정의 내용을 평가하고 분석표에는 인지적 행동 영역(계산력, 이해력, 추론력, 문제해결력)과 내용별 영역(수와 연산, 도형, 측정, 규칙성, 자료와 가능성)으로 구분하여 제공합니다.

① 평가 수준

배점	수준 구분	출제 수준
100점 만점	교과서 기본 과정	교과 과정에서 꼭 알고 있어야 하는 기본 개념과 원리에 관련된 기본 문제들로 구성
	교과서 응용 과정	기본적인 수학의 개념과 원리의 이해를 바탕으로 한 응용력 문제들로 교육과정의 응용 문제를 중심으로 구성
	심화 과정	수학적 내용을 풀어가는 과정에서 사고력, 창의력, 문제해결력을 기를 수 있는 문제들로 통합적 사고력을 요구하는 문제들로 구성

② 인지적 행동 영역

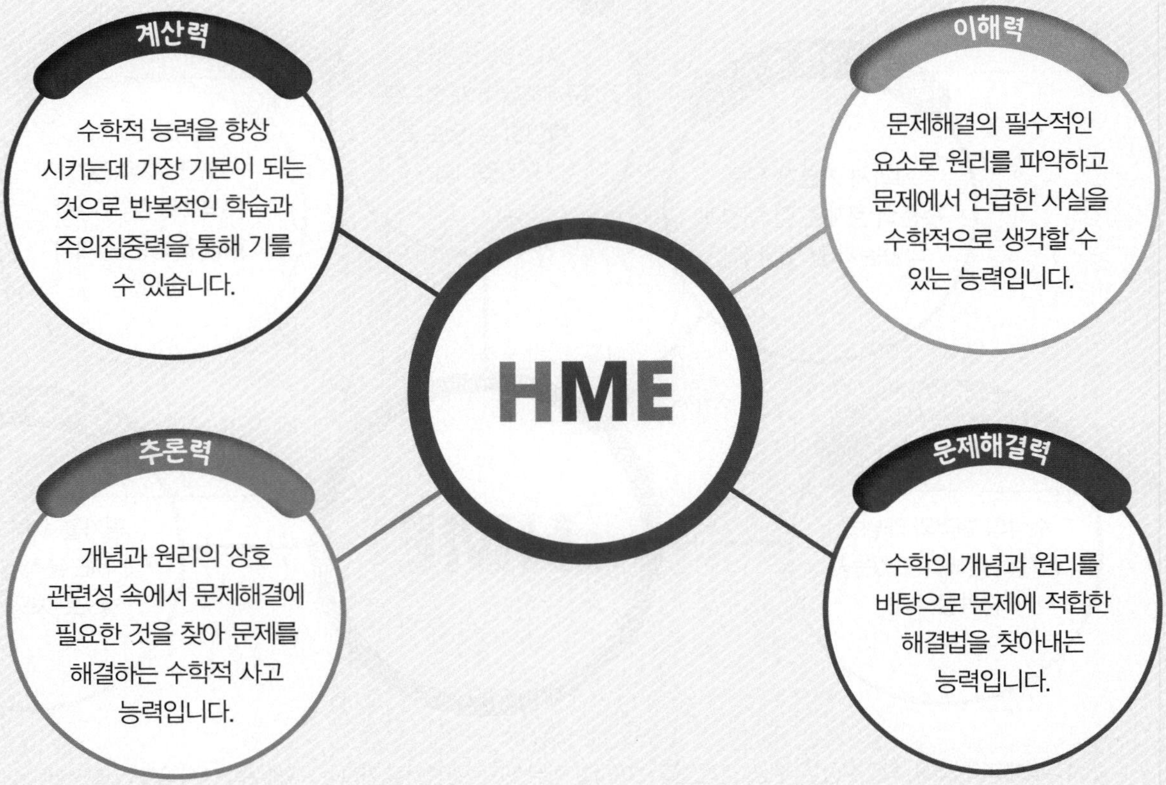

HME

계산력

수학적 능력을 향상 시키는데 가장 기본이 되는 것으로 반복적인 학습과 주의집중력을 통해 기를 수 있습니다.

이해력

문제해결의 필수적인 요소로 원리를 파악하고 문제에서 언급한 사실을 수학적으로 생각할 수 있는 능력입니다.

추론력

개념과 원리의 상호 관련성 속에서 문제해결에 필요한 것을 찾아 문제를 해결하는 수학적 사고 능력입니다.

문제해결력

수학의 개념과 원리를 바탕으로 문제에 적합한 해결법을 찾아내는 능력입니다.

교재 구성

유형 학습(HME의 기본+응용 문제로 구성)

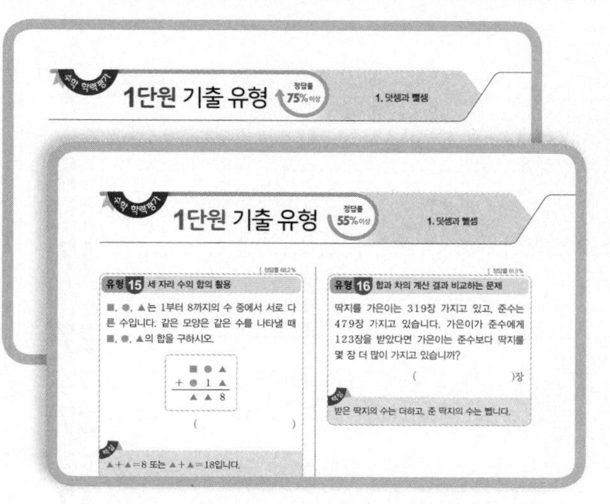

●● 단원별 기출 유형

HME에 출제된 기출문제를 단원별로 유형을 분석하여 정답률과 함께 수록하였습니다. 유사문제를 통해 다시 한번 유형을 확인할 수 있습니다.

정답률 75%이상 문제를 실수 없이 푼다면 장려상 이상, 정답률 55%이상 문제를 실수 없이 푼다면 우수상 이상 받을 수 있는 실력입니다.

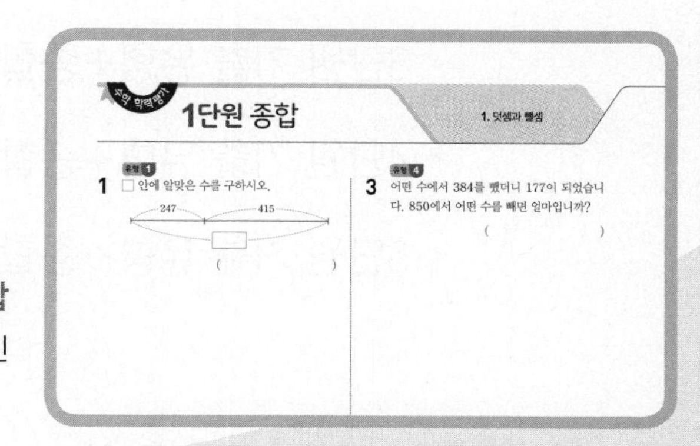

●● 단원별 종합

앞에서 배운 유형을 다시 한번 확인할 수 있습니다.

실전 학습(HME와 같은 난이도로 구성)

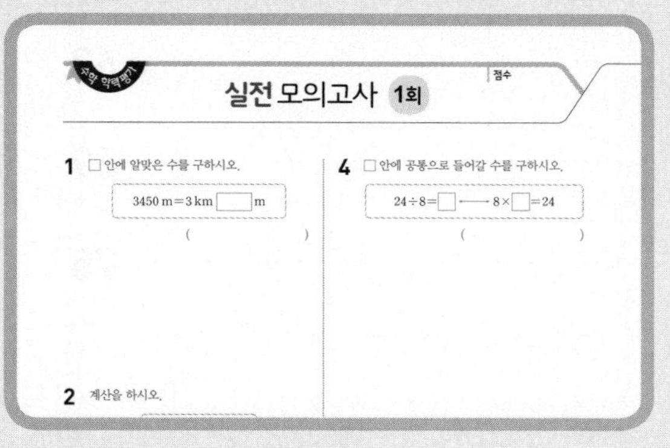

●● 실전 모의고사

출제율 높은 문제를 수록하여 HME 시험을 완벽하게 대비할 수 있습니다.

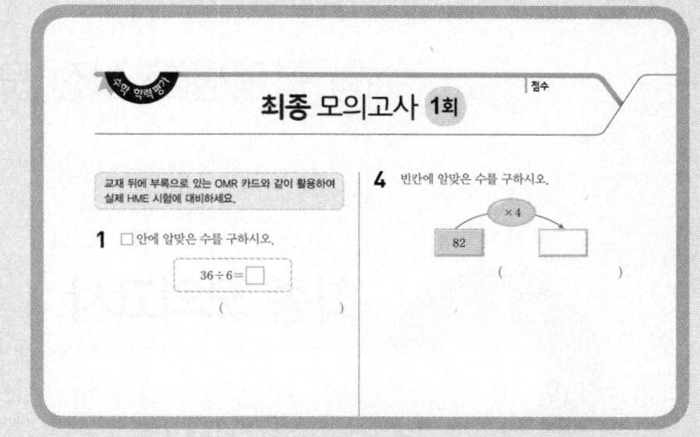

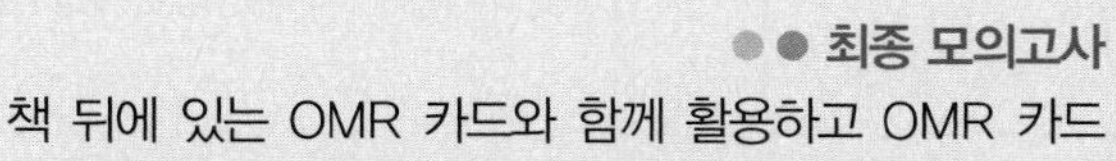

●● 최종 모의고사

책 뒤에 있는 OMR 카드와 함께 활용하고 OMR 카드 작성법을 익혀 실제 HME 시험에 대비할 수 있습니다.

최종 모의고사 ❶회

OMR 카드 작성시 유의사항

학 교 명:

성 명:

현재 학년: 반:

수 험 번 호

1번 2번 3번 4번 5번 6번 7번 8번 9번 10번 11번 12번 13번

14번 15번 16번 17번 18번 19번 20번 21번 22번 23번 24번 25번

감 독 관 확 인 란

●● OMR 카드

차례

기출 유형

실전 모의고사

최종 모의고사

1단원 기출 유형

정답률 75% 이상

1. 덧셈과 뺄셈

정답률 93.1%

유형 1 수직선에서 합, 차 구하기

□ 안에 알맞은 수를 구하시오.

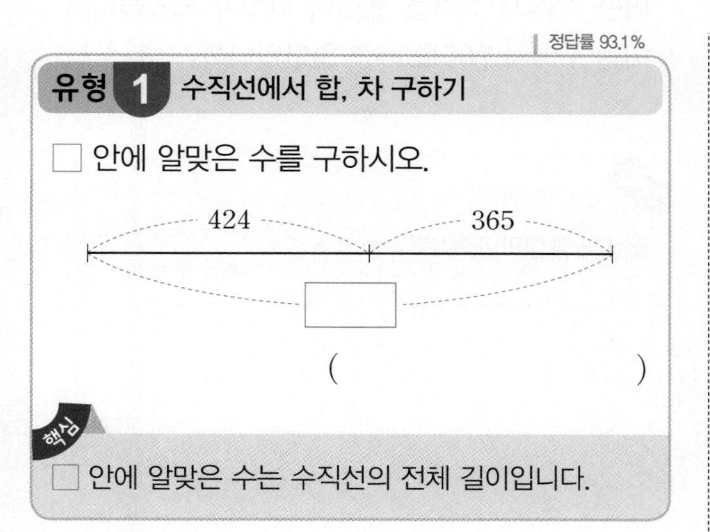

(　　　　　　　　)

핵심

□ 안에 알맞은 수는 수직선의 전체 길이입니다.

정답률 92.6%

유형 2 덧셈과 뺄셈을 활용한 문장제

미정이네 농장에서 사과를 389개, 배를 132개 수확했습니다. 미정이네 농장에서 수확한 사과와 배는 모두 몇 개입니까?

(　　　　　　　　)개

핵심

'모두'는 두 수의 합입니다.

1 □ 안에 알맞은 수를 구하시오.

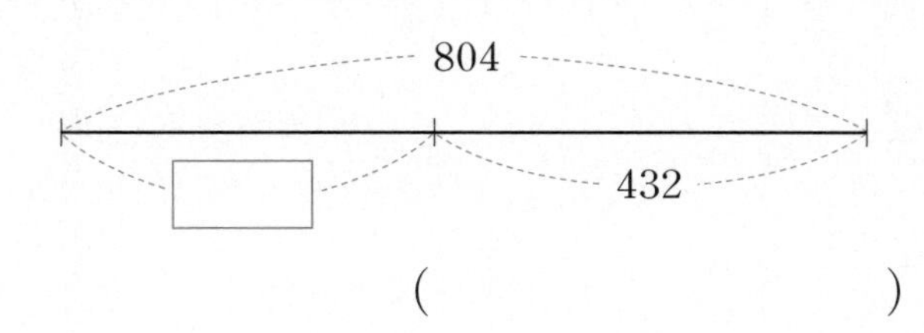

(　　　　　　　　)

2 □ 안에 알맞은 수를 구하시오.

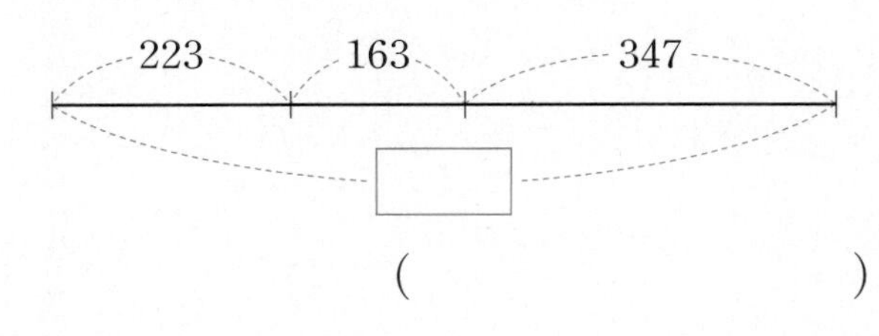

(　　　　　　　　)

3 현준이는 빨간 색종이 296장, 파란 색종이 185장을 가지고 있습니다. 현준이가 가지고 있는 빨간 색종이와 파란 색종이는 모두 몇 장입니까?

(　　　　　　　　)장

4 3학년 학생들이 모은 빈 병은 540개입니다. 남학생이 모은 빈 병이 172개라면 여학생이 모은 빈 병은 몇 개입니까?

(　　　　　　　　)개

정답률 88.5 %

유형 3 수의 크기를 비교하여 합, 차 구하기

가장 큰 수와 가장 작은 수의 차를 구하시오.

283　634　275

(　　　　　　)

핵심

백, 십, 일의 자리부터 크기를 비교하여 가장 큰 수와 가장 작은 수의 차를 구합니다.
(백의 자리 비교) → (십의 자리 비교) → (일의 자리 비교)

5 가장 큰 수와 가장 작은 수의 합을 구하시오.

487　564　743

(　　　　　　)

6 가장 큰 수와 두 번째로 작은 수의 차를 구하시오.

349　582　640　378

(　　　　　　)

정답률 87.6 %

유형 4 어떤 수가 있는 뺄셈식

어떤 수에서 433을 뺐더니 489가 되었습니다. 어떤 수에서 765를 빼면 얼마입니까?

(　　　　　　)

핵심

덧셈과 뺄셈의 관계: ■－●＝▲ ⇨ ●＋▲＝■, ▲＋●＝■

7 어떤 수에서 268을 뺐더니 453이 되었습니다. 어떤 수에서 189를 빼면 얼마입니까?

(　　　　　　)

8 어떤 수에 137을 더했더니 800이 되었습니다. 어떤 수에 173을 더하면 얼마입니까?

(　　　　　　)

정답률 85.6 %

유형 5 빈칸에 알맞은 수 구하기

㉠에 알맞은 수를 구하시오.

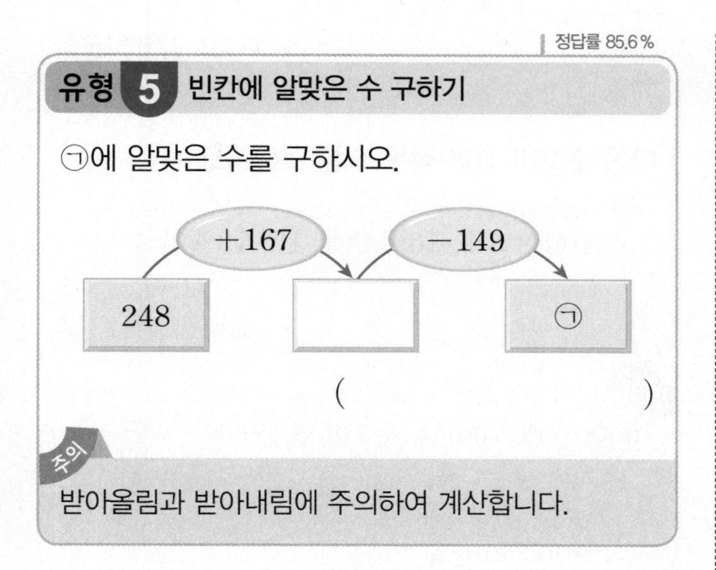

(　　　　　　　　)

주의

받아올림과 받아내림에 주의하여 계산합니다.

정답률 85.6 %

유형 6 합계를 이용한 뺄셈의 활용

지은이네 학교 학생들이 좋아하는 음식을 조사하여 나타낸 표입니다. 떡볶이를 좋아하는 학생은 몇 명입니까?

좋아하는 음식별 학생 수

음식	김밥	피자	떡볶이	합계
학생 수(명)	226	387		932

(　　　　　　　　)명

핵심

표에서 합계는 각 항목의 합을 말합니다.

9 ㉠에 알맞은 수를 구하시오.

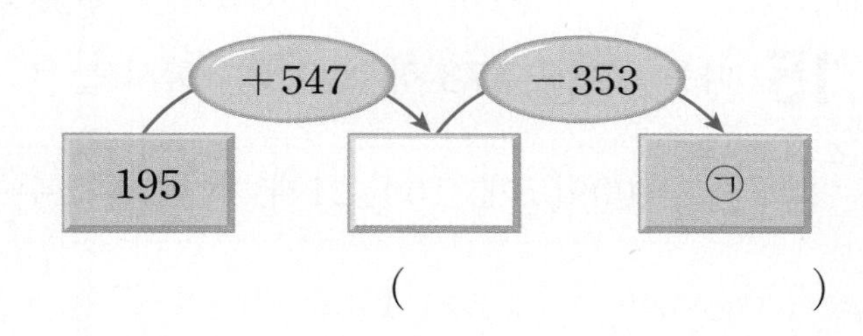

(　　　　　　　　)

10 ㉠에 알맞은 수를 구하시오.

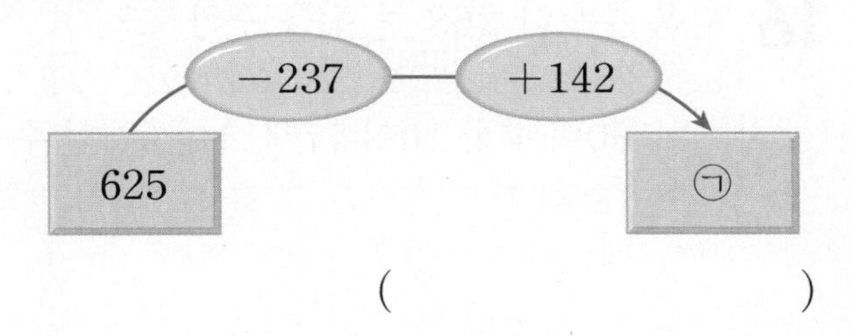

(　　　　　　　　)

11 민수네 학교 학생들이 좋아하는 색깔을 조사하여 나타낸 표입니다. 노란색을 좋아하는 학생은 몇 명입니까?

좋아하는 색깔별 학생 수

색깔	빨간색	파란색	노란색	합계
학생 수(명)	189	236		703

(　　　　　　　　)명

12 수민이네 학교 학생들이 좋아하는 운동을 조사하여 나타낸 표입니다. 야구를 좋아하는 학생은 축구를 좋아하는 학생보다 138명 적을 때 수영을 좋아하는 학생은 몇 명입니까?

좋아하는 운동별 학생 수

운동	축구	야구	수영	합계
학생 수(명)	423			811

(　　　　　　　　)명

정답률 85.3 %

유형 7 덧셈식에서 모르는 수 구하기

종이 2장에 세 자리 수를 각각 써놓았는데 그중 한 장이 찢어져서 백의 자리 숫자만 보입니다. 두 수의 합이 532일 때 찢어진 종이에 적힌 세 자리 수를 구하시오.

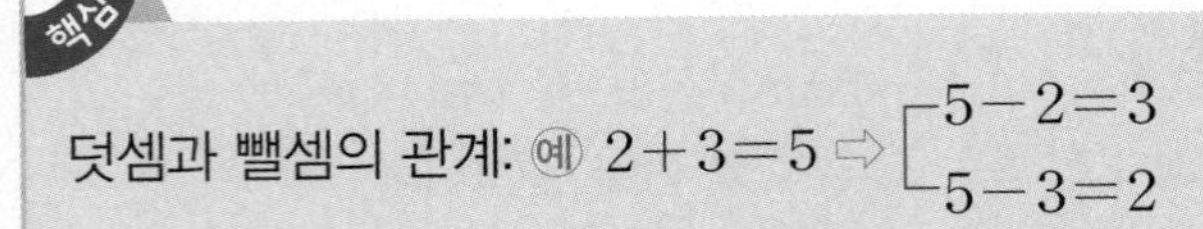

( )

핵심

덧셈과 뺄셈의 관계: 예 $2+3=5$ ⇨ $5-2=3$, $5-3=2$

정답률 80.2 %

유형 8 자릿값을 이용한 덧셈과 뺄셈

다음 수보다 168 작은 수를 구하시오.

100이 5개, 10이 2개, 1이 13개인 수

( )

핵심

100이 ■개, 10이 ▲개, 1이 ●개인 수
⇨ ■00+▲0+●
예 100이 4개, 10이 2개, 1이 3개인 수
⇨ 400+20+3

13 □ 안에 알맞은 수를 구하시오.

$456+\square=714$

( )

14 종이 2장에 세 자리 수를 각각 써놓았는데 그중 한 장이 찢어져서 백의 자리 숫자만 보입니다. 두 수의 차가 387일 때 찢어진 종이에 적힌 세 자리 수를 구하시오.

4 841

( )

15 다음 수보다 573 작은 수를 구하시오.

100이 5개, 10이 21개, 1이 6개인 수

( )

16 다음 수보다 268 큰 수를 구하시오.

100이 4개, 10이 17개, 1이 6개인 수

( )

정답률 79.8 %

유형 9 실생활에서 덧셈과 뺄셈의 활용

2, 3학년 학생들은 청군과 백군으로 나누어 콩 주머니 던지기 경기를 하였습니다. 다음은 학년별로 청군과 백군이 넣은 콩 주머니의 수입니다. 백군은 청군보다 콩 주머니를 몇 개 더 많이 넣었습니까?

	청군	백군
2학년	278개	292개
3학년	403개	398개

( )개

핵심

2학년과 3학년 백군이 넣은 콩 주머니의 수 − 2학년과 3학년 청군이 넣은 콩 주머니의 수

정답률 79.5 %

유형 10 덧셈식에서 모르는 수 구하기

□ 안에 알맞은 수의 합을 구하시오.

$$\begin{array}{r} 3\ 3\ \square \\ +\ \square\ \square\ 4 \\ \hline 1\ 1\ 3\ 2 \end{array}$$

( )

핵심

일의 자리에서 십의 자리로 받아올림이 있으면 십의 자리를 계산할 때, (십의 자리 계산)+1을 합니다.

17 3, 4학년 학생들은 청군과 백군으로 나누어 고리 던지기를 하였습니다. 다음은 학년별로 청군과 백군이 넣은 고리의 수입니다. 청군과 백군 중 어느 쪽이 고리를 몇 개 더 많이 넣었습니까?

	청군	백군
3학년	319개	186개
4학년	276개	435개

( ), ( )개

18 □ 안에 알맞은 수의 합을 구하시오.

$$\begin{array}{r} 5\ 8\ \square \\ +\ \square\ \square\ 3 \\ \hline 8\ 3\ 0 \end{array}$$

( )

19 □ 안에 알맞은 수의 합을 구하시오.

$$\begin{array}{r} 6\ \square\ 4 \\ +\ \square\ 7\ \square \\ \hline 1\ 3\ 5\ 1 \end{array}$$

( )

정답률 78.5 %

유형 11 모양이 나타내는 수 구하기

●는 162입니다. 같은 모양은 같은 수를 나타낼 때 ♥는 얼마입니까?

- ●+738=★
- ★−280=♥

(   )

핵심
모양이 나타내는 수를 모양 대신에 넣고 계산합니다.

정답률 75.6 %

유형 12 □ 안에 들어갈 수 있는 수 구하기

1부터 9까지의 수 중에서 □ 안에 들어갈 수 있는 수는 모두 몇 개입니까?

545+283<□43

(   )개

핵심
계산한 다음 백, 십, 일의 자리부터 크기를 비교해 봅니다.

20 ●는 820입니다. 같은 모양은 같은 수를 나타낼 때 ♥는 얼마입니까?

- ●−547=★
- ★+396=♥

(   )

21 ■는 256입니다. 같은 모양은 같은 수를 나타낼 때 ▲는 얼마입니까?

- 631−■=★
- ★−■=▲

(   )

22 1부터 9까지의 수 중에서 □ 안에 들어갈 수 있는 수는 모두 몇 개입니까?

486+273>7□5

(   )개

23 1부터 9까지의 수 중에서 □ 안에 들어갈 수 있는 수는 모두 몇 개입니까?

923−475>□51

(   )개

정답률 75.3 %

유형 13 뺄셈식에서 모르는 수 구하기

□ 안에 알맞은 수의 합을 구하시오.

$$\begin{array}{r} 6\ 2\ \square \\ -\ \square\ 9\ 8 \\ \hline 2\ \square\ 8 \end{array}$$

(　　　　　　　　)

핵심

같은 자리 수끼리 뺄 수 없으면 바로 윗자리에서 받아내림합니다.

정답률 75 %

유형 14 세 자리 수의 합과 차의 활용

영수네 과수원에서는 배를 어제는 448개 땄고, 오늘은 358개 땄습니다. 어제와 오늘 딴 배 중에서 139개를 시장에서 팔았다면 남은 배는 몇 개입니까?

(　　　　　　　　)개

어제와 오늘 딴 배의 수는 더하고 시장에서 판 배의 수는 뺍니다.

24 □ 안에 알맞은 수의 합을 구하시오.

$$\begin{array}{r} 7\ 3\ \square \\ -\ \square\ 8\ 7 \\ \hline 3\ \square\ 4 \end{array}$$

(　　　　　　　　)

25 □ 안에 알맞은 수의 합을 구하시오.

$$\begin{array}{r} 9\ \square\ 3 \\ -\ \square\ 7\ \square \\ \hline 2\ 4\ 8 \end{array}$$

(　　　　　　　　)

26 보람이는 주말농장에서 고구마를 어제는 238개 캤고 오늘은 165개 캤습니다. 이 중에서 116개를 이웃에 나누어 주었다면 남은 고구마는 몇 개입니까?

(　　　　　　　　)개

27 소현이는 농장에서 밤을 어제 530개 따서 185개를 먹었습니다. 오늘 258개를 더 땄다면 밤은 몇 개 있습니까?

(　　　　　　　　)개

1단원 기출 유형

정답률 55% 이상

정답률 68.2 %

유형 15 세 자리 수의 합의 활용

■, ●, ▲는 1부터 8까지의 수 중에서 서로 다른 수입니다. 같은 모양은 같은 수를 나타낼 때 ■, ●, ▲의 합을 구하시오.

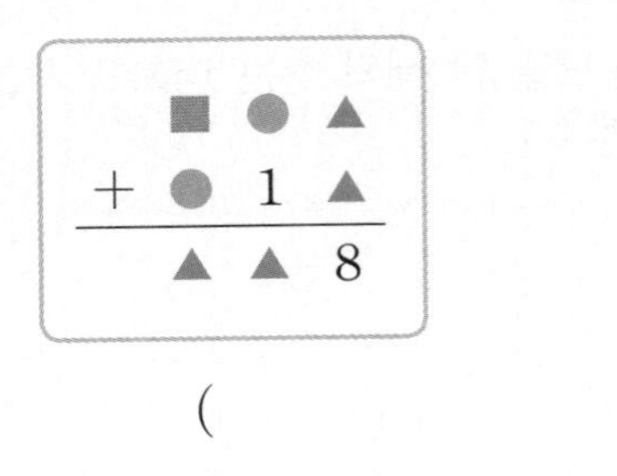

(　　　　　　　　)

핵심

▲+▲=8 또는 ▲+▲=18입니다.

28 같은 모양은 같은 수를 나타낼 때 ■, ●, ▲의 합을 구하시오.

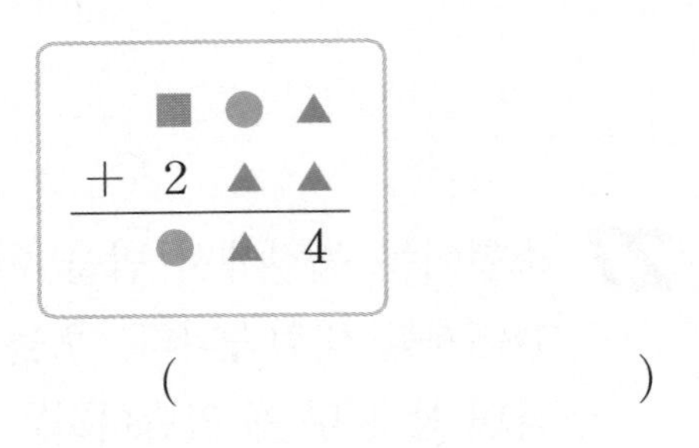

(　　　　　　　　)

정답률 61.8 %

유형 16 합과 차의 계산 결과 비교하는 문제

딱지를 가은이는 319장 가지고 있고, 준수는 479장 가지고 있습니다. 가은이가 준수에게 123장을 받았다면 가은이는 준수보다 딱지를 몇 장 더 많이 가지고 있습니까?

(　　　　　　　　)장

핵심

받은 딱지의 수는 더하고, 준 딱지의 수는 뺍니다.

29 구슬을 주현이는 278개 가지고 있고, 혜미는 513개 가지고 있습니다. 혜미가 주현이에게 155개 주었다면 주현이는 혜미보다 구슬을 몇 개 더 많이 가지고 있습니까?

(　　　　　　　　)개

30 공깃돌을 경민이는 714개 가지고 있고, 수현이는 456개 가지고 있습니다. 경민이가 수현이에게 135개를 준다면 공깃돌은 누가 몇 개 더 많이 가지게 됩니까?

(　　　　　　), (　　　　　　)개

정답률 60.7 %

유형 17 >, <가 있는 식에서 □ 구하기

□ 안에 들어갈 수 있는 세 자리 수 중에서 가장 작은 수를 구하시오.

$319+\square>928$

(　　　　　　　　)

핵심

>, < 대신 =로 놓고 □ 안에 들어갈 수 있는 수 구하기 ⇨ 가장 작은 수 구하기

31 □ 안에 들어갈 수 있는 세 자리 수 중에서 가장 큰 수를 구하시오.

$\square+538<903$

(　　　　　　　　)

32 □ 안에 들어갈 수 있는 세 자리 수 중에서 가장 큰 수를 구하시오.

$680<875-\square$

(　　　　　　　　)

정답률 55 %

유형 18 수 카드로 덧셈식, 뺄셈식 만들기

수 카드 1, 3, 0, 5를 한 번씩만 사용하여 세 자리 수를 만들려고 합니다. 만들 수 있는 가장 큰 수와 가장 작은 수의 차를 구하시오.

(　　　　　　　　)

주의

수 카드로 세 자리 수를 만들 경우 백의 자리에 0이 올 수 없습니다.

33 수 카드 2, 4, 0, 6을 한 번씩만 사용하여 세 자리 수를 만들려고 합니다. 만들 수 있는 가장 큰 수와 가장 작은 수의 합을 구하시오.

(　　　　　　　　)

34 수 카드 0, 7, 4, 3을 한 번씩만 사용하여 세 자리 수를 만들려고 합니다. 만들 수 있는 두 번째로 큰 수와 두 번째로 작은 수의 차를 구하시오.

(　　　　　　　　)

수학 학력평가

1단원 종합

유형 1

1 □ 안에 알맞은 수를 구하시오.

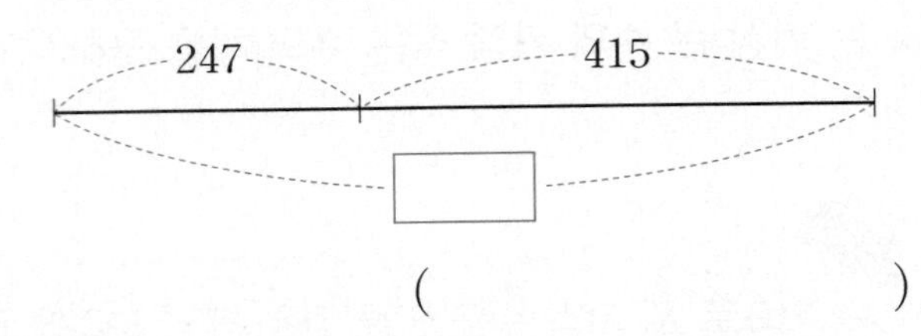

(　　　　　　)

유형 2

2 수족관에 열대어 428마리, 금붕어 174마리가 있습니다. 수족관에 있는 열대어와 금붕어는 모두 몇 마리입니까?

(　　　　　　)마리

유형 4

3 어떤 수에서 384를 뺐더니 177이 되었습니다. 850에서 어떤 수를 빼면 얼마입니까?

(　　　　　　)

유형 5

4 ㉠에 알맞은 수를 구하시오.

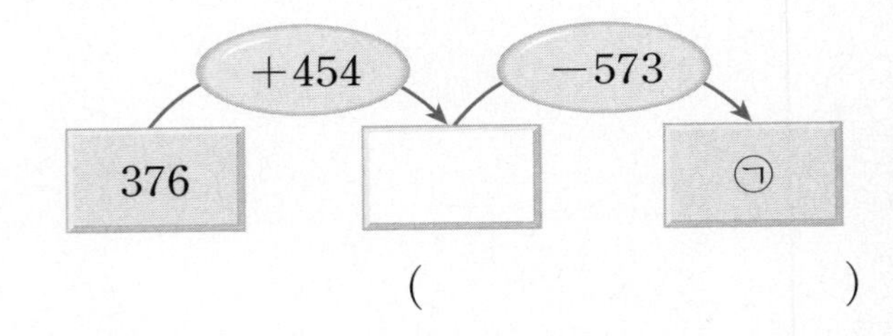

(　　　　　　)

유형 6

5 윤주네 학교 학생들이 가고 싶은 나라를 조사하여 나타낸 표입니다. 독일에 가고 싶은 학생은 몇 명입니까?

가고 싶은 나라별 학생 수

나라	영국	독일	프랑스	합계
학생 수(명)	254		187	620

( )명

유형 9

7 3, 4학년 학생들은 홍팀과 청팀으로 나누어 고리 던지기를 하였습니다. 다음은 학년별로 홍팀과 청팀이 넣은 고리의 수입니다. 청팀은 홍팀보다 고리를 몇 개 더 많이 넣었습니까?

	홍팀	청팀
3학년	242개	166개
4학년	179개	365개

( )개

유형 7

6 종이 2장에 세 자리 수를 각각 써놓았는데 그중 한 장이 찢어져서 백의 자리 숫자만 보입니다. 두 수의 합이 923일 때 찢어진 종이에 적힌 세 자리 수를 구하시오.

524 3

( )

유형 11

8 ●는 372입니다. 같은 모양은 같은 수를 나타낼 때 ♥는 얼마입니까?

• 710－●＝★
• ★＋164＝♥

( )

유형 12

9 1부터 9까지의 수 중에서 □ 안에 들어갈 수 있는 수는 모두 몇 개입니까?

$147+568<\square 20$

( )개

유형 13

10 □ 안에 알맞은 수의 합을 구하시오.

$$\begin{array}{r} \square\ 4\ 0 \\ -\ 6\ 5\ \square \\ \hline 1\ \square\ 7 \end{array}$$

( )

유형 17

11 □ 안에 들어갈 수 있는 세 자리 수 중에서 가장 작은 수를 구하시오.

$375+\square>943$

( )

유형 18

12 수 카드 0, 2, 5, 8 을 한 번씩만 사용하여 세 자리 수를 만들려고 합니다. 만들 수 있는 두 번째로 큰 수와 가장 작은 수의 차를 구하시오.

( )

정답률 91.5 %

유형 1 각 읽기

오른쪽 그림을 보고 각을 읽은 것입니다. 바르게 읽은 것은 어느 것입니까? .... (   )

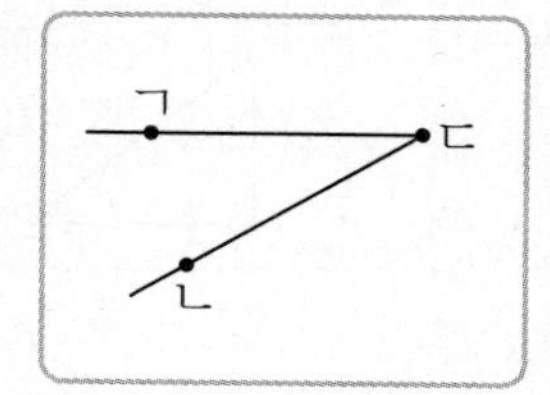

① 각 ㄱㄴㄷ ② 각 ㄱㄷㄴ
③ 각 ㄷㄱㄴ ④ 각 ㄷㄴㄱ
⑤ 각 ㄴㄱㄷ

각을 읽을 때에는 꼭짓점이 가운데에 오도록 읽습니다.

정답률 90.3 %

유형 2 각의 수 구하기

도형 안에는 각이 모두 몇 개 있습니까?

(   )개

핵심

각은 한 점에서 그은 두 반직선으로 이루어진 도형입니다.

1 오른쪽 그림을 보고 각을 바르게 읽은 것은 어느 것입니까? .... (   )

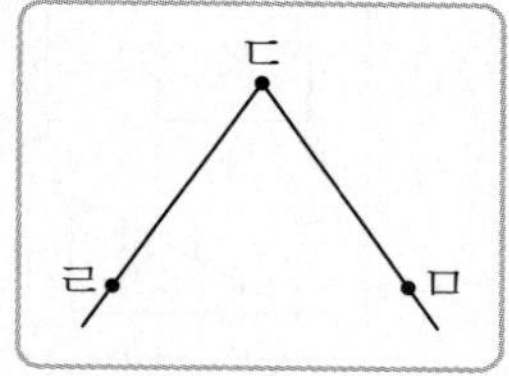

① 각 ㄷㄹㅁ ② 각 ㄷㅁㄹ
③ 각 ㄹㄷㅁ ④ 각 ㄹㅁㄷ
⑤ 각 ㅁㄹㄷ

2 각 ㅁㅂㅅ을 바르게 그린 것은 어느 것입니까? .... (   )

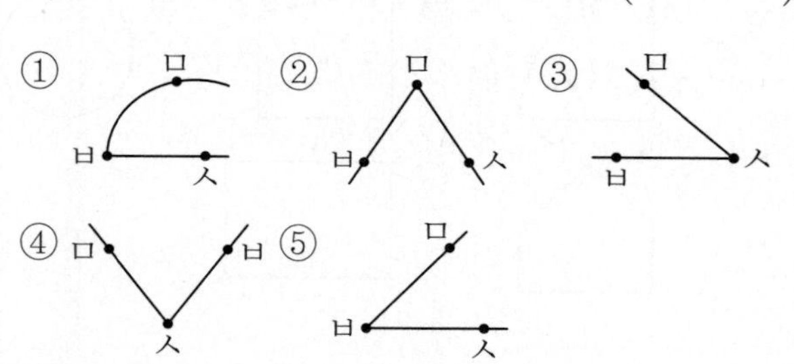

3 도형 안에는 각이 모두 몇 개 있습니까?

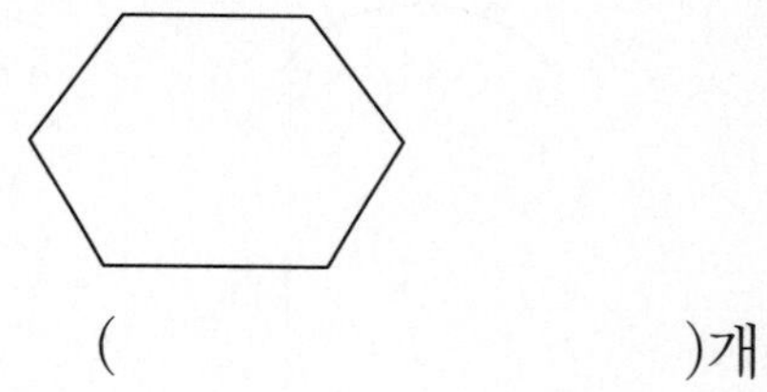

(   )개

4 두 도형 안에 있는 각은 모두 몇 개입니까?

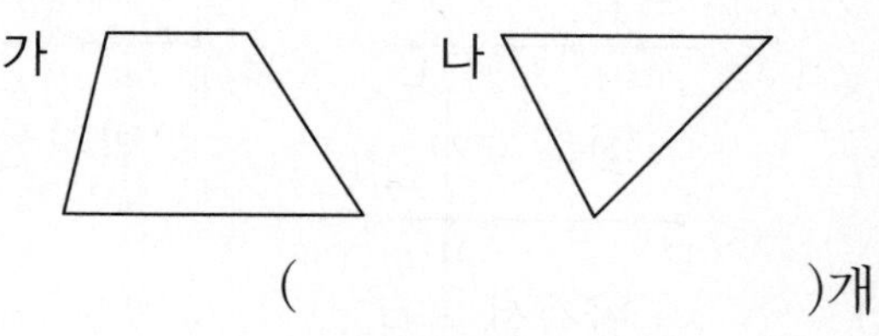

(   )개

정답률 89 %

유형 3 반직선 알아보기

반직선 ㄱㄴ은 어느 것입니까? ········· (   )

① 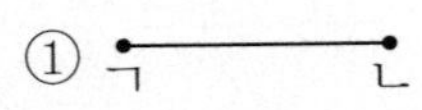
② 
③ 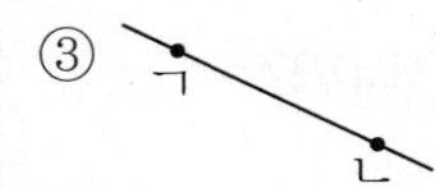
④ 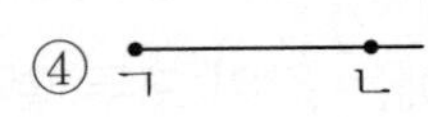
⑤ 

핵심

반직선은 한 점에서 시작하여 한쪽으로 끝없이 늘인 곧은 선입니다.

정답률 88.8 %

유형 4 직각 알아보기

직각이 있는 도형은 모두 몇 개입니까?

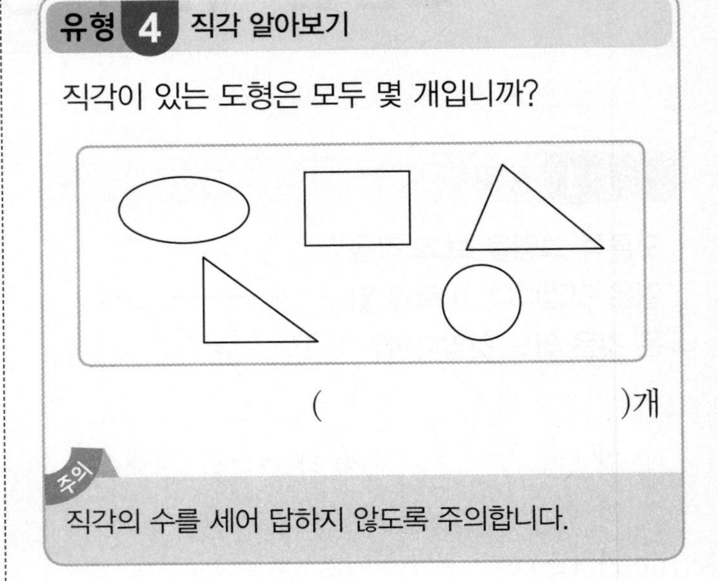

(   )개

주의

직각의 수를 세어 답하지 않도록 주의합니다.

5 반직선 ㄷㄹ은 어느 것입니까? ···· (   )

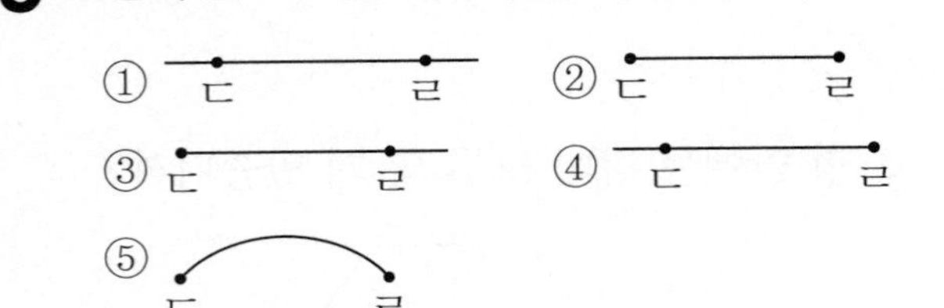

6 도형의 이름을 바르게 쓴 것은 어느 것입니까? ···································· (   )

① ㅁ ㅂ ⇨ 직선 ㅁㅂ
② ㅁ ㅂ ⇨ 반직선 ㅁㅂ
③ ㅁ ㅂ ⇨ 선분 ㅁㅂ
④ ㅁ ㅂ ⇨ 반직선 ㅁㅂ
⑤ ㅁ ㅂ ⇨ 반직선 ㅂㅁ

7 직각이 있는 도형은 모두 몇 개입니까?

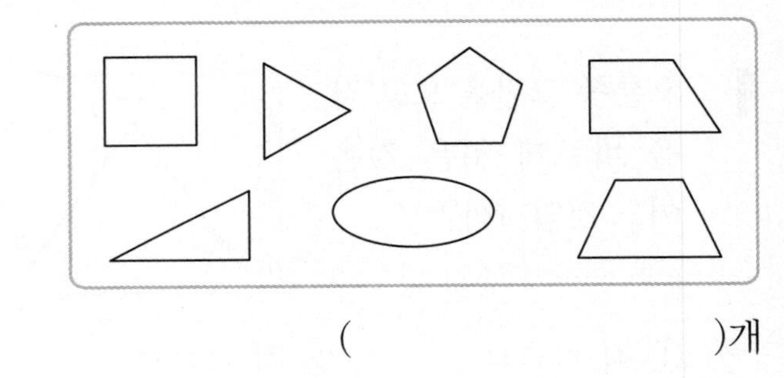

(   )개

8 직각의 수가 가장 많은 도형은 어느 것입니까? ···································· (   )

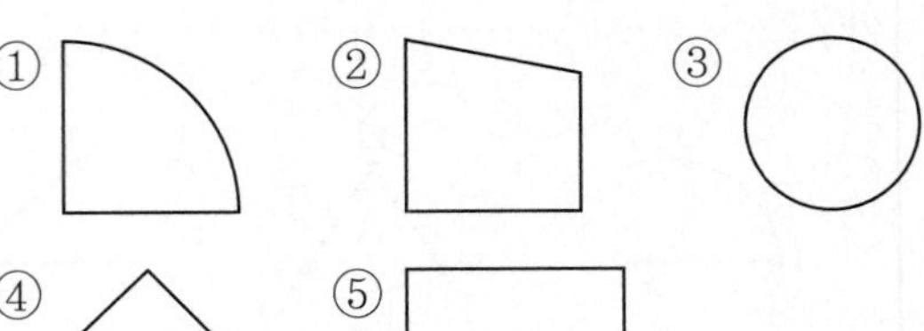

정답률 85.6 %

유형 5 각 알아보기

각이 없는 도형은 모두 몇 개입니까?

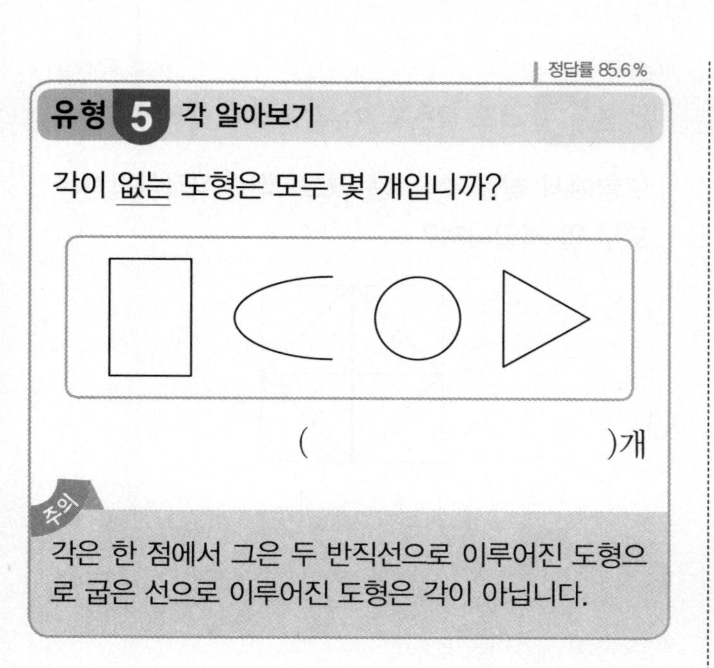

( )개

주의

각은 한 점에서 그은 두 반직선으로 이루어진 도형으로 굽은 선으로 이루어진 도형은 각이 아닙니다.

9 각이 없는 도형은 모두 몇 개입니까?

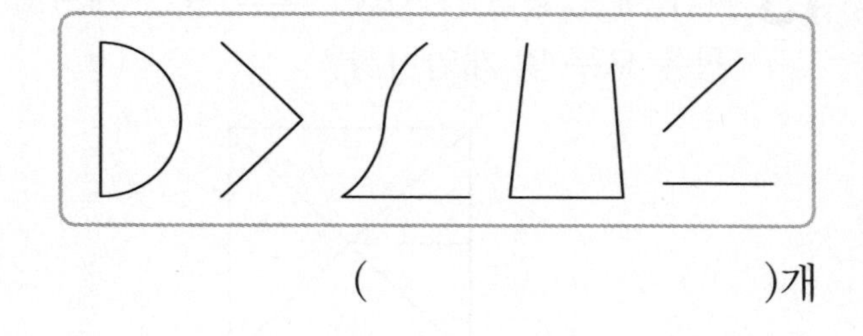

( )개

10 각의 있는 도형과 각이 없는 도형의 수의 차는 몇 개입니까?

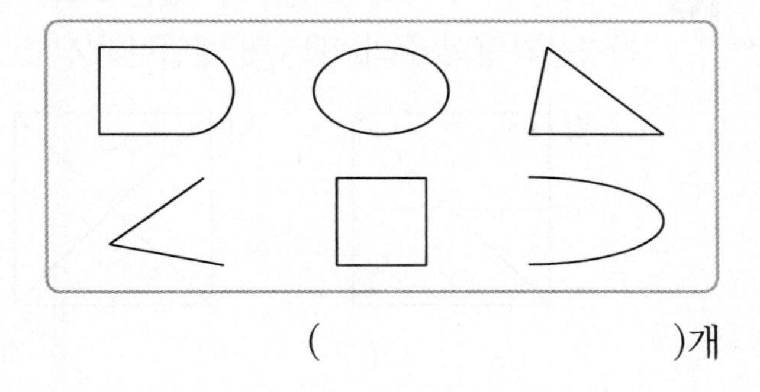

( )개

정답률 83 %

유형 6 직사각형의 변의 길이 알아보기

직사각형의 네 변의 길이의 합은 34 cm입니다. □ 안에 알맞은 수를 구하시오.

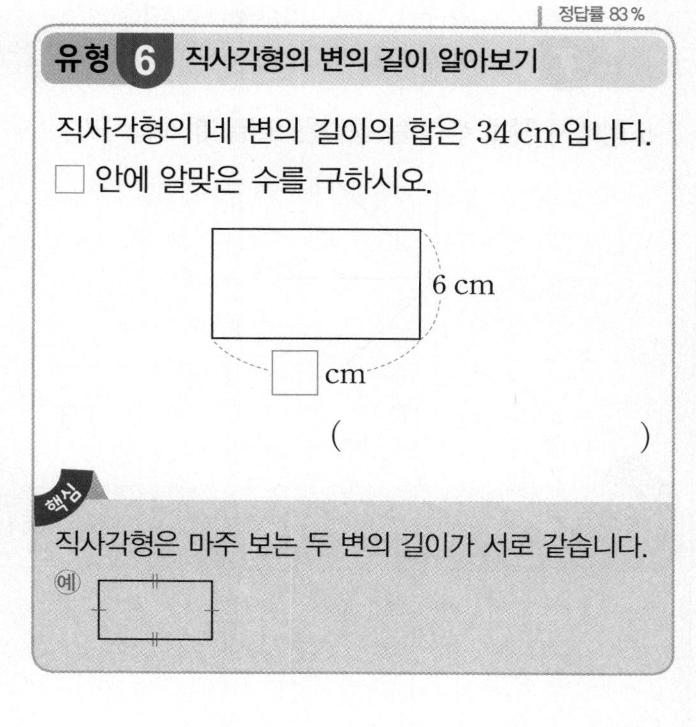

( )

핵심

직사각형은 마주 보는 두 변의 길이가 서로 같습니다.

예

11 직사각형의 네 변의 길이의 합은 40 cm입니다. □ 안에 알맞은 수를 구하시오.

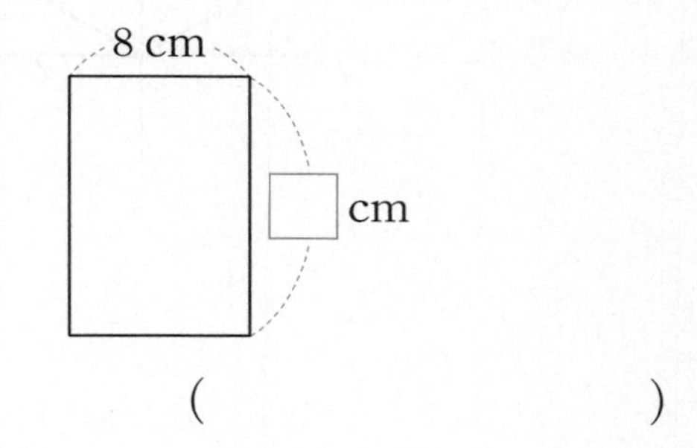

( )

12 정사각형과 직사각형의 네 변의 길이의 합이 같습니다. □ 안에 알맞은 수를 구하시오.

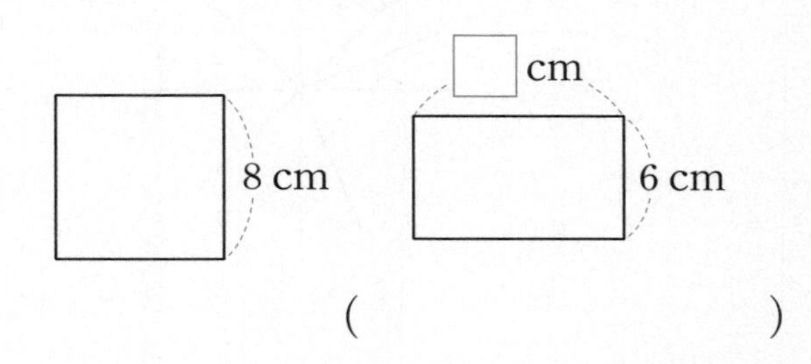

( )

정답률 76.7 %

유형 7 직각의 수 구하기

도형에서 찾을 수 있는 직각은 모두 몇 개입니까?

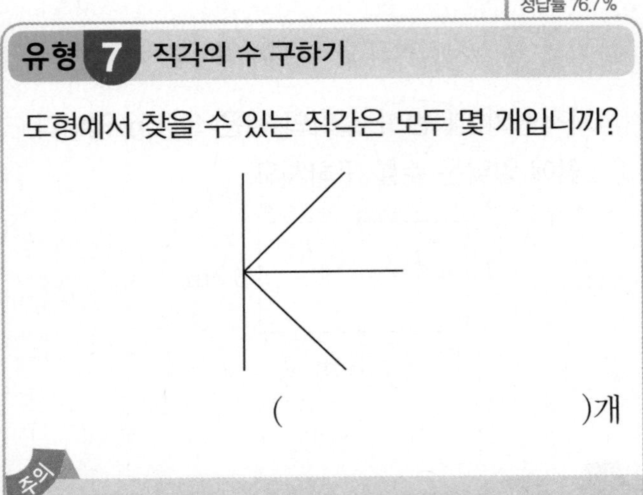

( )개

주의
두 각이 합쳐져 직각이 되는 경우를 빠짐없이 셉니다.

정답률 76.2 %

유형 8 크고 작은 직각삼각형의 수 구하기

도형에서 찾을 수 있는 크고 작은 직각삼각형은 모두 몇 개입니까?

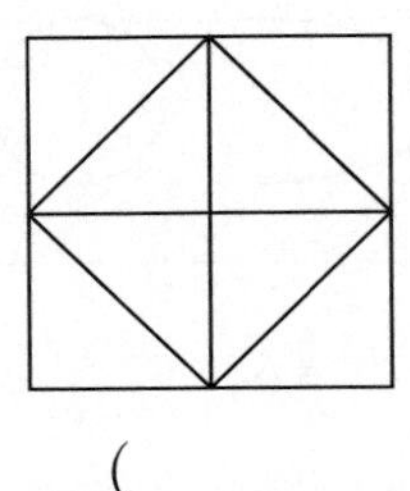

( )개

핵심
직각삼각형 1개짜리, 2개짜리로 나누어 직각삼각형의 수를 세어 봅니다.

13 도형에서 찾을 수 있는 직각은 모두 몇 개입니까?

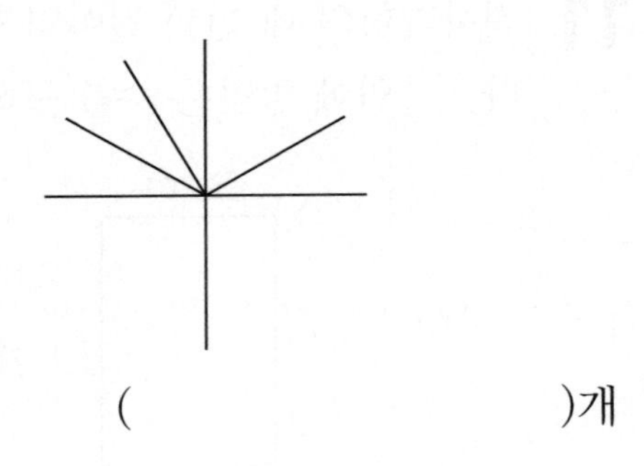

( )개

14 도형에서 찾을 수 있는 직각은 모두 몇 개입니까?

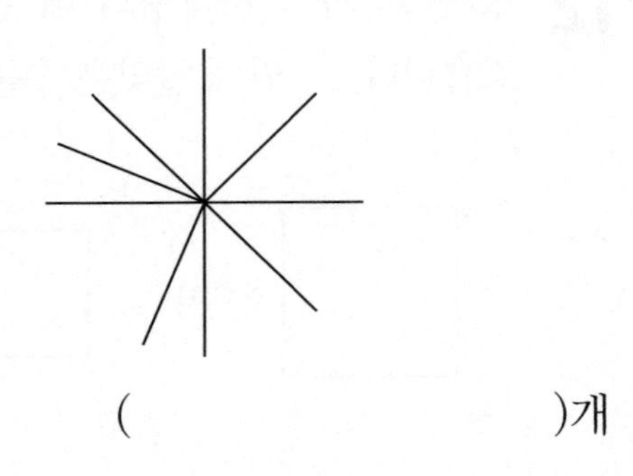

( )개

15 도형에서 찾을 수 있는 크고 작은 직각삼각형은 모두 몇 개입니까?

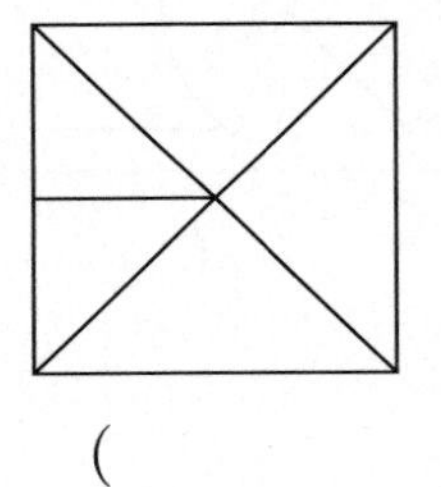

( )개

16 두 도형 가와 나에서 찾을 수 있는 크고 작은 직각삼각형의 수의 차는 몇 개입니까?

가 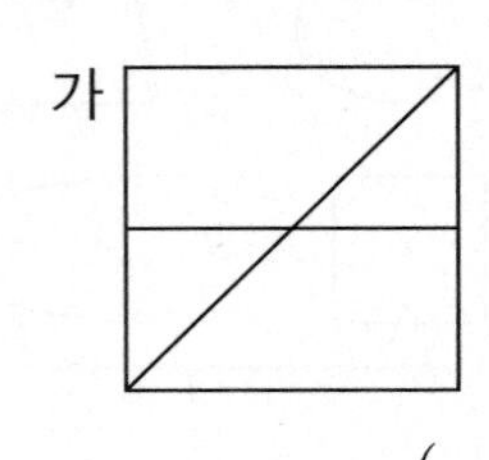 나

( )개

정답률 75.4 %

유형 9 크고 작은 정사각형의 수 구하기

도형에서 찾을 수 있는 크고 작은 정사각형은 모두 몇 개입니까?

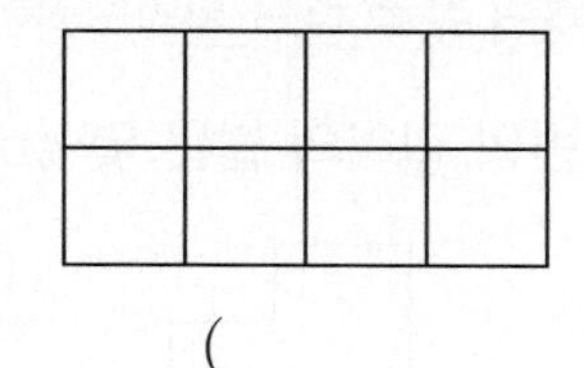

( )개

핵심

정사각형 1개짜리, 4개짜리로 나누어 정사각형의 수를 세어 봅니다.

17 도형에서 찾을 수 있는 크고 작은 정사각형은 모두 몇 개입니까?

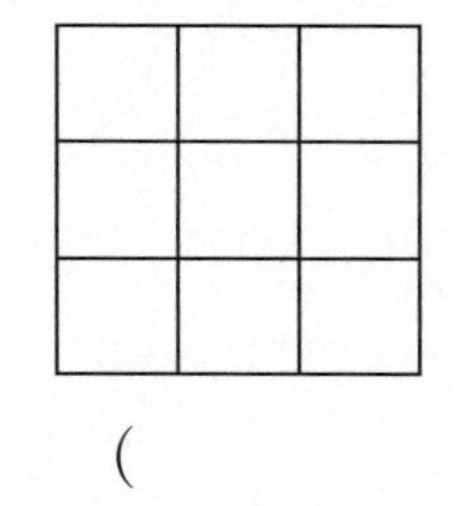

( )개

정답률 75.2 %

유형 10 시계를 이용한 직각 찾기

지금 시각이 오른쪽과 같을 때 앞으로 몇 분 후에 처음으로 시계의 긴바늘과 짧은바늘이 이루는 작은 쪽의 각이 직각이 되겠습니까?

( )분 후

핵심

직각이 되는 시각을 생각해 봅니다.

18 지금 시각이 오른쪽과 같을 때 앞으로 몇 분 후에 처음으로 시계의 긴바늘과 짧은바늘이 이루는 작은 쪽의 각이 직각이 되겠습니까?

( )분 후

정답률 75 %

유형 11 만들 수 있는 선분, 반직선의 수 구하기

그림과 같은 5개의 점을 이어서 만들 수 있는 선분은 모두 몇 개입니까?

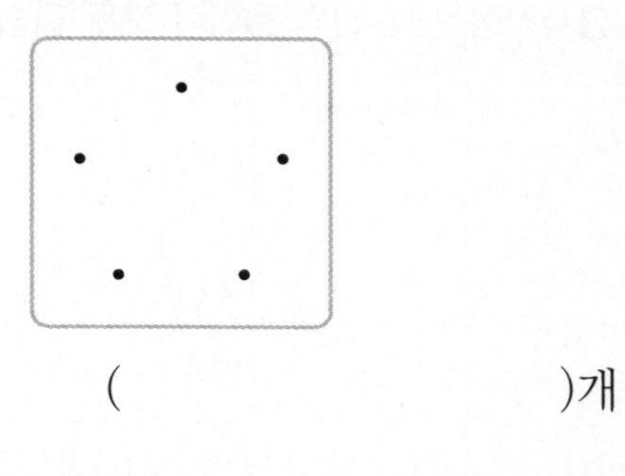

( )개

핵심

두 점을 잇는 선분은 1개입니다.

19 그림과 같은 4개의 점을 이어서 만들 수 있는 반직선은 모두 몇 개입니까?

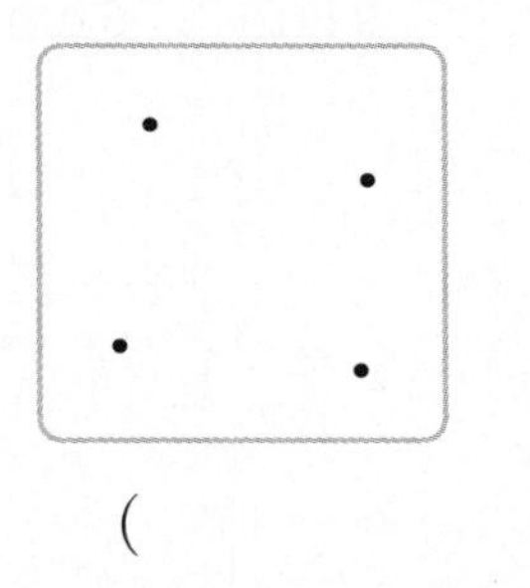

( )개

2 단원

정답률 57%

유형 12 굵은 선의 길이 구하기

크기가 서로 다른 정사각형 3개를 겹치지 않게 이어 그린 것입니다. 굵은 선의 길이는 몇 cm입니까?

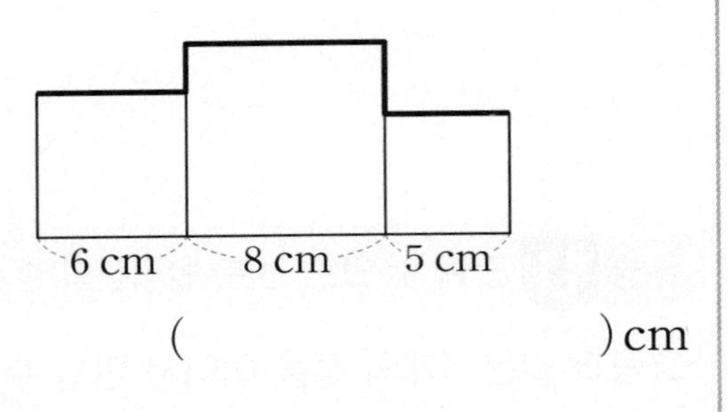

( ) cm

핵심 정사각형은 네 변의 길이가 모두 같습니다.

정답률 56.7%

유형 13 도형의 모든 변의 길이의 합

도형의 모든 변의 길이의 합은 몇 cm입니까?

123 cm

142 cm

( ) cm

핵심 직각을 이용한 도형의 변의 길이를 구할 때에는 변을 이동하여 길이를 잴 수 있는 도형으로 만들어 봅니다.

20 크기가 서로 다른 정사각형 3개를 겹치지 않게 이어 그린 것입니다. 굵은 선의 길이는 몇 cm입니까?

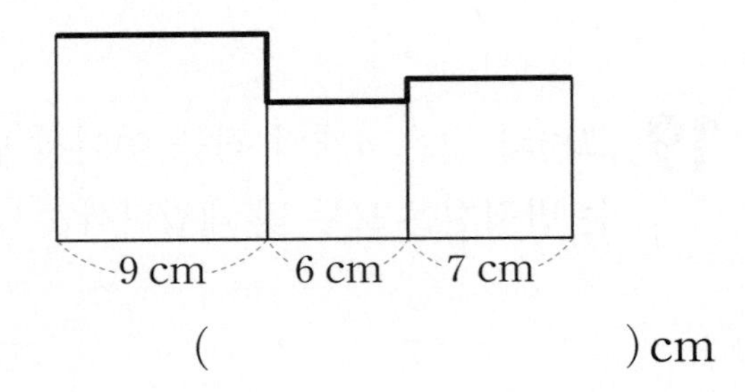

( ) cm

21 도형의 모든 변의 길이의 합은 492 cm입니다. □ 안에 알맞은 수를 구하시오.

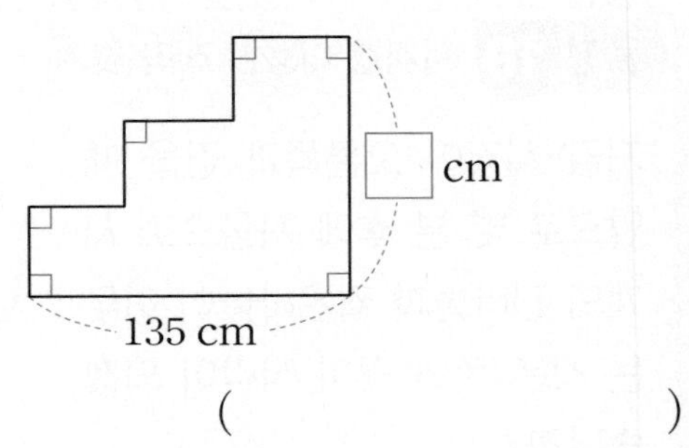

( )

정답률 55.9 %

유형 14 직각의 수 구하기

도형에서 찾을 수 있는 직각은 모두 몇 개입니까?

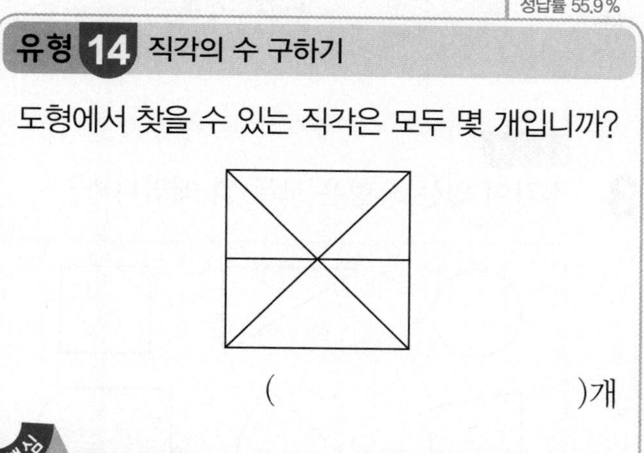

( )개

핵심
직각 삼각자의 직각 부분을 이용하여 직각을 찾습니다.

정답률 55 %

유형 15 정사각형의 네 변의 길이의 합 구하기

직사각형 모양의 종이를 잘라 만들 수 있는 가장 큰 정사각형 모양의 네 변의 길이의 합은 몇 cm입니까?

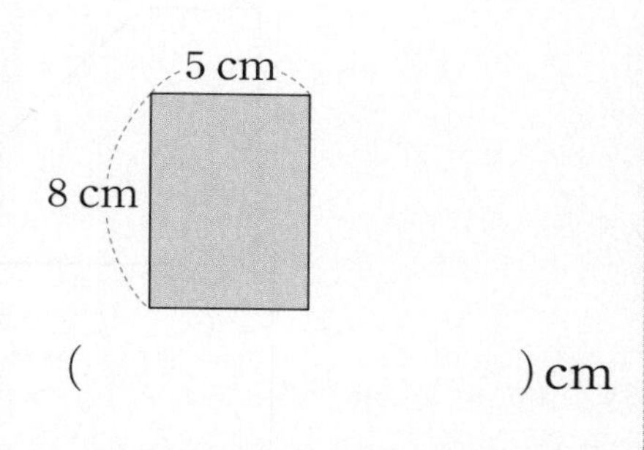

( ) cm

핵심
직사각형의 짧은 쪽의 변을 가장 큰 정사각형의 한 변으로 합니다.

22 도형에서 찾을 수 있는 직각은 모두 몇 개입니까?

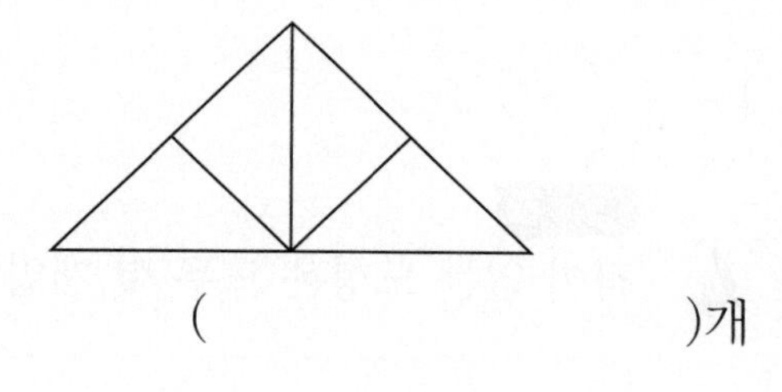

( )개

23 도형에서 찾을 수 있는 직각은 모두 몇 개입니까?

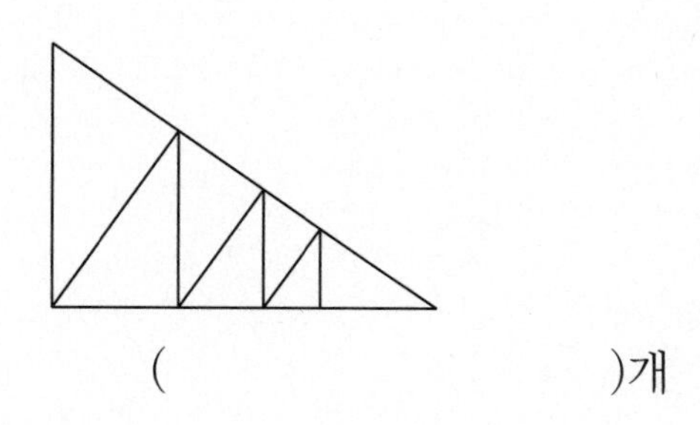

( )개

24 직사각형 모양의 종이를 그림과 같이 접은 후 선분 ㄱㄴ을 따라 잘라서 정사각형을 만들었습니다. 정사각형을 만들고 남은 직사각형 ㄱㄴㄷㄹ의 네 변의 길이의 합이 106 cm일 때 접어서 만든 정사각형의 네 변의 길이의 합은 몇 cm입니까?

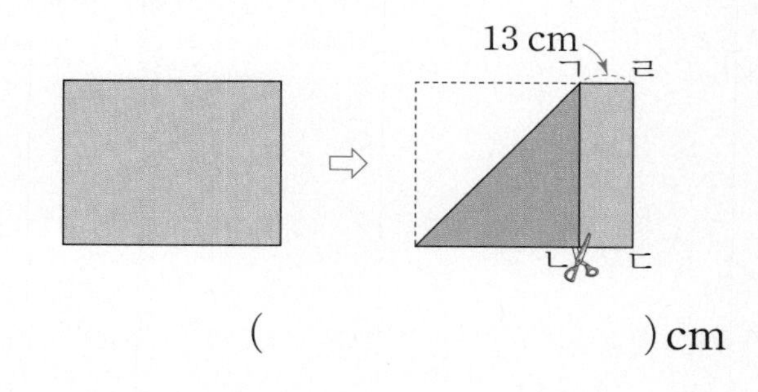

( ) cm

2단원 종합

유형 2

1 도형 안에는 각이 모두 몇 개 있습니까?

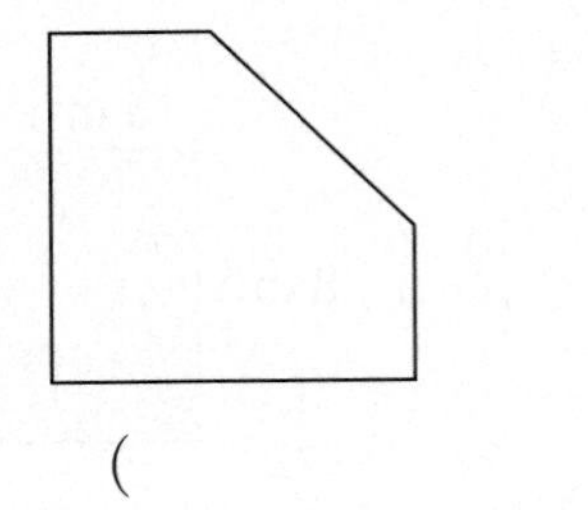

(　　　　　　　　)개

유형 3

2 반직선 ㅅㅇ은 어느 것입니까? ···· (　　　)

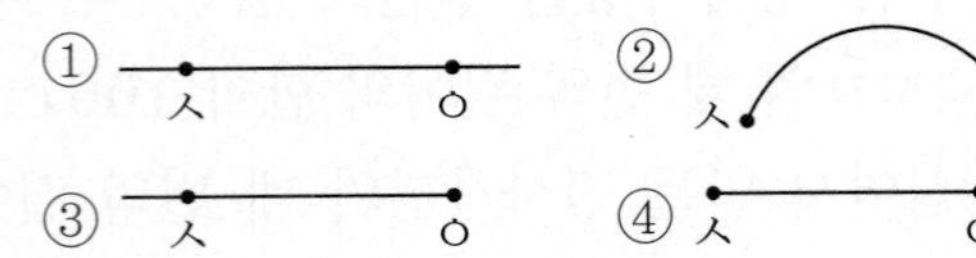

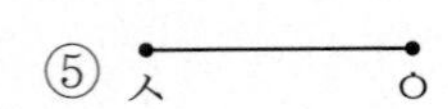

유형 4

3 직각이 있는 도형은 모두 몇 개입니까?

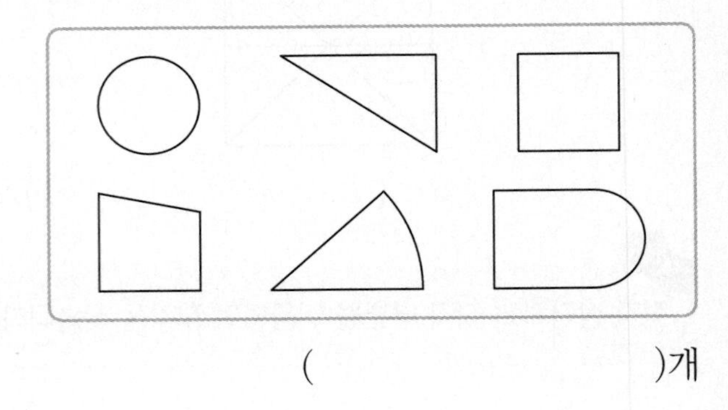

(　　　　　　　　)개

유형 5

4 각이 없는 도형은 모두 몇 개입니까?

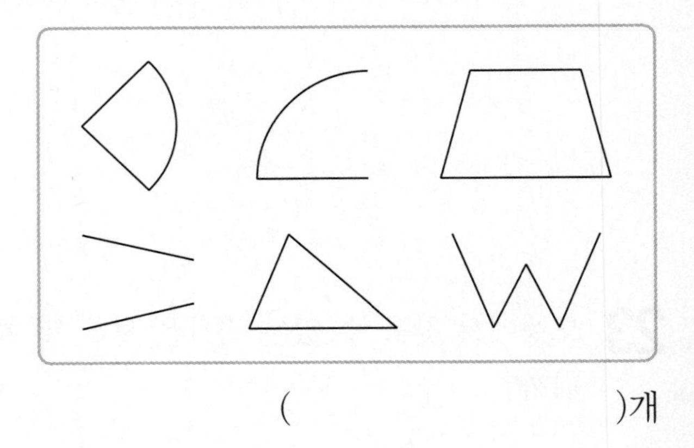

(　　　　　　　　)개

유형 7

5 도형에서 찾을 수 있는 직각은 모두 몇 개입니까?

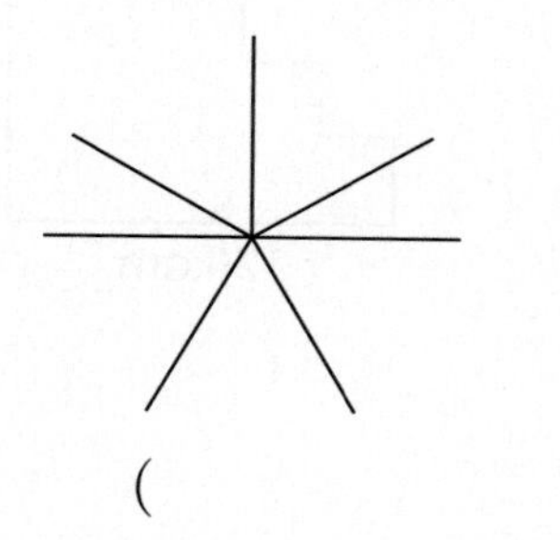

( )개

유형 8

6 도형에서 찾을 수 있는 크고 작은 직각삼각형은 모두 몇 개입니까?

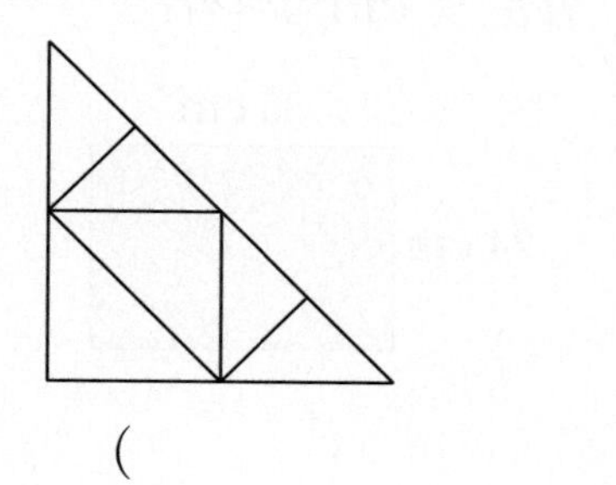

( )개

유형 9

7 도형에서 찾을 수 있는 크고 작은 정사각형은 모두 몇 개입니까?

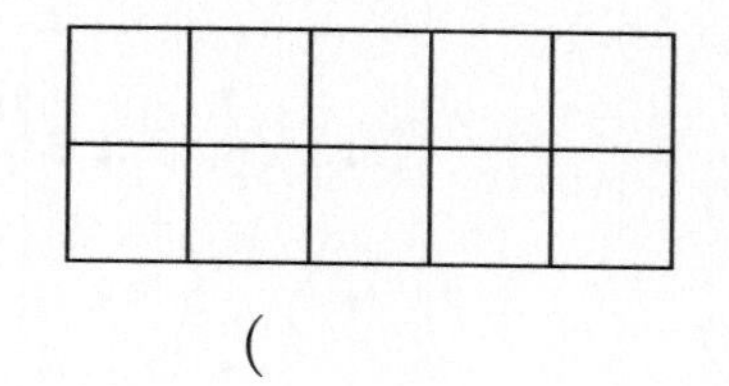

( )개

8 크기가 같은 직사각형 모양의 종이 4장을 겹치는 부분 없이 이어 붙여서 다음과 같은 정사각형을 만들었습니다. 이 정사각형의 네 변의 길이의 합은 몇 cm입니까?

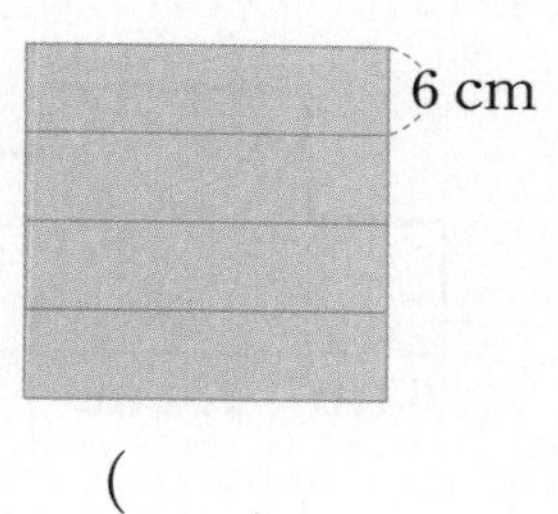

( ) cm

유형 11

9 그림과 같은 6개의 점 중에서 2개의 점을 이어서 만들 수 있는 직선은 모두 몇 개입니까?

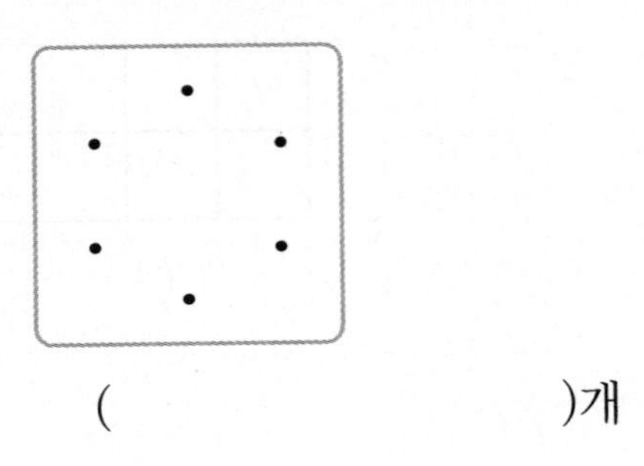

( )개

유형 12

10 크기가 서로 다른 정사각형 3개를 겹치지 않게 이어 그린 것입니다. 굵은 선의 길이는 몇 cm입니까?

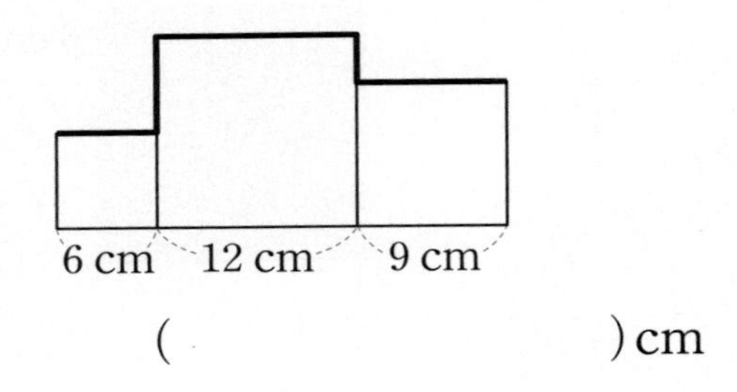

( ) cm

유형 13

11 도형의 모든 변의 길이의 합은 몇 cm입니까?

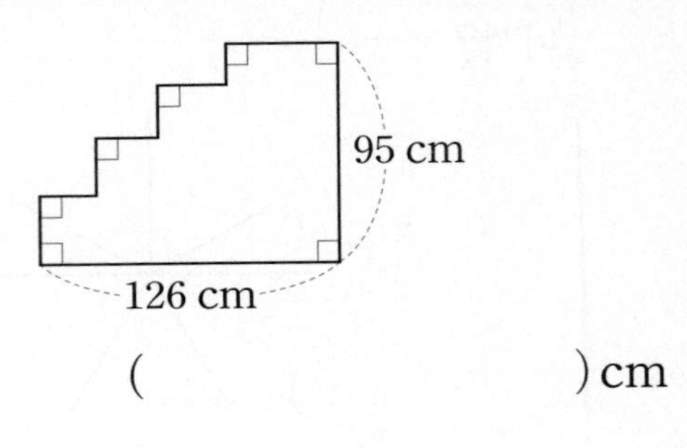

( ) cm

12 직사각형 모양의 종이를 그림과 같이 접은 후 선분 ㄱㄴ을 따라 잘랐습니다. 잘라 내고 남은 직사각형 ㄱㄴㄷㄹ의 네 변의 길이의 합은 몇 cm입니까?

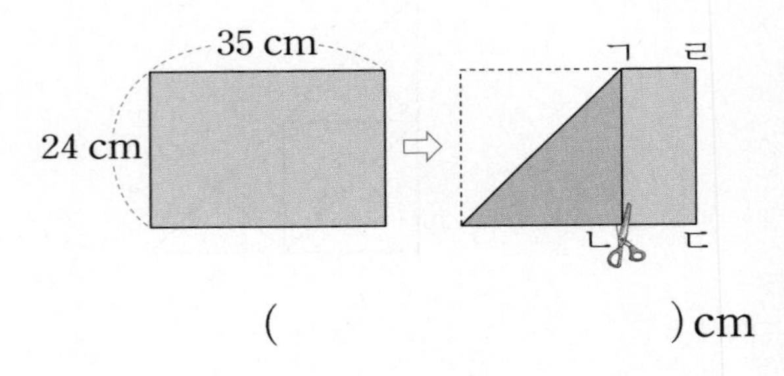

( ) cm

정답률 94.4 %

유형 1 뺄셈과 나눗셈의 관계

뺄셈식의 □ 안에는 모두 같은 수가 들어갑니다. □ 안에 알맞은 수를 구하시오.

$$24-\square-\square-\square-\square=0$$

(　　　　　　　　)

핵심

■ − ▲ − ▲ − …… − ▲ = 0 ⇨ ■ ÷ ▲ = ●
(▲을 ●번 뺌; ▲: 뺀 수, ●: 뺀 횟수)

정답률 91.7 %

유형 2 다리 수와 관련된 나눗셈의 활용

동물원으로 현장 학습을 갔습니다. 우리 안에 있는 기린의 다리 수를 세어 보니 20개였습니다. 기린은 모두 몇 마리입니까?

(　　　　　　　　)마리

기린 한 마리의 다리는 4개입니다.

1 뺄셈식의 □ 안에는 모두 같은 수가 들어갑니다. □ 안에 알맞은 수를 구하시오.

$$45-\square-\square-\square-\square-\square=0$$

(　　　　　　　　)

2 뺄셈식의 ■는 모두 같은 수일 때 ■는 얼마입니까?

$$63-■-■-■-■-■-■-■=0$$

(　　　　　　　　)

3 희진이네 반 학생들은 동물원으로 현장 학습을 갔습니다. 우리 안에 있는 오리의 다리 수를 세어 보니 18개였습니다. 오리는 모두 몇 마리입니까?

(　　　　　　　　)마리

4 은정이네 반 학생들이 농장으로 체험 학습을 갔습니다. 우리 안에 있는 소와 닭의 다리 수를 세어 보니 46개였습니다. 닭이 5마리라면 소는 몇 마리입니까?

(　　　　　　　　)마리

정답률 90 %

유형 3 묶음 말과 관련된 나눗셈의 활용

세정이와 영우는 우리말로 표현되는 물건의 단위에 대해 알아보았습니다. 조기 한 두름을 4명이 똑같이 나누어 가지려면 한 명이 조기를 몇 마리씩 가져야 합니까?

> 세정: 조기 한 두름은 20마리야.
> 영우: 고등어 한 손은 2마리야.

( )마리

주의
문제를 해결할 때 고등어 한 손은 필요없는 조건입니다.

5 바늘 한 쌈은 24개입니다. 바늘 한 쌈을 3명이 똑같이 나누어 가지려면 한 명이 바늘을 몇 개씩 가져야 합니까?

( )개

6 북어 한 쾌는 20마리입니다. 북어 두 쾌를 5명이 똑같이 나누어 가지려면 한 명이 북어를 몇 마리씩 가져야 합니까?

( )마리

정답률 89.3 %

유형 4 실생활과 관련된 나눗셈의 활용

경수는 우표를 42장 가지고 있었습니다. 그중에서 2장을 남겨 놓고 나머지는 친구 8명에게 똑같이 나누어 주었습니다. 한 명에게 우표를 몇 장씩 나누어 주었습니까?

( )장

주의
우표를 남겨 놓고 나누어 준 것을 생각합니다.

7 서윤이는 사탕을 33개 가지고 있었습니다. 그중에서 3개를 남겨 놓고 나머지는 친구 5명에게 똑같이 나누어 주었습니다. 한 명에게 사탕을 몇 개씩 나누어 주었습니까?

( )개

8 수민이는 구슬을 55개 가지고 있습니다. 구슬 8개를 더 사서 친구 7명에게 똑같이 나누어 주려고 합니다. 한 명에게 구슬을 몇 개씩 나누어 줄 수 있습니까?

( )개

정답률 88.3 %

유형 5 빈칸에 알맞은 수 구하기

㉠에 알맞은 수를 구하시오.

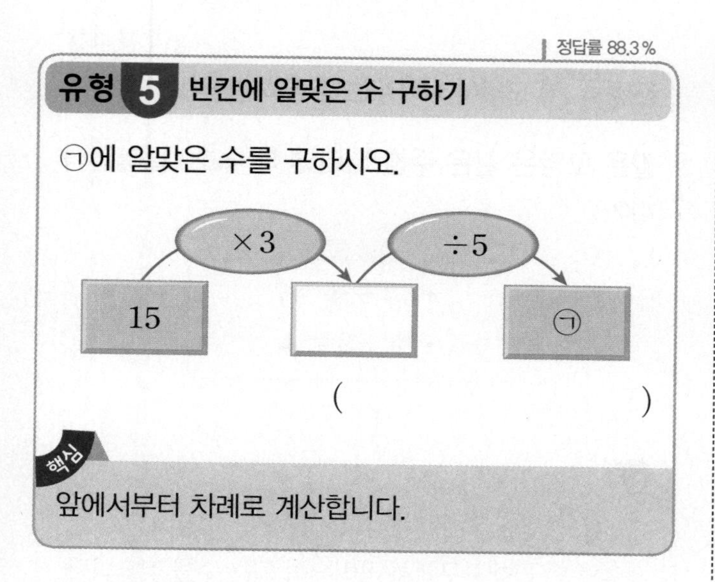

( )

핵심

앞에서부터 차례로 계산합니다.

9 ㉠에 알맞은 수를 구하시오.

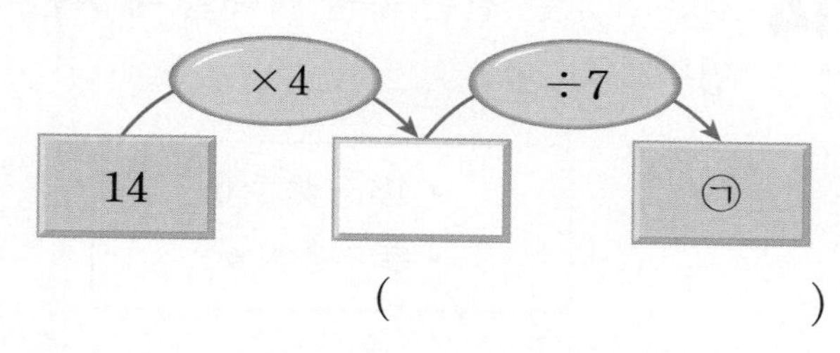

( )

10 ㉠에 알맞은 수를 구하시오.

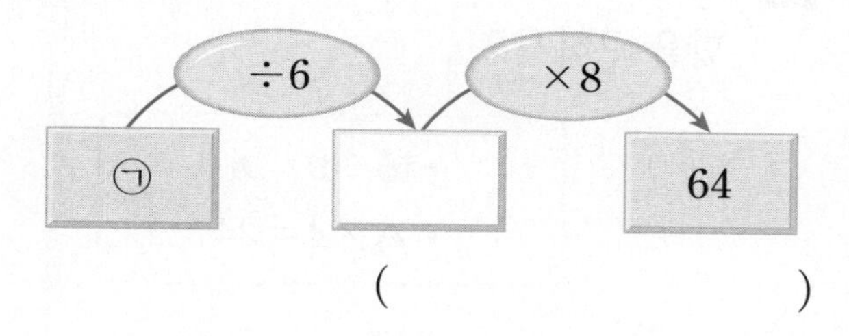

( )

정답률 88.1 %

유형 6 저울을 이용한 나눗셈의 활용

오른쪽 접시에 바둑돌 72개가 놓여 있습니다. 왼쪽 접시에 바둑돌을 9개씩 몇 묶음 올려놓았더니 저울이 수평이 되었습니다. 왼쪽 접시에 바둑돌을 몇 묶음 올려놓았습니까? (단, 바둑돌 1개의 무게는 같습니다.)

( )묶음

핵심

양쪽 접시에 올려놓은 바둑돌의 수가 같아야 수평이 됩니다.

11 오른쪽 접시에 바둑돌 43개가 놓여 있습니다. 오른쪽 접시에서 바둑돌 3개를 내려 놓고, 왼쪽 접시에 바둑돌을 5개씩 몇 묶음 올려놓았더니 저울이 수평이 되었습니다. 왼쪽 접시에 바둑돌을 몇 묶음 올려놓았습니까?

(단, 바둑돌 1개의 무게는 같습니다.)

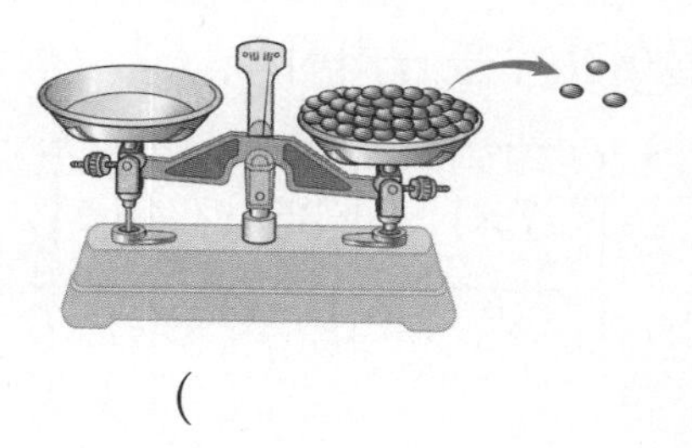

( )묶음

3 단원

정답률 85.3 %

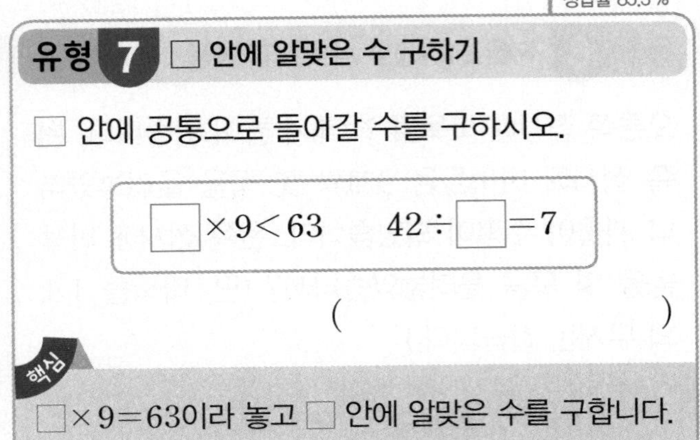

유형 7 □ 안에 알맞은 수 구하기

□ 안에 공통으로 들어갈 수를 구하시오.

$\square \times 9 < 63 \qquad 42 \div \square = 7$

(　　　　　　　　)

핵심

$\square \times 9 = 63$이라 놓고 □ 안에 알맞은 수를 구합니다.

정답률 83.7 %

유형 8 모양이 나타내는 수 구하기

같은 모양은 같은 수를 나타낼 때 ▲는 얼마입니까?

- $63 \div$ ● $= 7$
- ● $\div 3 =$ ▲

(　　　　　　　　)

핵심

예 $8 \div \square = 4$ ⇨ $4 \times \square = 8$에서 $4 \times \boxed{2} = 8$, $\square = 2$
4의 단 곱셈구구에서 곱이 8이 되는 수를 찾습니다.

12 □ 안에 공통으로 들어갈 수를 구하시오.

$\square \times 8 < 48 \qquad 24 \div \square = 6$

(　　　　　　　　)

13 1부터 9까지의 수 중에서 □ 안에 공통으로 들어갈 수를 구하시오.

$7 \times \square > 35 \qquad 45 \div \square = 5$

(　　　　　　　　)

14 같은 모양은 같은 수를 나타낼 때 ★은 얼마입니까?

- $48 \div$ ● $= 6$
- ● $\div 2 =$ ★

(　　　　　　　　)

15 같은 모양은 같은 수를 나타낼 때 ■와 ▲의 합을 구하시오.

- ■ $\div 9 =$ ▲
- ▲ $\times 4 = 24$

(　　　　　　　　)

정답률 81.9 %

유형 9 몫이 같은 식에서 □ 구하기

두 나눗셈의 몫이 같습니다. □ 안에 알맞은 수를 구하시오.

$81 \div 9$ $63 \div \square$

(   )

핵심

곱셈구구를 외워 나눗셈의 몫을 찾습니다.

정답률 80.6 %

유형 10 정사각형의 한 변의 길이 구하기

길이가 16 cm인 철사를 모두 사용하여 가장 큰 정사각형 하나를 만들었습니다. 만든 정사각형의 한 변은 몇 cm입니까?

(   ) cm

정사각형은 네 변의 길이가 모두 같습니다.

16 두 나눗셈의 몫이 같습니다. □ 안에 알맞은 수를 구하시오.

$72 \div 9$ $40 \div \square$

(   )

17 두 나눗셈의 몫이 같습니다. □ 안에 알맞은 수를 구하시오.

$64 \div 8$ $24 \div \square$

(   )

18 길이가 28 cm인 끈을 모두 사용하여 가장 큰 정사각형 하나를 만들었습니다. 만든 정사각형의 한 변은 몇 cm입니까?

(   ) cm

19 길이가 60 cm인 철사를 3도막으로 똑같이 나눈 다음 그중 한 도막을 모두 사용하여 가장 큰 정사각형 하나를 만들었습니다. 만든 정사각형의 한 변은 몇 cm입니까?

(   ) cm

정답률 60.8 %

유형 11 정사각형의 수 구하기

그림과 같은 직사각형 모양의 도화지를 오려서 한 변이 3 cm인 정사각형을 만들려고 합니다. 모두 몇 개까지 만들 수 있습니까?

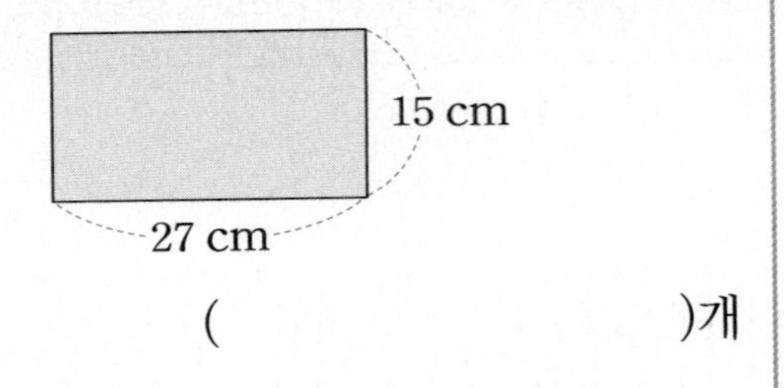

( )개

핵심

가로와 세로로 각각 몇 개씩 만들 수 있는지 구해 봅니다.

20 그림과 같은 직사각형 모양의 도화지를 남은 부분이 없이 오려서 한 변이 5 cm인 정사각형을 만들었더니 모두 48개가 되었습니다. 직사각형 모양의 세로는 몇 cm입니까?

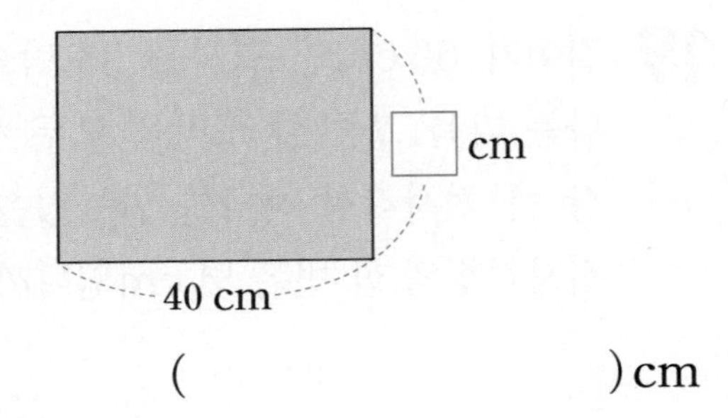

( ) cm

정답률 56.6 %

유형 12 나눗셈의 활용

성수네 농장에서는 모든 토끼가 하루에 같은 수의 당근을 먹는다고 합니다. 토끼 7마리가 하루에 먹는 당근이 28개라고 할 때, 토끼 8마리가 2일 동안 먹는 당근은 몇 개입니까?

( )개

핵심

- 토끼 8마리가 1일 동안 먹는 당근의 수: □개
- 토끼 8마리가 2일 동안 먹는 당근의 수: (□+□)개

21 하루에 같은 수의 도토리를 먹는 다람쥐가 있습니다. 다람쥐 4마리가 하루에 먹는 도토리가 20개라고 할 때, 다람쥐 6마리가 2일 동안 먹는 도토리는 몇 개입니까?

( )개

22 하루에 같은 수의 배춧잎을 먹는 달팽이가 있습니다. 달팽이 3마리가 하루에 먹는 배춧잎이 9장이라고 할 때, 달팽이 5마리가 일주일 동안 먹는 배춧잎은 몇 장입니까?

( )장

정답률 56 %

유형 13 수 카드로 나누어지는 수

4장의 수 카드를 한 번씩만 사용하여 만들 수 있는 두 자리 수 중에서 8로 나누어지는 수는 모두 몇 개입니까?

2  3 4 5

( )개

핵심
만들 수 있는 두 자리 수를 알아보고, 8로 나누어지는 수를 모두 찾아봅니다.

정답률 55.1 %

유형 14 약속에 맞게 계산하기

| 보기 |와 같이 <㉮>는 ㉮를 8로 나누었을 때의 몫이라고 약속할 때, 다음 값을 구하시오.

| 보기 |
<16> ⇨ $16 \div 8 = 2$
⇨ <16> $= 2$

<24> + <40> + <48> + <56> + <72>

( )

핵심
8의 단 곱셈구구를 이용하여 <◆>의 값을 알아봅니다.

23 4장의 수 카드를 한 번씩만 사용하여 만들 수 있는 두 자리 수 중에서 9로 나누어지는 수는 모두 몇 개입니까?

3 4  5 6

( )개

24 7장의 수 카드 중 4장을 골라 한 번씩만 사용하여 □□÷□=□와 같은 나눗셈식을 만들려고 합니다. 만들 수 있는 식은 모두 몇 가지입니까?

3 4 5 6 7 8 9

( )가지

25 | 보기 |와 같이 [㉮]는 ㉮를 9로 나누었을 때의 몫이라고 약속할 때, 다음 값을 구하시오.

| 보기 |
[18] ⇨ $18 \div 9 = 2$
⇨ [18] $= 2$

[36]+[45]+[63]+[72]−[81]

( )

3 단원

3단원 종합

유형 1

1 뺄셈식의 □ 안에는 모두 같은 수가 들어갑니다. □ 안에 알맞은 수를 구하시오.

54－□－□－□－□－□－□＝0

(　　　　　　　)

유형 3

2 바늘 한 쌈은 24개입니다. 바늘 두 쌈을 8명이 똑같이 나누어 가지려면 한 명이 바늘을 몇 개씩 가져야 합니까?

(　　　　　　　)개

유형 4

3 지호는 색종이를 60장 가지고 있었습니다. 그중에서 4장을 남겨 놓고 나머지는 친구 7명에게 똑같이 나누어 주었습니다. 한 명에게 몇 장씩 나누어 주었습니까?

(　　　　　　　)장

유형 5

4 ㉠에 알맞은 수를 구하시오.

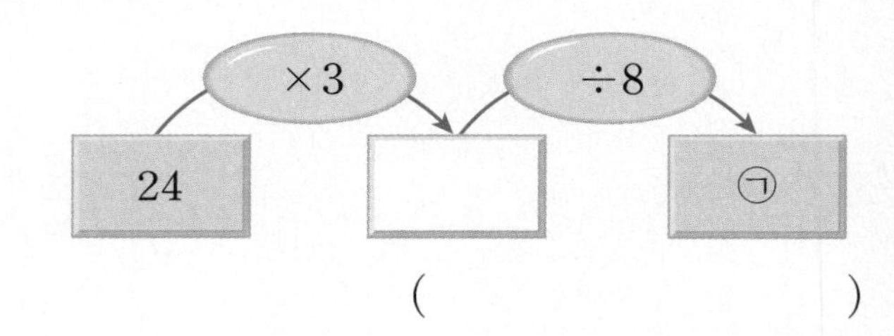

(　　　　　　　)

유형 6

5 오른쪽 접시에 바둑돌 63개가 놓여 있습니다. 왼쪽 접시에 바둑돌을 7개씩 몇 묶음 올려놓았더니 저울이 수평이 되었습니다. 왼쪽 접시에 바둑돌을 몇 묶음 올려놓았습니까?

(단, 바둑돌 1개의 무게는 같습니다.)

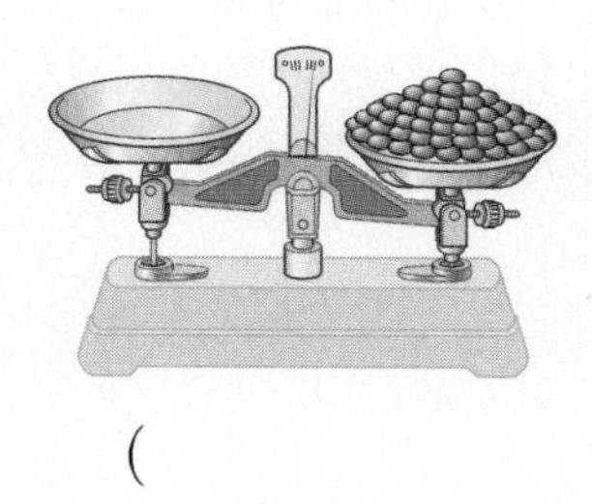

( )묶음

유형 7

6 □ 안에 공통으로 들어갈 수를 구하시오.

$6\times\square<48$ $56\div\square=8$

( )

유형 8

7 같은 모양은 같은 수를 나타낼 때 ▲는 얼마입니까?

- $54\div$ ● $=9$
- ● $\div 2=$ ▲

( )

유형 9

8 두 나눗셈의 몫이 같습니다. □ 안에 알맞은 수를 구하시오.

$49\div7$ $35\div\square$

( )

3 단원

9 길이가 54 m인 도로의 한쪽에 그림과 같이 6 m 간격으로 나무를 심으려고 합니다. 나무를 도로의 처음과 끝에도 심을 때 나무는 모두 몇 그루가 필요합니까? (단, 나무의 두께는 생각하지 않습니다.)

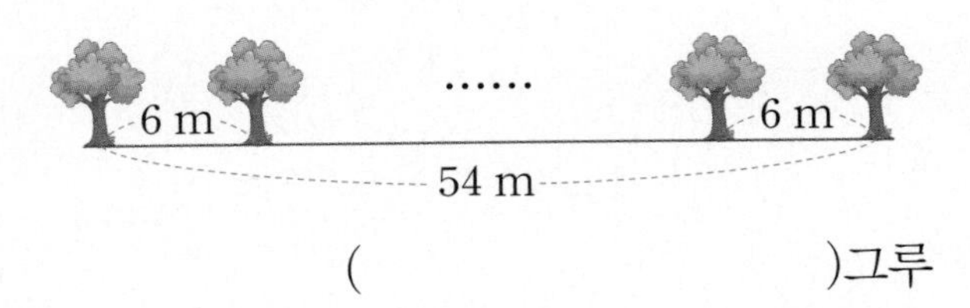

( )그루

유형 11

10 그림과 같은 직사각형 모양의 도화지를 오려서 한 변이 4 cm인 정사각형을 만들려고 합니다. 모두 몇 개까지 만들 수 있습니까?

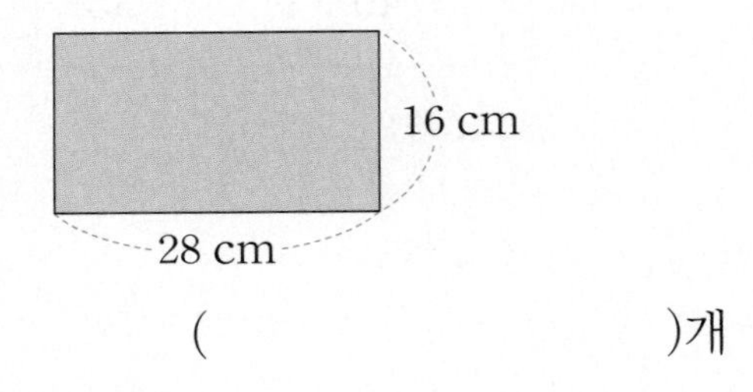

( )개

유형 12

11 민수네 농장에 있는 말은 하루에 같은 수의 당근을 먹는다고 합니다. 말 4마리가 하루에 먹는 당근이 32개라고 할 때, 말 6마리가 3일 동안 먹는 당근은 몇 개입니까?

( )개

유형 13

12 4장의 수 카드를 한 번씩만 사용하여 만들 수 있는 두 자리 수 중에서 6으로 나누어지는 수는 모두 몇 개입니까?

1 2 4 5

( )개

4단원 기출 유형

정답률 75% 이상

정답률 96.6 %

유형 1 덧셈식을 곱셈식으로 나타내기

다음 덧셈식과 계산한 값이 같은 것은 어느 것입니까? ( )

$36+36+36+36+36+36$

① $36+6$　② 36×6
③ 36×36　④ $36\div6$
⑤ $36+36$

핵심

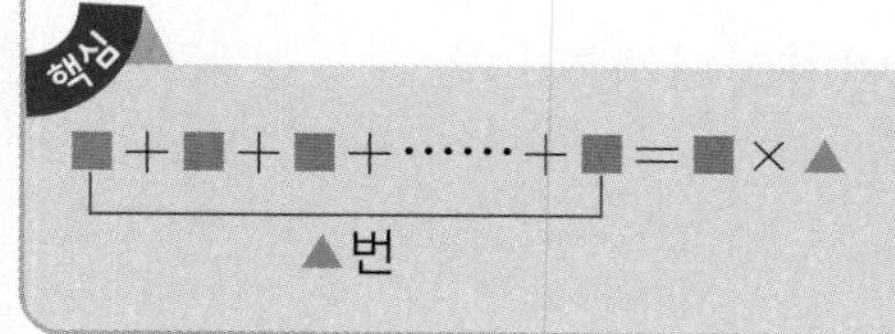

정답률 96.3 %

유형 2 조건에 맞는 수를 골라 곱하기

가장 큰 수와 가장 작은 수의 곱을 구하시오.

3　84　9

( )

주의

올림에 주의하여 곱셈을 합니다.

1 $43+43+43+43$과 계산한 값이 같은 것을 찾아 기호를 쓰시오.

㉠ 43×43　㉡ $43+4$
㉢ 43×4　㉣ $43\div4$

( )

2 □ 안에 알맞은 수는 어느 것입니까? ( )

$57+57+57+57+57=57\times\square$

① 4　② 5　③ 6
④ 7　⑤ 8

3 가장 큰 수와 가장 작은 수의 곱을 구하시오.

4　2　25

( )

4 가장 큰 수와 두 번째로 작은 수의 곱을 구하시오.

32　8　37　5

( )

정답률 93.8 %

유형 3 계산식에서 모르는 수 구하기

곱셈식의 일부분이 다음과 같이 물감에 지워졌습니다. 에 알맞은 수를 구하시오.

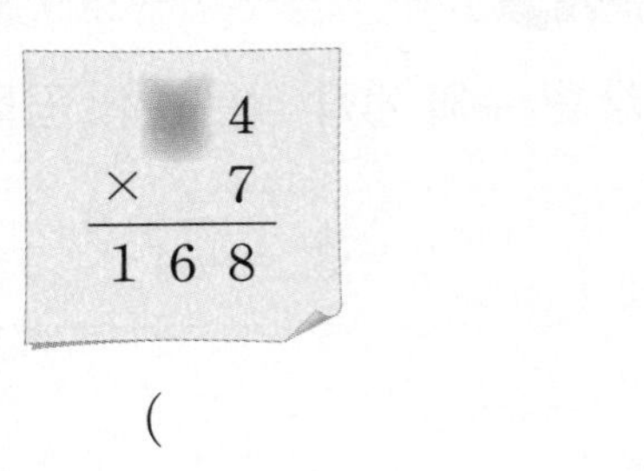

( )

핵심
일의 자리에서 올림이 있으면 올림한 수를 십의 자리 계산에 더합니다.

5 □ 안에 알맞은 수를 구하시오.

$$\begin{array}{r} 3\ 7 \\ \times \quad \square \\ \hline 1\ 4\ 8 \end{array}$$

( )

6 ㉠과 ㉡에 알맞은 수를 각각 구하시오.

$$\begin{array}{r} ㉠\ 3 \\ \times \quad ㉡ \\ \hline 2\ 0\ 7 \end{array}$$

㉠ ( )
㉡ ( )

정답률 90.4 %

유형 4 어떤 수 구하기

어떤 수를 7로 나누었더니 47이 되었습니다. 어떤 수는 얼마입니까?

( )

핵심
어떤 수를 □라 하여 나눗셈식을 세운 다음 나눗셈과 곱셈의 관계를 이용하여 어떤 수를 구합니다.

7 어떤 수를 4로 나누었더니 86이 되었습니다. 어떤 수는 얼마입니까?

( )

정답률 86.9 %

유형 5 빈칸에 알맞은 수 구하기

㉠에 알맞은 수를 구하시오.

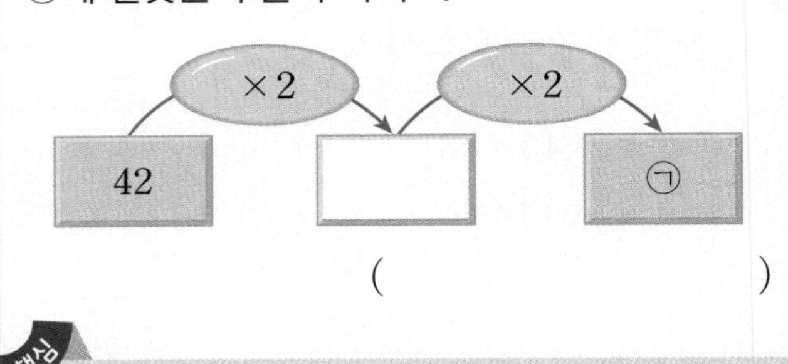

( )

핵심
앞에서부터 차례로 곱합니다.

8 ㉠에 알맞은 수를 구하시오.

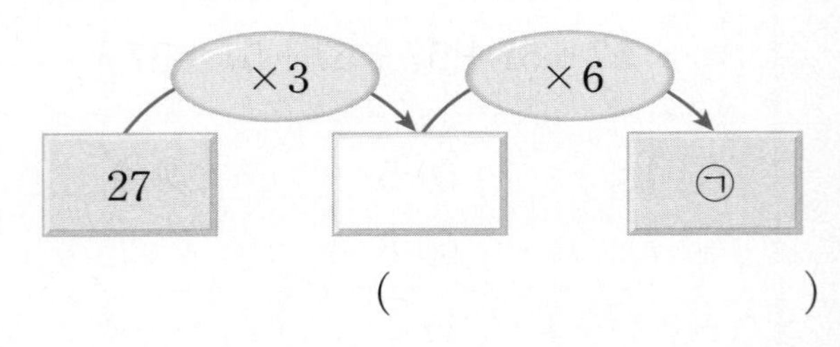

( )

정답률 86.4 %

유형 6 >, <가 있는 식에서 □ 안에 알맞은 수 구하기

□ 안에 들어갈 수 있는 수 중에서 가장 큰 수를 구하시오.

$23 \times 5 > 16 \times \square$

( )

핵심

23×5는 $16 \times \square$보다 큽니다.

9 □ 안에 들어갈 수 있는 수 중에서 가장 큰 수를 구하시오.

$24 \times 3 > 19 \times \square$

( )

10 1부터 9까지의 수 중에서 □ 안에 들어갈 수 있는 수는 모두 몇 개입니까?

$37 \times 2 < 15 \times \square < 27 \times 4$

( )개

정답률 79 %

유형 7 실생활에서 곱셈의 활용

축구공에서는 오각형 조각과 육각형 조각을 찾을 수 있습니다. 다음을 읽고 축구공 9개를 만드는 데 필요한 오각형 조각과 육각형 조각은 모두 몇 개인지 구하시오.

축구공 한 개는 오각형 조각 12개와 육각형 조각 20개로 만들어집니다.

( )개

핵심

먼저 축구공 한 개를 만드는 데 필요한 오각형 조각과 육각형 조각 수의 합을 구합니다.

11 빨간 장미 17송이와 노란 장미 7송이로 꽃다발 1개를 만들려고 합니다. 꽃다발 6개를 만드는 데 필요한 장미는 모두 몇 송이입니까?

( )송이

12 어느 과수원에서 하루에 사과 40상자를 따서 23상자를 팔았습니다. 일주일 동안 팔고 남은 사과는 모두 몇 상자입니까?

( )상자

정답률 78.5 %

유형 8 가장 가까운 수 구하기

계산 결과가 100에 가장 가까운 수가 되도록 □ 안에 알맞은 수를 구하시오.

$23 \times \square$

(   )

핵심

$23 \times \square$가 100보다 작은 수 중에서 가장 큰 수와 100보다 큰 수 중에서 가장 작은 수를 100과 비교합니다.

13 계산 결과가 200에 가장 가까운 수가 되도록 □ 안에 알맞은 수를 구하시오.

$35 \times \square$

(   )

14 계산 결과가 300에 가장 가까운 수가 되도록 □ 안에 알맞은 수를 구하시오.

$47 \times \square$

(   )

정답률 75.4 %

유형 9 연못의 둘레 구하기

원 모양의 연못 둘레에 23 m 간격으로 나무를 7그루 심었습니다. 연못의 둘레는 몇 m입니까?
(단, 나무의 두께는 생각하지 않습니다.)

(   ) m

핵심

원 모양일 때 간격의 수는 나무의 수와 같습니다.

15 원 모양의 호수 둘레에 27 m 간격으로 나무를 9그루 심었습니다. 호수의 둘레는 몇 m입니까? (단, 나무의 두께는 생각하지 않습니다.)

(   ) m

16 정사각형 모양의 게시판 둘레에 35 cm 간격으로 누름 못 8개를 꽂았습니다. 게시판의 네 꼭짓점에 반드시 누름 못을 꽂을 때 게시판의 둘레는 몇 cm입니까?

(   ) cm

정답률 75.5 %

유형 10 남은 수 구하기

귤이 150개 있었습니다. 귤을 한 상자에 18개씩 담아 7상자 팔았다면 남은 귤은 몇 개입니까?

( )개

- (판 귤의 수)=(한 상자에 담은 귤의 수)×(상자 수)
- (남은 귤의 수)=(전체 귤의 수)−(판 귤의 수)

17 사과가 160개 있었습니다. 사과를 한 상자에 15개씩 담아 8상자 팔았다면 남은 사과는 몇 개입니까?

( )개

18 가지가 135개 있었습니다. 가지를 한 상자에 25개씩 담아 4상자 팔고, 한 봉지에 11개씩 담아 3봉지 팔았습니다. 남은 가지는 몇 개입니까?

( )개

정답률 75.5 %

유형 11 모두 몇 개인지 구하기

혜린이는 도화지에 오각형 14개와 육각형 23개를 서로 겹치거나 맞닿지 않게 그렸습니다. 혜린이가 그린 도형의 변은 모두 몇 개입니까?

( )개

- (오각형 ■개의 변의 수)=(5×■)개
- (육각형 ▲개의 변의 수)=(6×▲)개

19 지효는 도화지에 사각형 16개와 삼각형 38개를 그렸습니다. 지효가 그린 도형의 변은 모두 몇 개입니까?

( )개

20 음악실에 가야금 7대와 거문고 4대가 있습니다. 음악실에 있는 가야금과 거문고의 줄 수의 합은 모두 몇 줄입니까?

	가야금	거문고
한 대의 줄 수	12줄	6줄

( )줄

정답률 73.3 %

유형 12 실생활에서 곱셈의 활용

예나는 동화책을 사서 하루에 25쪽씩 3일 동안 읽었더니 13쪽이 남았습니다. 예나가 읽고 있는 동화책은 모두 몇 쪽입니까?

( )쪽

핵심
- (읽은 동화책의 쪽수) =(하루에 읽은 동화책의 쪽수)×(날 수)
- (전체 동화책의 쪽수) =(읽은 동화책의 쪽수)+(남은 동화책의 쪽수)

21 클립을 한 상자에 45개씩 담았더니 6상자가 되고 11개가 남았습니다. 클립은 모두 몇 개입니까?

( )개

22 한 칸에 27권씩 꽂을 수 있는 3칸짜리 책꽂이가 있습니다. 이 책꽂이 4개에 책을 빈틈없이 꽂았더니 12권이 남았습니다. 책은 모두 몇 권입니까?

( )권

정답률 72.8 %

유형 13 약속한 기호로 계산하기

16◉3을 보기와 같은 방법으로 계산하려고 합니다. ㉠에 알맞은 수를 구하시오.

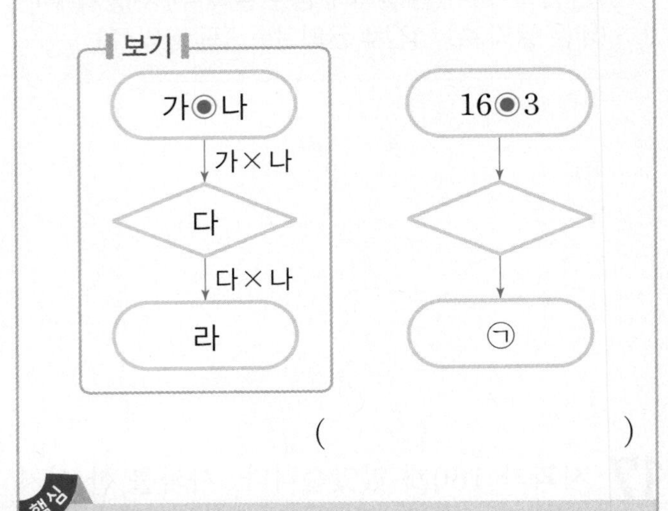

( )

핵심
16을 가, 3을 나로 생각합니다.

23 17◆5를 보기와 같은 방법으로 계산하려고 합니다. ㉠에 알맞은 수를 구하시오.

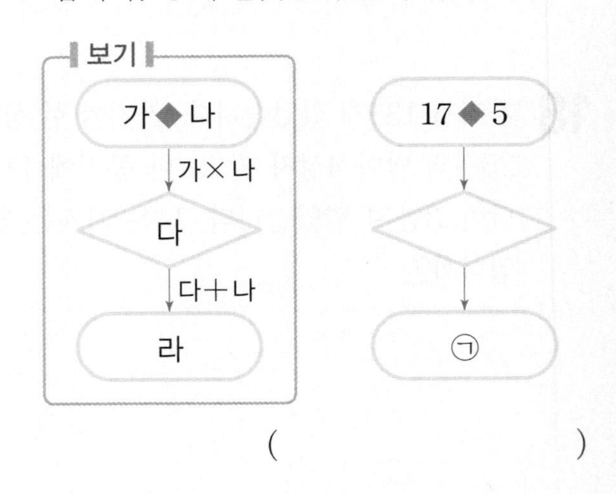

( )

정답률 68.3 %

유형 14 수 카드로 곱셈식 만들기

3장의 수 카드를 한 번씩만 사용하여 **조건**을 만족하는 (두 자리 수)×(한 자리 수)를 만들려고 합니다. ㉠, ㉡, ㉢에 알맞은 수의 합을 구하시오.

조건

- 3장의 수 카드 3, 4, 5를 모두 한 번씩 사용합니다.
- 나올 수 있는 곱 중 가장 큽니다.

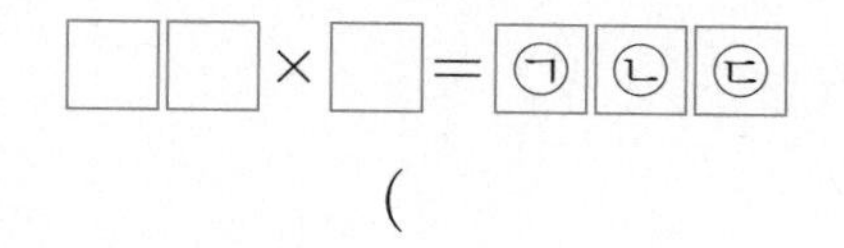

(　　　　　　　　)

핵심

①>②>③인 3개의 수 ①, ②, ③을 모두 한 번씩만 사용하여 (두 자리 수)×(한 자리 수)를 만들 때 가장 큰 곱은 ②③×①입니다.

24 3장의 수 카드를 한 번씩만 사용하여 (두 자리 수)×(한 자리 수)를 만들 때 곱이 두 번째로 큰 곱셈식을 쓰시오.

8　3　6

곱셈식 ________________

정답률 59 %

유형 15 만들 수 있는 물건의 수 구하기

오각형 모양 조각 12개와 육각형 모양 조각 20개를 서로 이어 붙여 축구공 1개를 만든다고 합니다. 오각형 모양 조각과 육각형 모양 조각이 각각 60개씩 있을 때 축구공은 몇 개까지 만들 수 있습니까?

(　　　　　　　　)개

주의

조각이 모자라면 축구공을 만들 수 없습니다.

25 희정이는 꽃 붙임 딱지 16개, 별 붙임 딱지 12개를 함께 붙여 생일 카드 1장을 만들려고 합니다. 꽃 붙임 딱지와 별 붙임 딱지가 각각 48개씩 있을 때 생일 카드는 몇 장까지 만들 수 있습니까?

(　　　　　　　　)장

26 사과 14개, 배 10개를 함께 담아 선물 상자 1개를 포장하려고 합니다. 사과와 배가 각각 70개씩 있을 때 선물 상자에 담고 남는 과일은 몇 개입니까?

(　　　　　　　　)개

4단원 종합

유형 1

1 다음 덧셈식과 계산한 값이 같은 것은 어느 것입니까? ·································· (　　　)

$41+41+41+41+41+41+41$

① $41+7$　　② $41-7$
③ 41×7　　④ $41\div7$
⑤ 41×41

유형 3

2 □ 안에 알맞은 수를 구하시오.

$$\begin{array}{r} 5\,\square \\ \times\quad 4 \\ \hline 2\,1\,2 \end{array}$$

(　　　　　　　　)

유형 4

3 어떤 수를 9로 나누었더니 65가 되었습니다. 어떤 수는 얼마입니까?

(　　　　　　　　)

유형 5

4 ㉠에 알맞은 수를 구하시오.

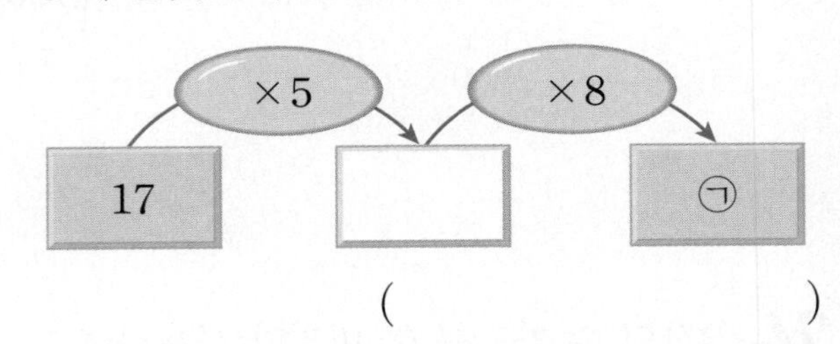

(　　　　　　　　)

유형 6

5 □ 안에 들어갈 수 있는 수 중에서 가장 큰 수를 구하시오.

$23 \times 4 > 18 \times \square$

( )

유형 7

6 딸기 맛 사탕 12개와 포도 맛 사탕 15개를 한 봉지에 담았습니다. 8봉지에 담은 사탕은 모두 몇 개입니까?

( )개

유형 8

7 계산 결과가 200에 가장 가까운 수가 되도록 □ 안에 알맞은 수를 구하시오.

$28 \times \square$

( )

유형 10

8 오이가 145개 있었습니다. 오이를 한 상자에 27개씩 담아 4상자 팔았다면 남은 오이는 몇 개입니까?

( )개

4
단원

유형 11

9 현수는 도화지에 삼각형 35개와 육각형 14개를 그렸습니다. 현수가 그린 도형의 꼭짓점의 수의 차는 몇 개입니까?

( )개

10 길이가 2 m인 철사를 사용하여 정사각형을 겹치는 부분 없이 1개 만들었습니다. 남은 철사의 길이는 몇 cm입니까?

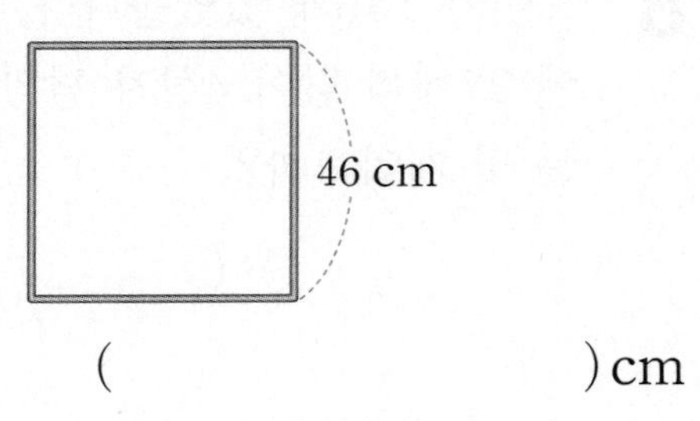

( ) cm

유형 13

11 20♥4를 보기 와 같은 방법으로 계산하려고 합니다. ㉠에 알맞은 수를 구하시오.

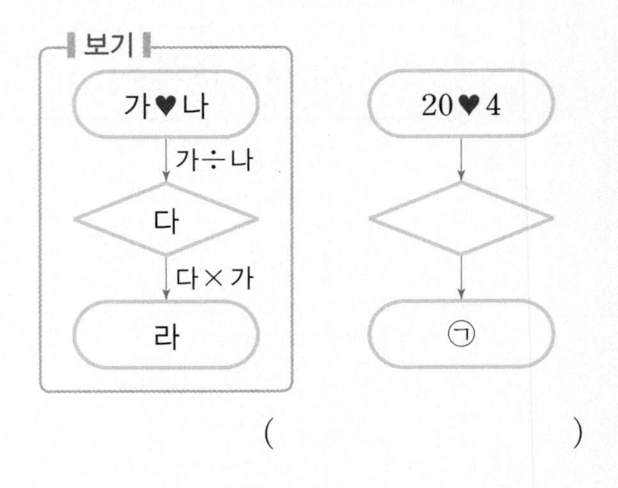

( )

유형 14

12 3장의 수 카드를 모두 한 번씩만 사용하여 (두 자리 수)×(한 자리 수)를 만들 때 곱이 가장 큰 곱셈식의 곱을 구하시오.

( )

5단원 기출 유형

정답률 75% 이상

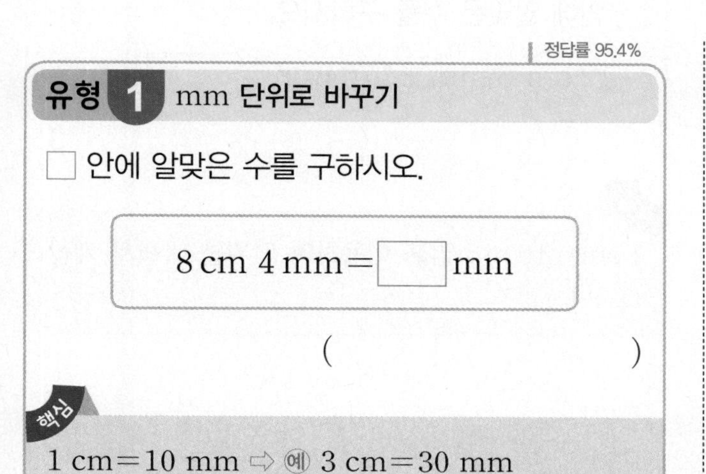

정답률 95.4%

유형 1 mm 단위로 바꾸기

□ 안에 알맞은 수를 구하시오.

8 cm 4 mm=□mm

(　　　　　　　)

핵심

1 cm=10 mm ⇨ 예 3 cm=30 mm

정답률 90.4%

유형 2 초 단위로 바꾸기

□ 안에 알맞은 수를 구하시오.

1분 10초=□초

(　　　　　　　)

핵심

1분은 60초입니다.

1 □ 안에 알맞은 수를 구하시오.

7 cm 6 mm=□mm

(　　　　　　　)

2 □ 안에 알맞은 수를 구하시오.

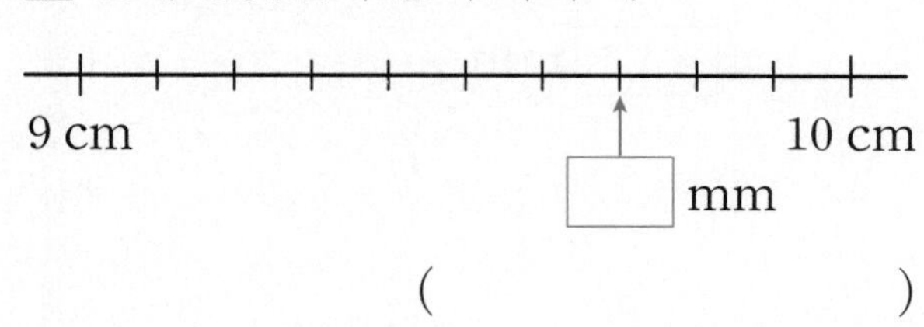

(　　　　　　　)

3 □ 안에 알맞은 수를 구하시오.

3분 20초=□초

(　　　　　　　)

4 틀린 것은 어느 것입니까? ………… (　　　)

① 2분 20초=140초
② 3분=180초
③ 4분 40초=440초
④ 3분 45초=225초
⑤ 5분 23초=323초

5 단원

정답률 86 %

유형 3 시각 읽기

시각을 읽은 것입니다. ㉠과 ㉡에 알맞은 수의 합을 구하시오.

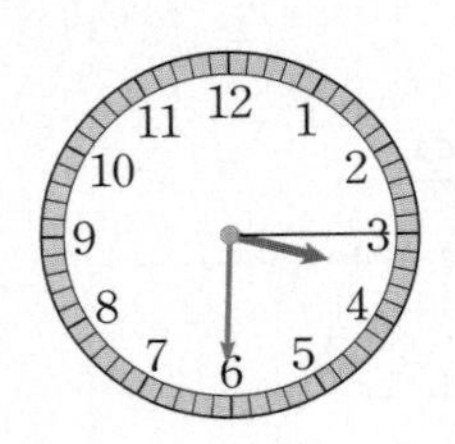

㉠ 시 30분 ㉡ 초

(　　　　　　)

핵심

초바늘이 가리키는 숫자와 나타내는 시각

가리키는 숫자	1	2	3	4	5	6	7	8	9	10	11
나타내는 시각(초)	5	10	15	20	25	30	35	40	45	50	55

5 시각을 읽은 것입니다. ㉠과 ㉡에 알맞은 수의 합을 구하시오.

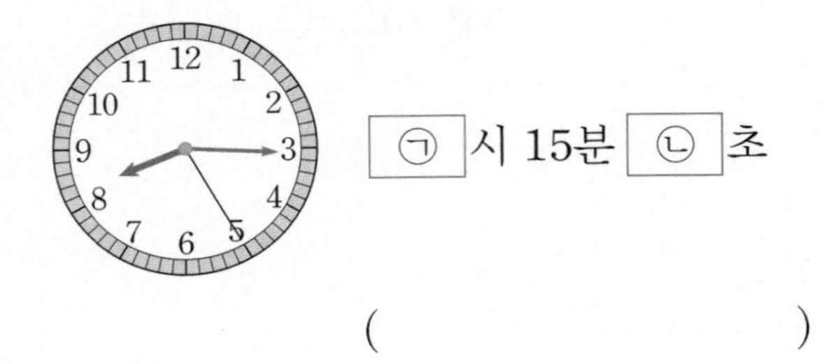

(　　　　　　)

6 지효가 집에 있을 때 번개가 친 시각입니다. ㉠, ㉡, ㉢에 알맞은 수의 합을 구하시오.

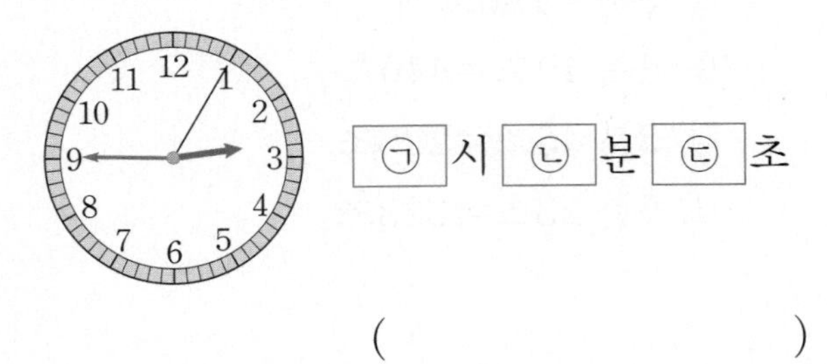

(　　　　　　)

정답률 83.9 %

유형 4 cm와 mm 단위 길이의 관계

□ 안에 알맞은 수를 구하시오.

12 cm 5 mm + 170 mm = □ mm

(　　　　　　)

핵심

1 cm = 10 mm임을 이용하여 단위를 바꿔서 계산합니다.

7 □ 안에 알맞은 수를 구하시오.

72 cm 7 mm − 459 mm = □ mm

(　　　　　　)

8 □ 안에 알맞은 수를 구하시오.

50 cm 4 mm − 159 mm + 263 mm
= □ mm

(　　　　　　)

정답률 79.8 %

유형 5 물건의 길이 재기

크레파스의 길이는 ㉠ cm ㉡ mm입니다. ㉠과 ㉡에 알맞은 수의 합을 구하시오.

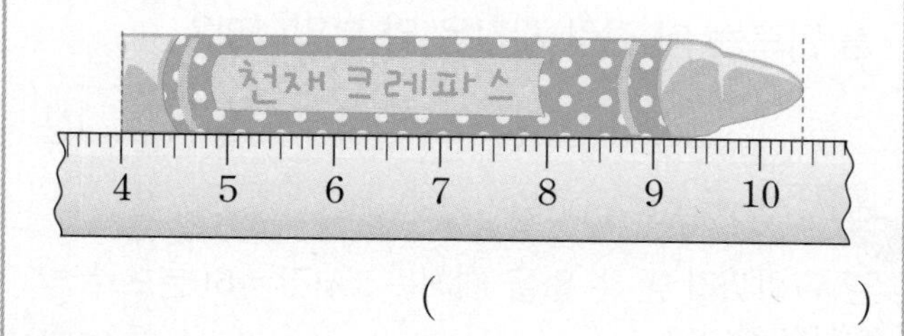

(　　　　　　　　　　)

주의

물건의 끝이 가리키는 지점이 물건의 길이라고 읽지 않도록 주의합니다.

정답률 78 %

유형 6 단위가 다른 길이 비교하기

길이가 가장 짧은 것은 어느 것입니까? (　　　　)

① 3 km 50 m　② 3 km 150 m
③ 3 km 10 m　④ 3005 m
⑤ 3510 m

단위가 다른 길이를 비교할 때에는 같은 단위로 고쳐서 비교합니다.

9 못의 길이는 ㉠ cm ㉡ mm입니다. ㉠과 ㉡에 알맞은 수의 합을 구하시오.

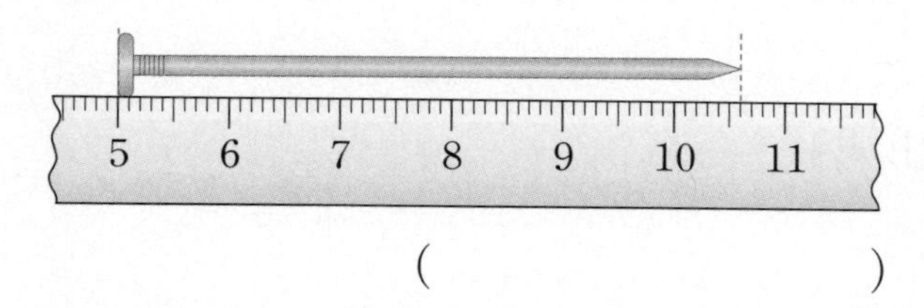

(　　　　　　　　　　)

10 사탕의 길이는 ㉠ cm ㉡ mm입니다. ㉠과 ㉡에 알맞은 수의 곱을 구하시오.

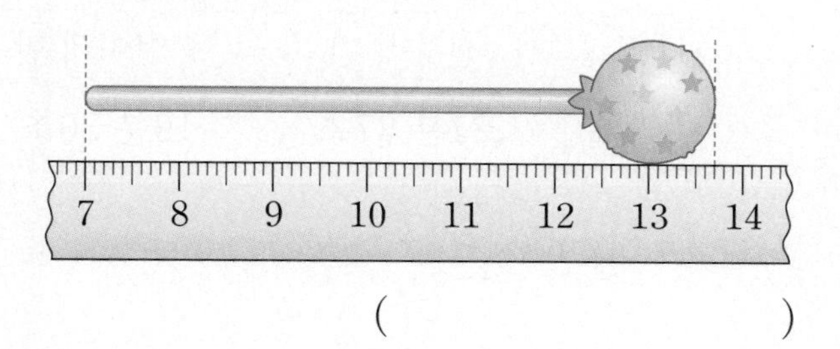

(　　　　　　　　　　)

11 길이가 가장 긴 것은 어느 것입니까?
....(　　　　)

① 5 km 50 m　② 5 km 150 m
③ 5 km 200 m　④ 5009 m
⑤ 5210 m

12 길이가 두 번째로 짧은 것은 어느 것입니까?
....(　　　　)

① 6 km 70 m　② 6 km 790 m
③ 6 km 700 m　④ 6007 m
⑤ 6750 m

5 단원

정답률 77.5%

유형 7 시간의 합의 활용

인희가 우체국에 가려고 집에서 나온 시각은 왼쪽과 같습니다. 인희가 집에서 우체국까지 가는 데 45분이 걸렸다면 우체국에는 몇 시에 도착했습니까?

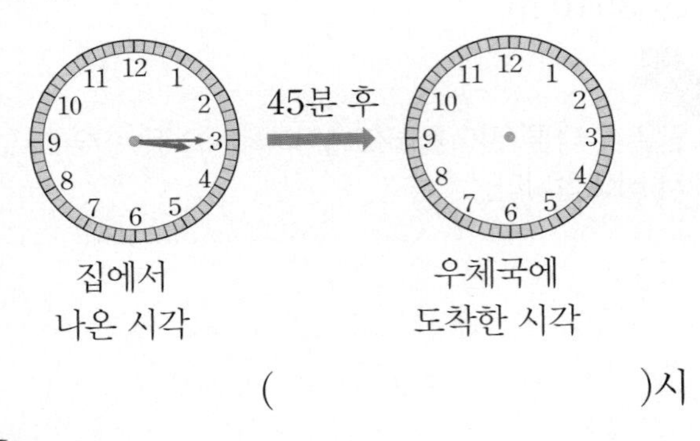

( )시

핵심

분 단위끼리의 합이 60분과 같거나 60분보다 클 때는 60분=1시간으로 받아올림합니다.

13 민준이가 도서관에 가려고 집에서 나온 시각은 왼쪽과 같습니다. 민준이가 집에서 도서관까지 가는 데 35분이 걸렸다면 도서관에는 몇 시 몇 분에 도착했습니까?

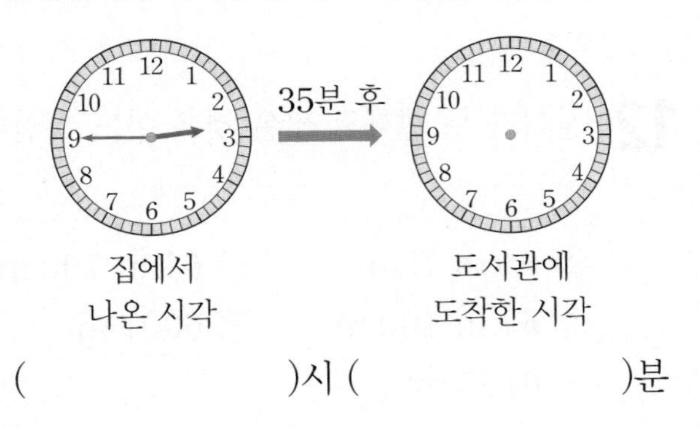

( )시 ( )분

정답률 77.2%

유형 8 시간의 차의 활용

연정이는 3시 20분에 과자를 만들기 시작하여 5시 15분에 모두 만들었습니다. 연정이가 과자를 만드는 데 걸린 시간은 몇 분입니까?

( )분

핵심

분 단위끼리 뺄 수 없을 때에는 1시간=60분으로 받아내림합니다.

14 윤석이는 2시 45분에 농구 경기를 시작하여 4시 10분에 마쳤습니다. 윤석이가 농구 경기를 한 시간은 몇 분입니까?

( )분

15 선주네 반과 승현이네 반 학생들의 이어달리기 기록입니다. 승현이네 반은 선주네 반보다 몇 초 더 빨리 들어왔습니까?

	선주네 반	승현이네 반
기록	21분 27초	19분 30초

( )초

정답률 76.3%

유형 9 초바늘이 가리키는 숫자 알아보기

민정이는 시계가 다음과 같을 때 숙제를 시작하여 50분 45초 후에 숙제를 끝냈습니다. 숙제를 끝냈을 때 시계의 초바늘이 가리키는 숫자는 무엇입니까?

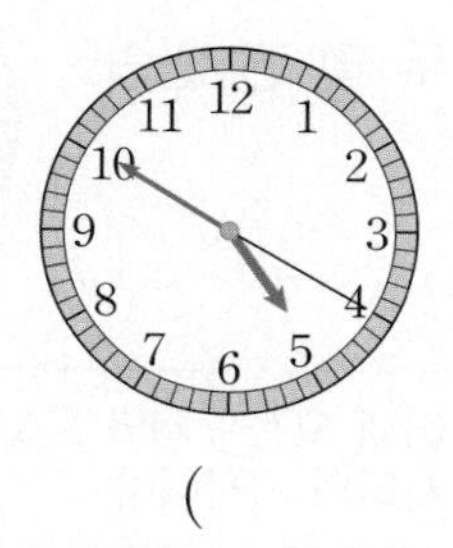

( )

핵심

초바늘이 가리키는 숫자는 5초 → 1, 10초 → 2, 15초 → 3……이므로 ▲초 → (▲÷5)입니다.

정답률 75.8%

유형 10 걸린 시간 구하기

승호네 가족은 서울역에서 출발하여 부산역까지 가는 KTX 기차표를 샀습니다. 승호네 가족이 서울역에서 부산역까지 기차를 타고 가는 데 걸리는 시간은 몇 분입니까?

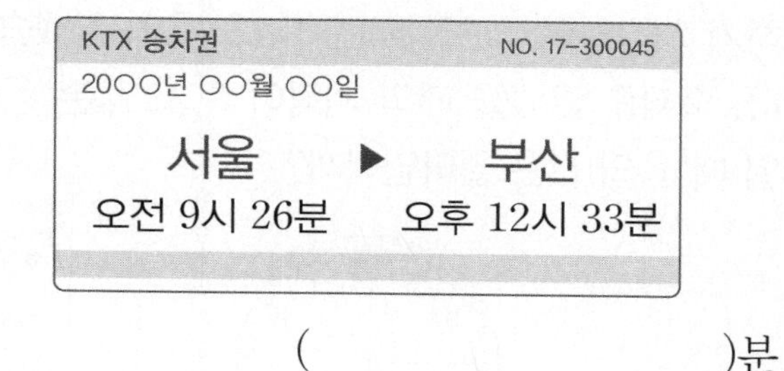

( )분

핵심

(걸리는 시간)=(도착하는 시각)−(출발한 시각)

16 혜민이는 시계가 다음과 같을 때 동화책 읽기를 시작하여 1시간 20분 40초 후에 동화책 읽기를 끝냈습니다. 동화책 읽기를 끝냈을 때 시계의 초바늘이 가리키는 숫자는 무엇입니까?

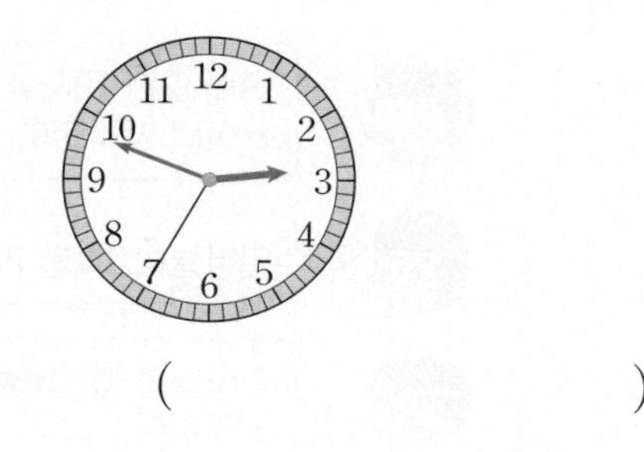

( )

17 기차 승차권을 보고 기차를 타고 서울역에서 대구역까지 가는 데 걸린 시간은 몇 분인지 구하시오.

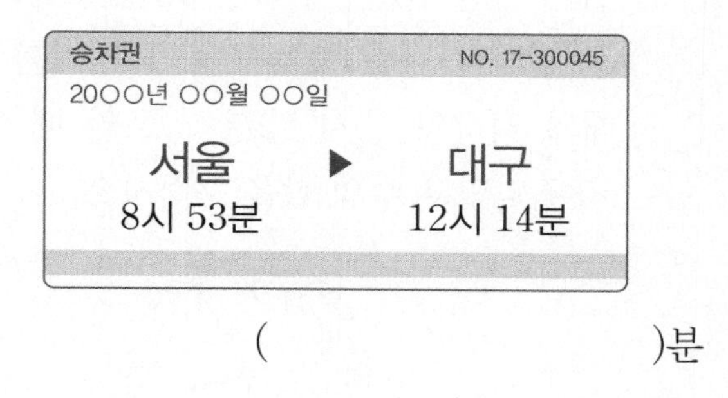

( )분

5 단원

5단원 기출 유형

정답률 55% 이상

정답률 60.9 %

유형 11 시간의 합의 활용

수영이는 다음 시계가 나타내는 시각에 숙제를 하기 시작하여 1시간 40분 25초 후에 끝냈습니다. 숙제를 끝냈을 때의 시각이 ㉠시 ㉡분 ㉢초일 때 ㉡의 값은 얼마입니까?

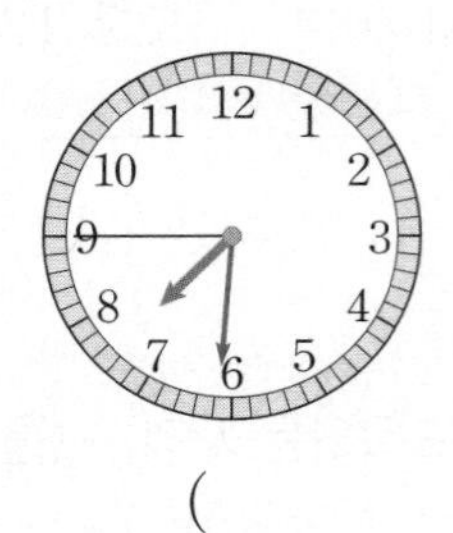

(   )

핵심

(숙제를 끝낸 시각)
=(숙제를 시작한 시각)+(숙제를 한 시간)

정답률 60.5 %

유형 12 설명하는 시각 알아보기

친구들이 설명하는 것을 만족하는 시각은 모두 몇 번 있습니까?

어제 오전 7시와 오늘 오후 7시 사이의 시각이야.

긴바늘이 12를 가리켜.

긴바늘과 짧은바늘이 이루는 각은 직각이야.

(   )번

핵심

긴바늘이 12를 가리킬 때 긴바늘과 짧은바늘이 이루는 각이 직각인 시각은 3시와 9시입니다.

18 서이네 반 학생들은 다음 시계가 나타내는 시각에 축구 경기를 시작하여 전반전 45분, 쉬는 시간 10분, 후반전 45분을 한 후에 축구 경기를 끝냈습니다. 축구 경기를 끝냈을 때의 시각이 ㉠시 ㉡분 ㉢초일 때 ㉠, ㉡, ㉢에 알맞은 수의 합을 구하시오.

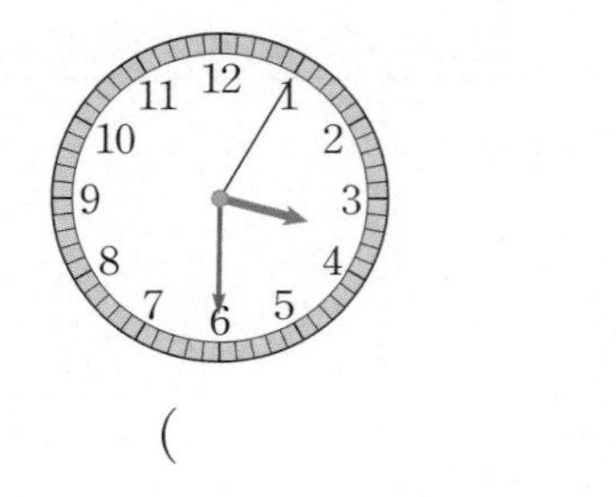

(   )

19 친구들이 설명하는 것을 만족하는 시각은 모두 몇 번 있습니까?

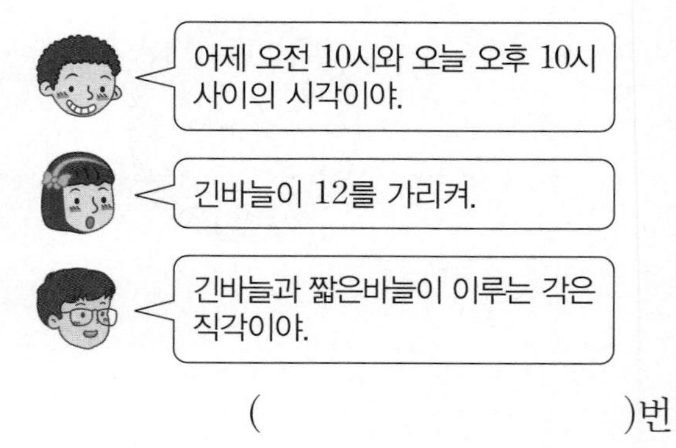

(   )번

정답률 58.3 %

유형 13 수직선에서 표시된 곳의 길이 구하기

수직선에서 화살표(↑)로 표시된 곳의 길이는 4 km ▲ m입니다. ▲는 얼마입니까?

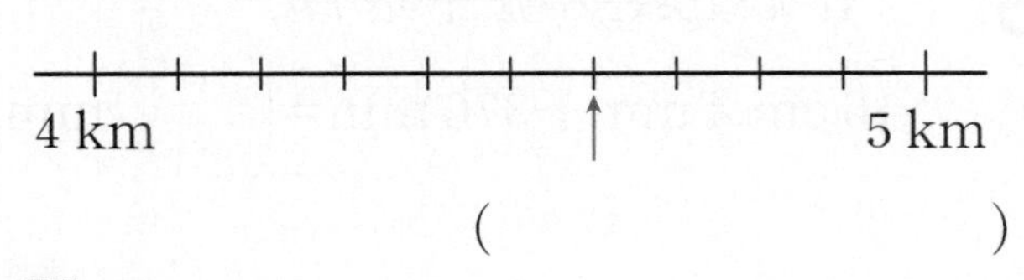

( )

핵심

4 km와 5 km 사이에 눈금이 몇 칸인지 알아봅니다.

정답률 55 %

유형 14 두 사람 사이의 거리 구하기

일정한 빠르기로 윤우는 한 시간에 1 km 800 m를 걷고, 진호는 한 시간에 2 km 200 m를 걷습니다. 윤우와 진호가 같은 곳에서 동시에 출발하여 서로 반대 방향으로 쉬지 않고 1시간 30분 동안 걸었을 때 두 사람 사이의 거리는 몇 km입니까?

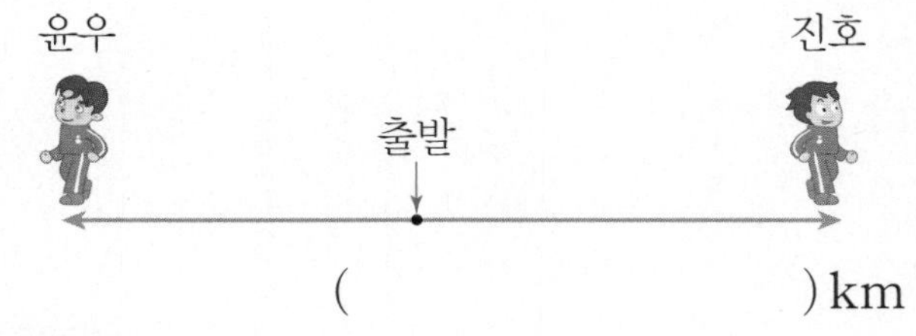

( ) km

핵심

같은 곳에서 동시에 출발하여 서로 반대 방향으로 걸을 때 한 시간 동안 벌어진 두 사람 사이의 거리는 두 사람이 각각 한 시간 동안 걸은 거리의 합과 같습니다.

20 수직선에서 화살표(↑)로 표시된 곳의 길이는 6 km ■ m입니다. ■는 얼마입니까?

6 km 7 km

( )

21 수직선에서 ㉠과 ㉡의 차는 몇 m입니까?

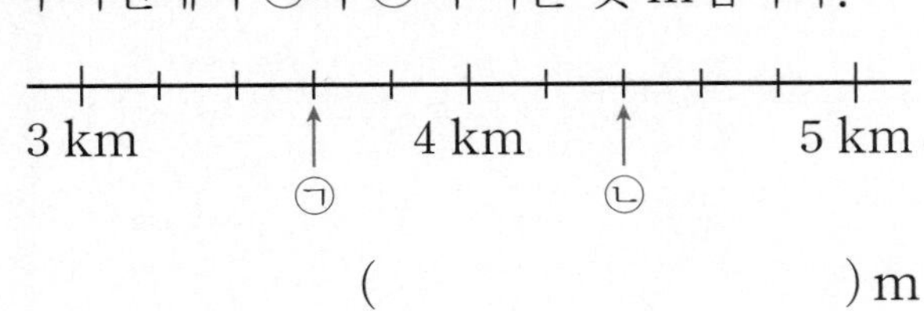

( ) m

22 일정한 빠르기로 지혜는 한 시간에 2 km를 걷고, 우재는 한 시간에 2 km 200 m를 걷습니다. 지혜와 우재가 서로 다른 지점에서 동시에 출발하여 마주 보고 쉬지 않고 걸었더니 1시간 30분 만에 만났습니다. 처음 두 사람 사이의 거리는 몇 m입니까?

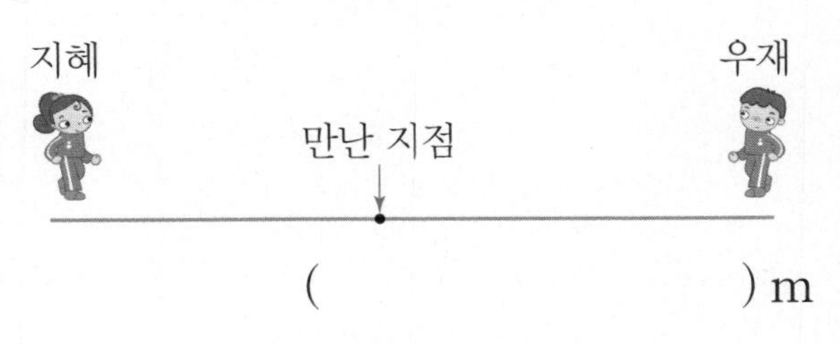

( ) m

5 단원

5단원 종합

유형 2

1 □ 안에 알맞은 수를 구하시오.

7분 48초=□초

(　　　　　　)

유형 3

2 시각을 읽은 것입니다. ㉠과 ㉡에 알맞은 수의 합을 구하시오.

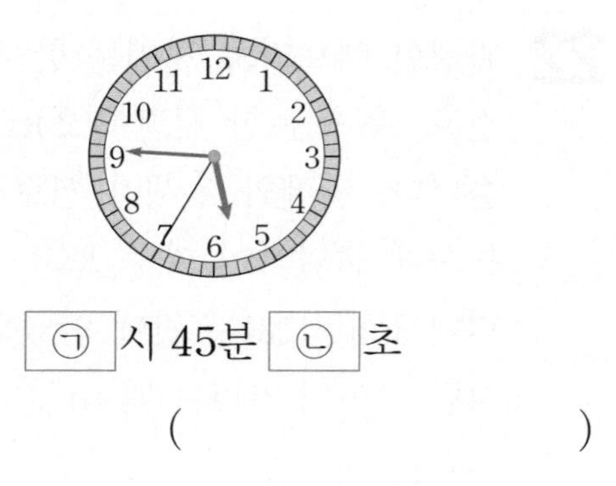

㉠시 45분 ㉡초

(　　　　　　)

유형 4

3 □ 안에 알맞은 수를 구하시오.

16 cm 4 mm+376 mm=□mm

(　　　　　　)

유형 5

4 색연필의 길이는 ㉠ cm ㉡ mm입니다. ㉠과 ㉡에 알맞은 수의 합을 구하시오.

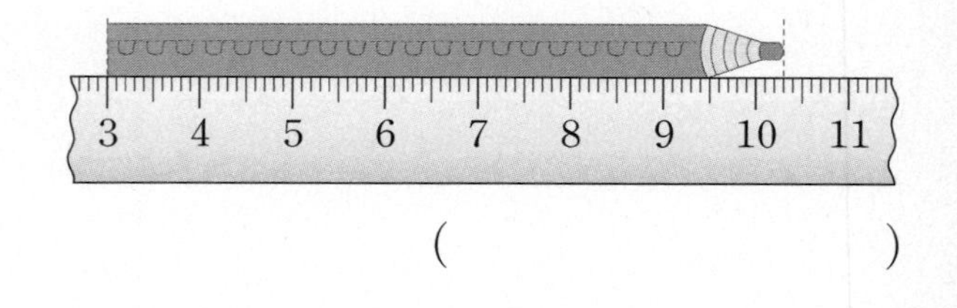

(　　　　　　)

유형 6

5 길이가 가장 짧은 것은 어느 것입니까?

…………………………………………………………( )

① 4 km 80 m ② 4 km 180 m
③ 4050 m ④ 4008 m
⑤ 4 km 800 m

유형 7

6 서연이가 할머니 댁에 가려고 집에서 나온 시각은 왼쪽과 같습니다. 서연이가 집에서 할머니 댁까지 가는 데 40분이 걸렸다면 할머니 댁에 몇 시 몇 분에 도착했습니까?

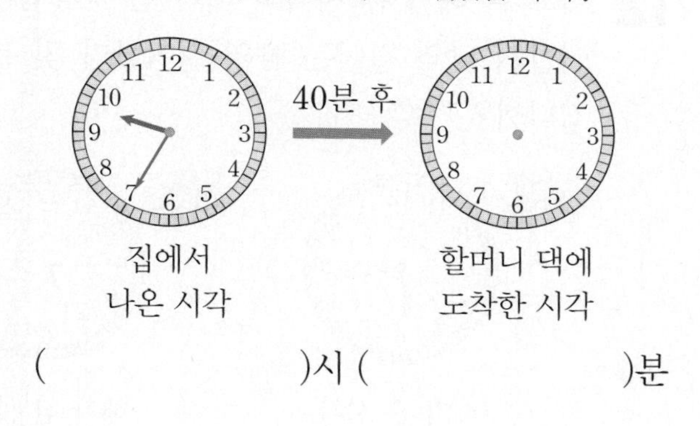

( )시 ( )분

유형 9

7 지훈이는 시계가 다음과 같을 때 낮잠을 자기 시작하여 1시간 40분 50초 후에 낮잠에서 깨어났습니다. 낮잠에서 깨어났을 때 시계의 초바늘이 가리키는 숫자는 무엇입니까?

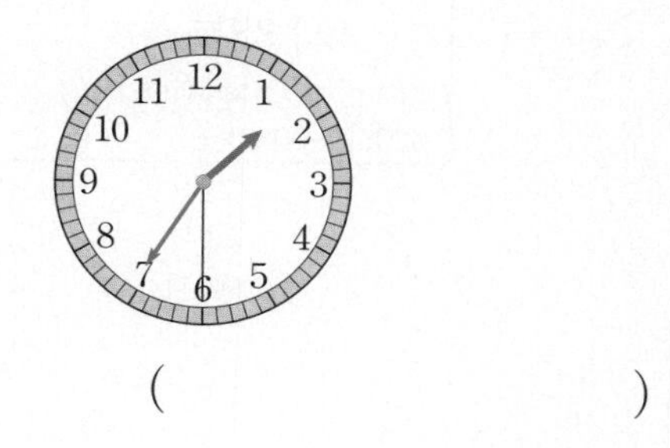

( )

8 민형이는 2시간 20분 25초 동안 운동을 하여 7시에 운동을 마쳤습니다. 민형이가 운동을 시작한 시각이 ㉠시 ㉡분 ㉢초일 때 ㉠, ㉡, ㉢에 알맞은 수의 합을 구하시오.

( )

5 단원

유형 10

9 기차 승차권을 보고 기차를 타고 서울역에서 대전역까지 가는 데 걸리는 시간은 몇 분인지 구하시오.

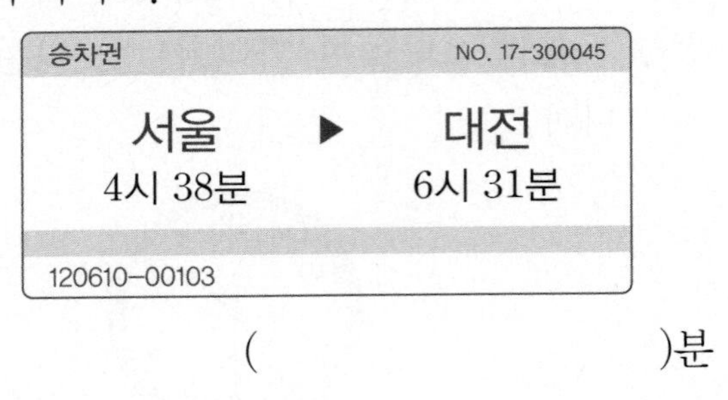
승차권 NO. 17-300045
서울 ▶ 대전
4시 38분 6시 31분
120610-00103

( )분

유형 11

10 윤재는 다음 시계가 나타내는 시각에 책을 읽기 시작하여 1시간 30분 50초 후에 책 읽기를 끝냈습니다. 책 읽기를 끝냈을 때의 시각이 ㉠시 ㉡분 ㉢초일 때 ㉡의 값은 얼마입니까?

( )

유형 14

11 일정한 빠르기로 지효는 한 시간에 1 km 600 m를 걷고, 민수는 한 시간에 2 km 400 m를 걷습니다. 지효와 민수가 같은 곳에서 동시에 출발하여 서로 반대 방향으로 쉬지 않고 2시간 동안 걸었을 때 두 사람 사이의 거리는 몇 km입니까?

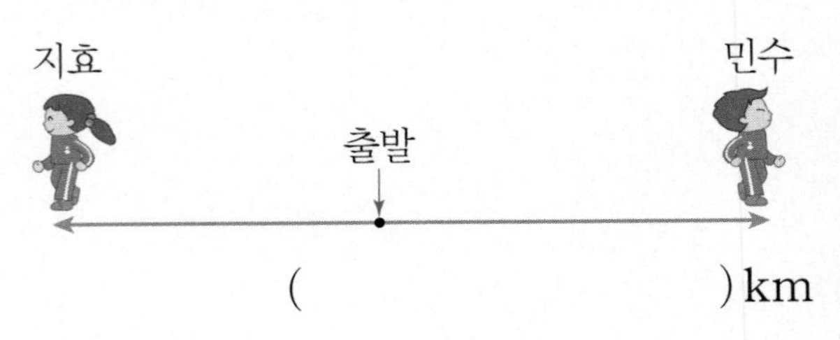

( ) km

12 어느 날 해가 뜬 시각과 해가 진 시각입니다. 이날의 낮의 길이는 밤의 길이보다 몇 분 더 깁니까?

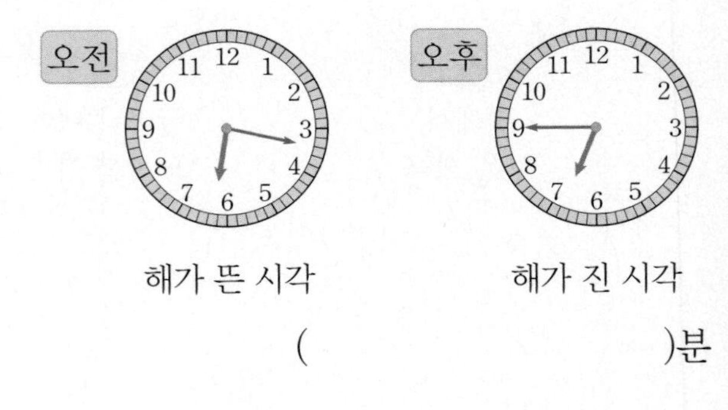

( )분

실전 모의고사 1회

점수

1 □ 안에 알맞은 수를 구하시오.

3450 m＝3 km □ m

(　　　　　　　　)

2 계산을 하시오.

215＋658

(　　　　　　　　)

3 각이 없는 도형은 모두 몇 개입니까?

(　　　　　　　　)개

4 □ 안에 공통으로 들어갈 수를 구하시오.

24÷8＝□ ⟷ 8×□＝24

(　　　　　　　　)

5 빈칸에 알맞은 수를 구하시오.

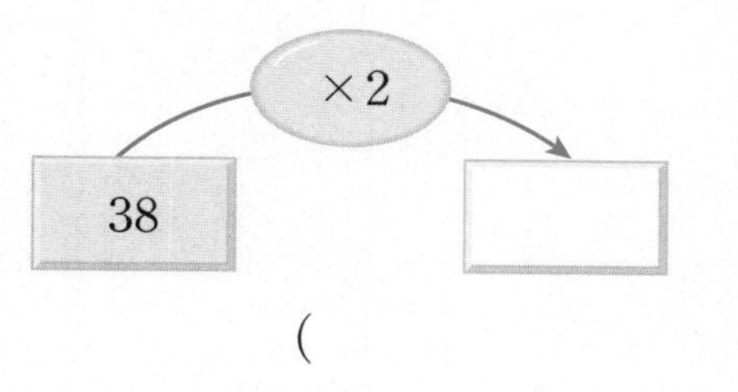

(　　　　　　　　)

6 66×4를 계산하려고 합니다. ㉠이 나타내는 값을 구하시오.

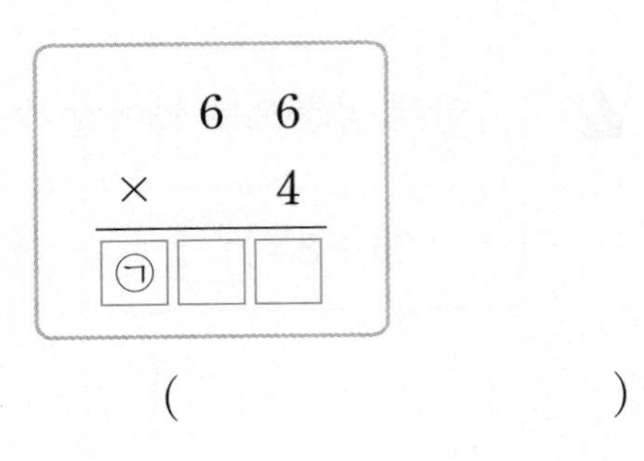

( )

7 한 변이 7 cm인 정사각형의 네 변의 길이의 합은 몇 cm입니까?

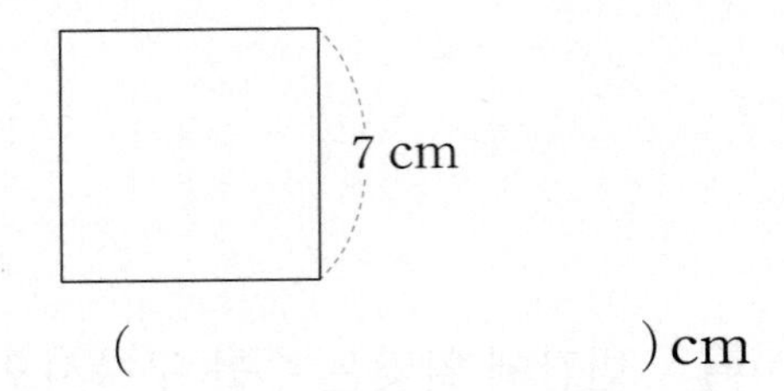

( ) cm

8 ㉠과 ㉡에 알맞은 수의 합을 구하시오.

100초= ㉠ 분 ㉡ 초

( )

9 어떤 수를 8로 나누면 몫이 11이 됩니다. 어떤 수는 얼마입니까?

( )

10 도형에서 찾을 수 있는 직각은 모두 몇 개입니까?

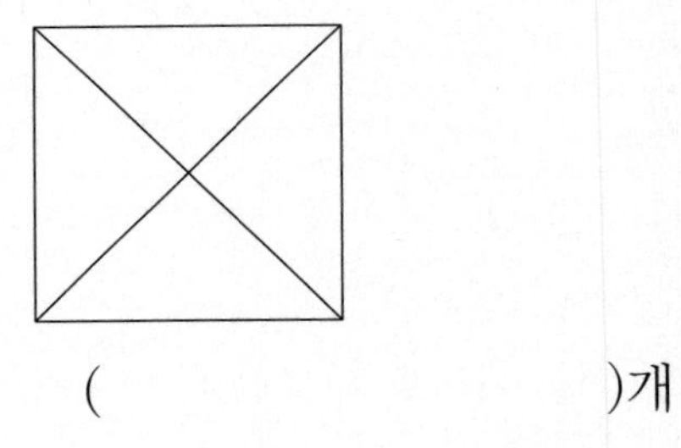

( )개

11 감나무에는 감이 402개 열려 있었습니다. 그 중에서 297개를 땄다면 남은 감은 몇 개입니까?

( )개

12 ㉠과 ㉡에 알맞은 수의 곱은 얼마입니까?

- $3\times$㉠$=9\times2$
- $7\times5=5\times$㉡

( )

13 1부터 9까지의 수 중에서 □ 안에 들어갈 수 있는 수는 모두 몇 개입니까?

$48\div8<\square<18\div2$

( )개

14 서령이는 시계가 다음과 같은 시각에 숙제를 시작하여 40분 55초 후에 숙제를 끝냈습니다. 숙제를 끝냈을 때 시계의 초바늘이 가리키는 숫자는 무엇입니까?

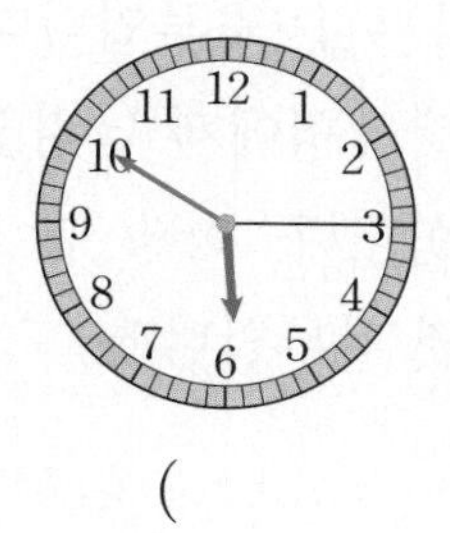

( )

실전 모의고사

15 3개의 일직선 위에 있는 세 수의 합은 모두 같습니다. ㉠에 알맞은 수를 구하시오.

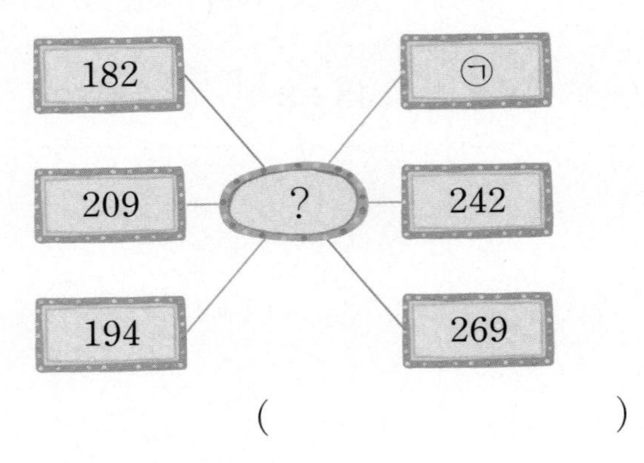

(　　　　　　　　)

16 연필 1타는 12자루입니다. 연필 4타와 8자루를 학생 7명에게 남김없이 똑같이 나누어 주려고 합니다. 학생 한 명에게 줄 수 있는 연필은 몇 자루입니까?

(　　　　　　　　)자루

17 같은 시간 동안 같은 수만큼의 공을 만드는 기계가 있습니다. 이와 같은 기계 6대가 한 시간에 24개의 공을 만들었다면 기계 한 대가 공 36개를 만드는 데 걸리는 시간은 몇 시간입니까?

(　　　　　　　　)시간

18 ★의 규칙대로 7★9를 계산하시오.
(단, 괄호 안부터 먼저 계산합니다.)

㉮★㉯=(㉮×㉯)÷(㉮+2)

(　　　　　　　　)

19 도형에서 찾을 수 있는 크고 작은 직사각형은 모두 몇 개입니까?

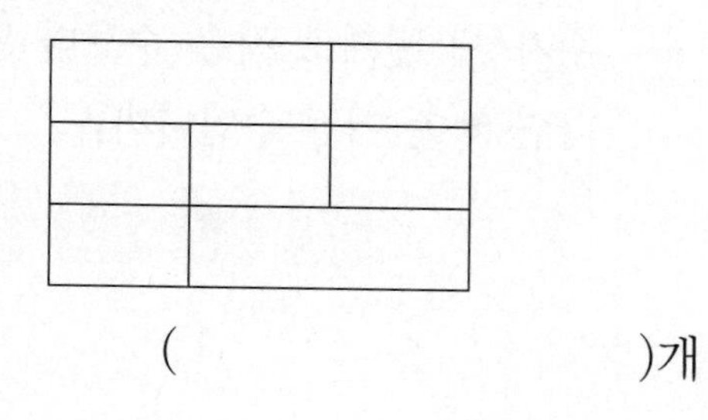

( )개

20 크기가 같은 정사각형 모양의 색종이 3장을 겹치지 않게 이어 붙였습니다. 이어 붙인 도형의 네 변의 길이의 합이 32 cm일 때 정사각형의 한 변의 길이는 몇 cm입니까?

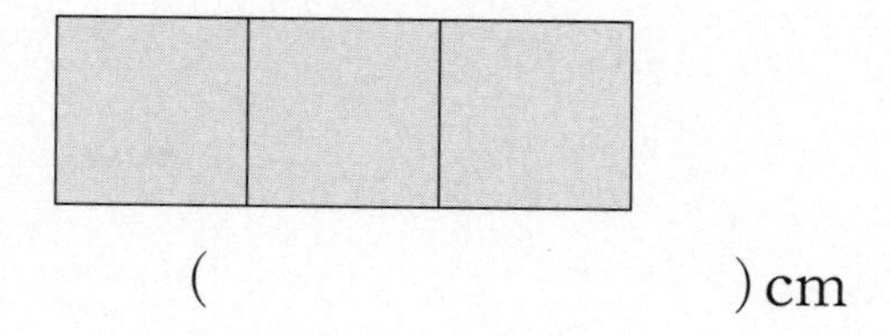

( ) cm

21 대화를 읽고 하지의 낮의 길이는 몇 분인지 구하시오.

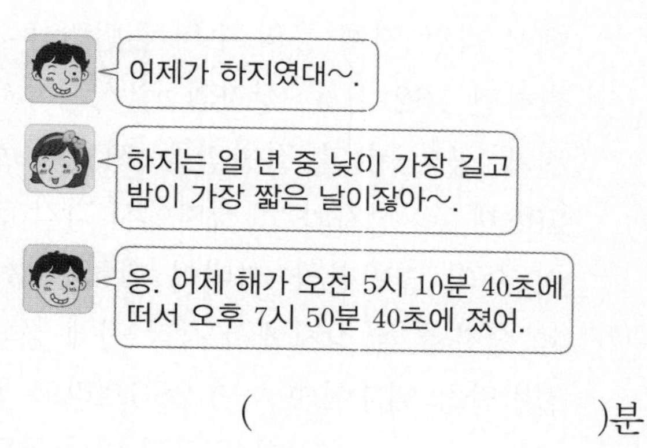

( )분

22 노란색 테이프와 분홍색 테이프를 겹치게 이어 붙였더니 길이가 719 cm였습니다. 노란색 테이프가 분홍색 테이프보다 168 cm 더 길고 분홍색 테이프의 길이가 395 cm일 때, 겹친 부분의 길이를 구하시오.

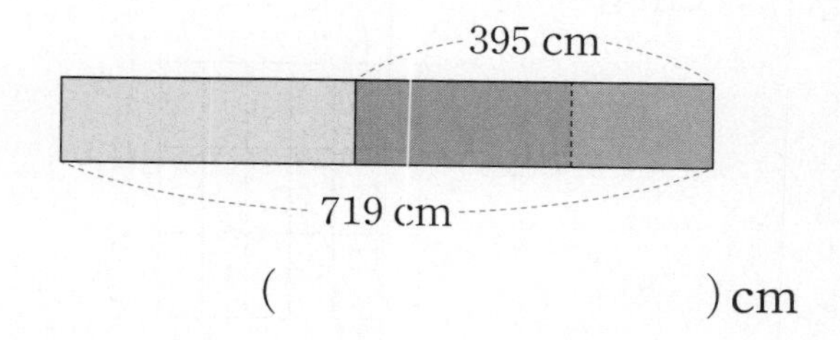

( ) cm

23 상자 ㉠, ㉡, ㉢, ㉣에는 각각 서로 다른 수만큼의 공이 들어 있습니다. ㉠ 상자와 ㉡ 상자에서 각각 전체 공의 수의 절반만큼 꺼내어 합하면 162개, ㉡ 상자와 ㉢ 상자에서 각각 전체 공의 수의 절반만큼 꺼내어 합하면 202개, ㉢ 상자와 ㉣ 상자에서 각각 전체 공의 수의 절반만큼 꺼내어 합하면 306개, ㉣ 상자와 ㉠ 상자에서 각각 전체 공의 수의 절반만큼 꺼내어 합하면 266개라고 합니다. ㉠, ㉡, ㉢, ㉣ 4상자에 들어 있는 공의 수의 합은 몇 개입니까?

( )개

24 정사각형을 모양과 크기가 같은 18개의 직사각형으로 나누었습니다. 가장 작은 직사각형 한 개의 네 변의 길이의 합이 18 cm라면 가장 큰 정사각형의 네 변의 길이의 합은 몇 cm입니까?

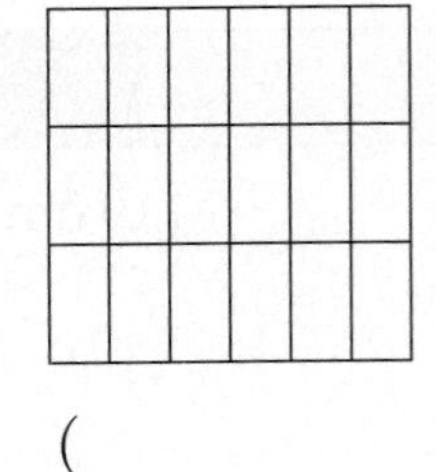

( ) cm

25 서로 다른 4장의 수 카드를 한 번씩만 사용하여 세 자리 수를 만들었습니다. 세 번째로 큰 수가 세 번째로 작은 수보다 582만큼 더 크다면 ♥는 어떤 수입니까?

7 ♥ 2 8

( )

실전 모의고사 2회

점수

1 계산을 하시오.

13×4

(　　　　　　　　)

2 □ 안에 알맞은 수를 구하시오.

5분 29초=□초

(　　　　　　　　)

3 직사각형은 모두 몇 개입니까?

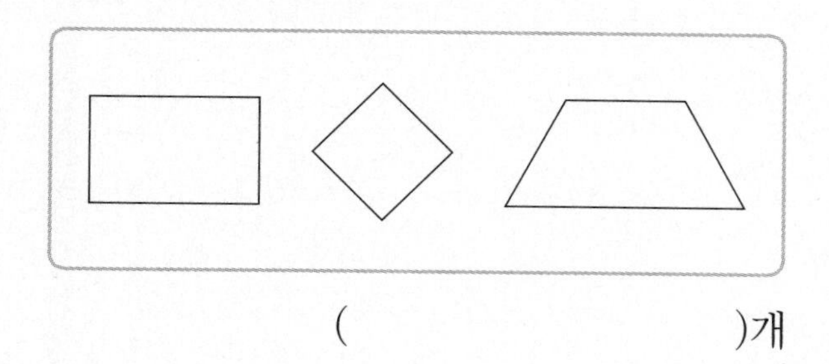

(　　　　　　　　)개

4 □ 안에 알맞은 수를 구하시오.

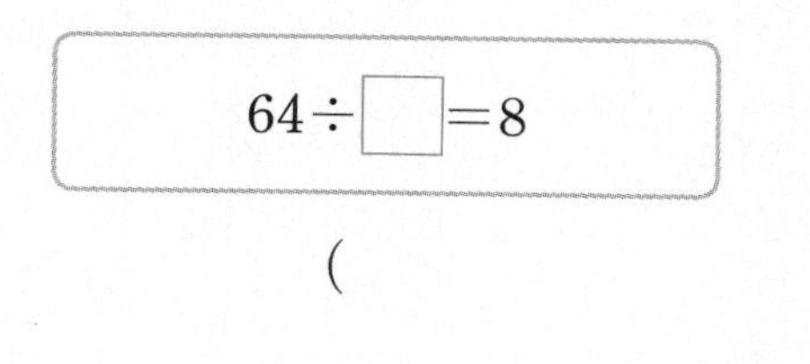

(　　　　　　　　)

5 □ 안에 알맞은 수를 구하시오.

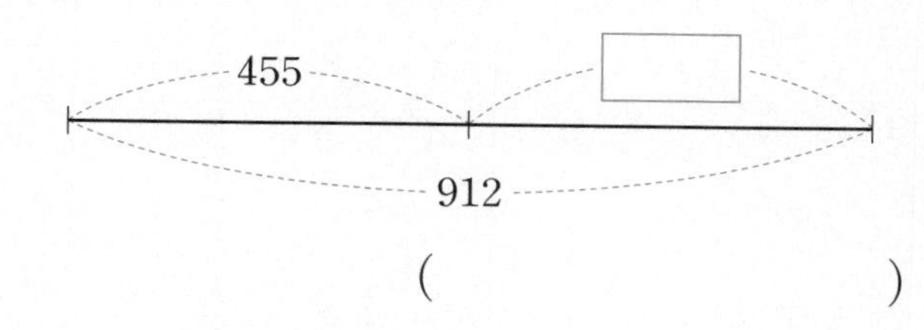

(　　　　　　　　)

6 가장 큰 수와 가장 작은 수의 곱을 구하시오.

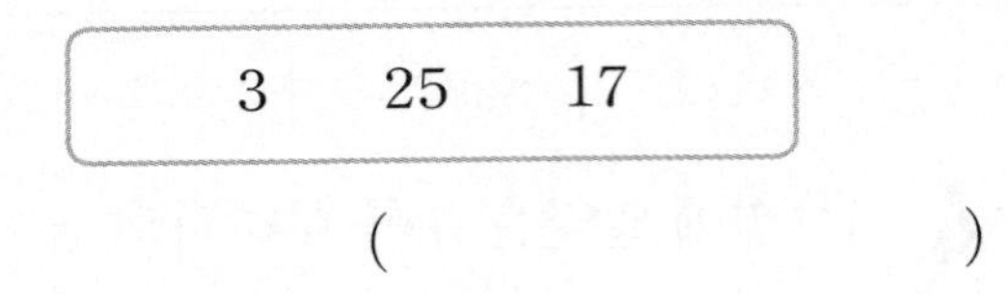

( )

7 우리나라의 국화인 무궁화의 꽃잎은 5장입니다. 민희가 정원에 핀 무궁화의 꽃잎 수를 세었더니 40장이었습니다. 정원에 핀 무궁화는 모두 몇 송이입니까?

( )송이

8 다음은 현서와 지호가 책을 읽은 시간입니다. 지호는 현서보다 책을 몇 초 더 오래 읽었습니까?

현서	지호
33분 50초	38분 20초

( )초

9 직사각형의 네 변의 길이의 합은 세로의 몇 배입니까?

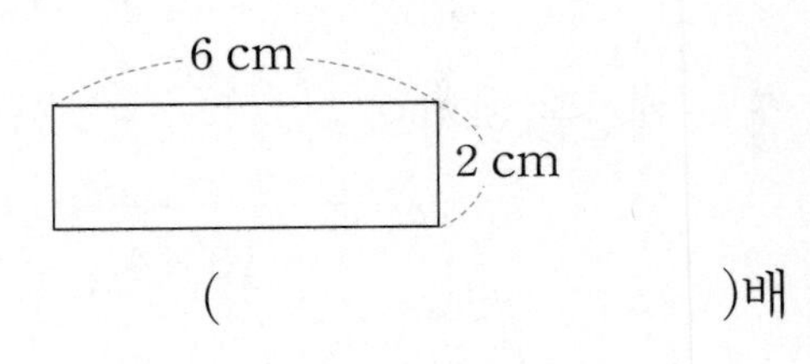

( )배

10 ▲는 784입니다. ■+●를 구하시오.

579+■=▲
926−●=▲

( )

11 다음과 같은 규칙으로 수가 놓여 있습니다. 열 번째에는 어떤 수가 놓입니까?

6, 9, 15, 24, 39, 63……

(　　　　　　　　)

12 도형에서 찾을 수 있는 크고 작은 직각삼각형은 모두 몇 개입니까?

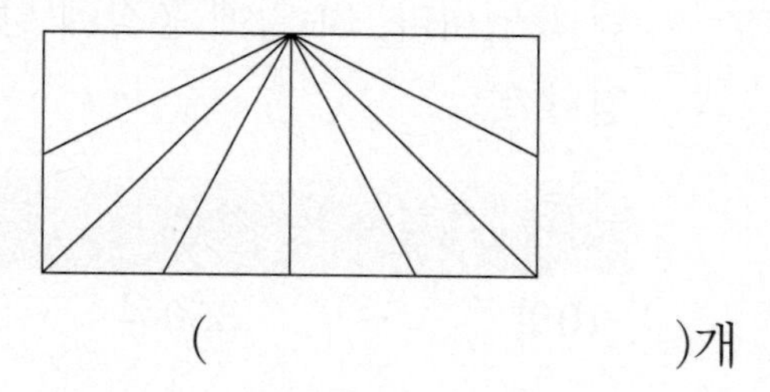

(　　　　　　　　)개

13 시계를 보고 ㉠과 ㉡에 알맞은 수의 곱을 구하시오.

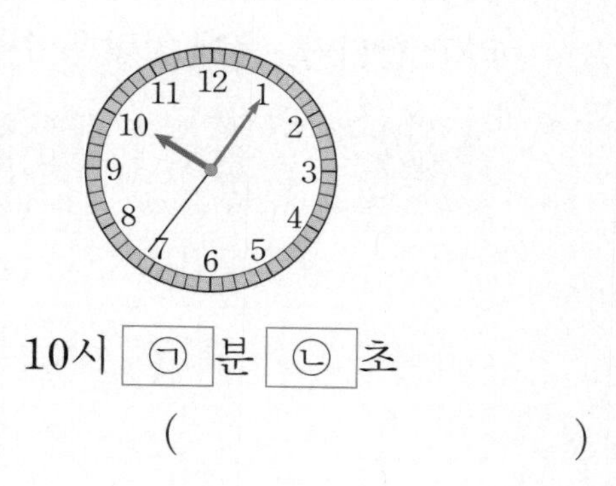

10시 ㉠ 분 ㉡ 초

(　　　　　　　　)

14 수 카드 4, 8, 2 를 한 번씩만 사용하여 (두 자리 수)÷(한 자리 수)의 나눗셈식을 만들려고 합니다. 몫이 3이 되는 나눗셈식을 만든다면 ㉠과 ㉢의 차는 얼마입니까?

㉠㉡÷㉢=3

(　　　　　　　　)

실전 모의고사

15 4장의 수 카드 중에서 2장을 골라 두 수의 차 ㉠이 400에 가장 가까운 뺄셈식을 만들려고 합니다. ㉠에 알맞은 수를 구하시오.

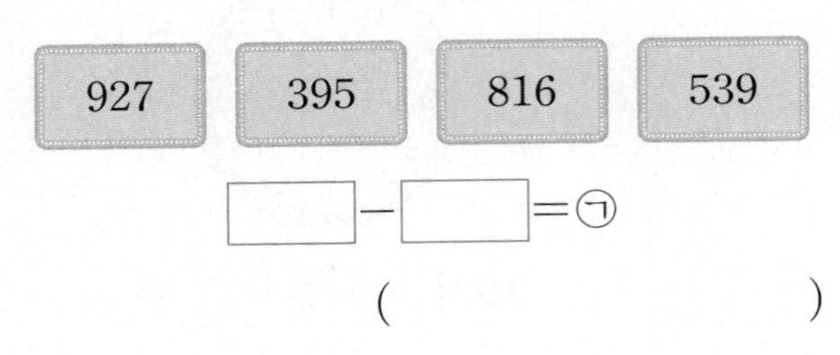

(　　　　　　　)

16 ㉮와 ㉯에 알맞은 수의 곱을 구하시오.
(단, 괄호 안을 먼저 계산합니다.)

- ㉮$=(16\times4)-(3\times5)$
- ㉯$=(27\times2)-(6\times8)$

(　　　　　　　)

17 그림과 같은 모양의 종이를 한 번만 잘라서 가장 큰 직사각형을 만들었습니다. 직사각형을 잘라 내고 남은 도형의 모든 변의 길이의 합은 몇 cm입니까?

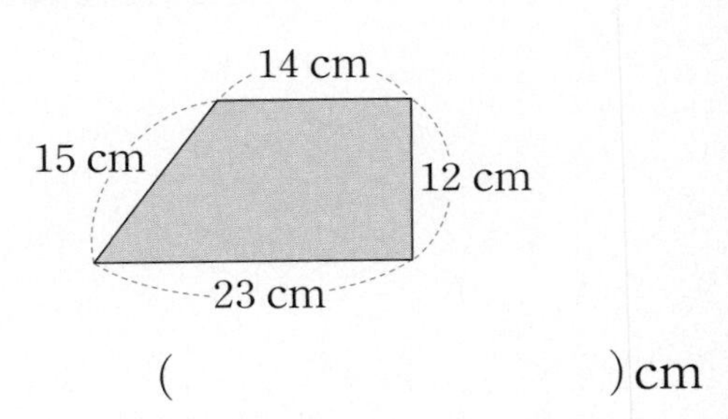

(　　　　　　　) cm

18 소희가 은행에 예금한 돈과 찾은 돈을 나타낸 표입니다. 30일에 통장에 남은 돈은 얼마입니까?

날짜	예금한 돈	찾은 돈	통장에 남은 돈
10일	·	350원	620원
20일	290원	·	
30일	·	570원	

(　　　　　　　)원

19 □ 안에 들어갈 수 있는 세 자리 수 중에서 가장 작은 수를 구하시오.

235+□>758−199

( )

20 은영이는 집에서 학교로 가는 길에 우체국 앞에서 채림이를 만났습니다. 은영이와 채림이는 학교 앞까지 같이 걷다 은영이는 학교에 가고 채림이는 문방구에 갔습니다. 은영이와 채림이가 함께 걸은 거리는 몇 m입니까?

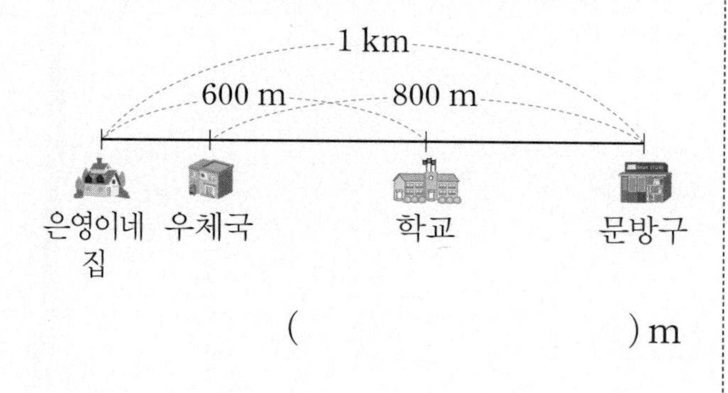

( ) m

21 달걀이 10개씩 들어 있는 달걀판이 4판 있습니다. 이 중에서 깨진 달걀 8개를 빼고 남은 달걀을 모두 사용하여 크기가 같은 달걀말이 8개를 만들었습니다. 달걀말이 하나를 만드는 데 사용한 달걀은 몇 개입니까? (단, 달걀말이 하나에 들어가는 달걀의 수는 각각 같습니다.)

( )개

22 네 변의 길이의 합이 각각 28 cm, 20 cm, 12 cm인 정사각형 모양의 색종이 3장을 겹치지 않게 이어 붙여 그림과 같은 도형을 만들었습니다. 만든 도형의 모든 변의 길이의 합은 몇 cm입니까?

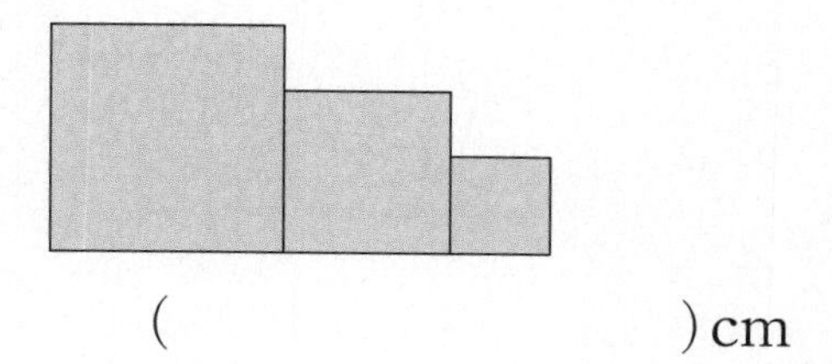

( ) cm

실전 모의고사

23 그림과 같이 0에서 24 cm까지는 똑같이 6칸으로 나누고, 24 cm에서 42 cm까지는 똑같이 3칸으로 나누었습니다. ㉮에서 ㉯까지의 길이는 몇 cm입니까?

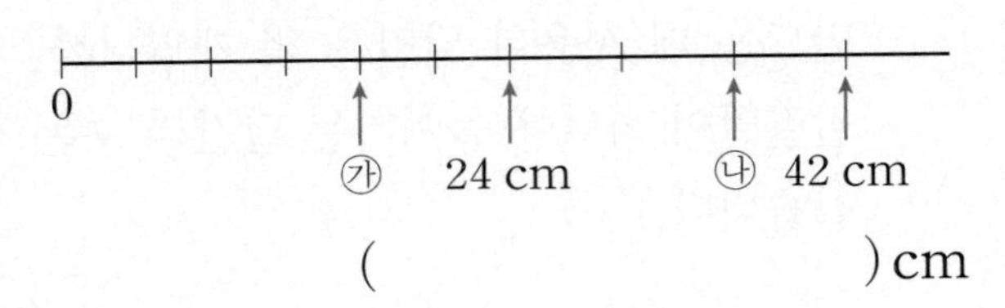

( ) cm

24 어떤 세 자리 수를 2번 더해야 하는데 잘못하여 3번 더했더니 534가 되었습니다. 바르게 계산하면 얼마입니까?

( )

25 가로, 세로의 간격이 모두 같은 점 16개가 있습니다. 세 점을 꼭짓점으로 하여 그릴 수 있는 서로 다른 모양과 크기의 직각삼각형은 모두 몇 개입니까? (단, 뒤집거나 돌려서 같은 모양이 되는 것은 같은 것으로 생각합니다.)

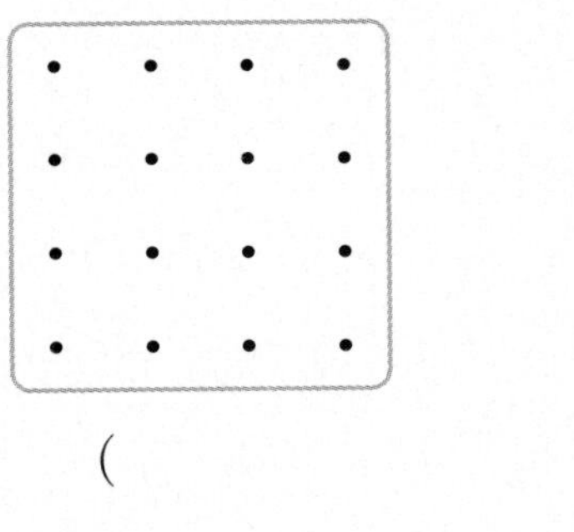

( )개

실전 모의고사 3회

점수

1 계산을 하시오.

$$\begin{array}{r} 2\ 5\ 4 \\ +\ 1\ 3\ 6 \\ \hline \end{array}$$

(　　　　　　　　)

2 다음 중 덧셈식 64+64+64+64와 계산한 값이 같은 것은 어느 것입니까? … (　　　)

① 64−4　　② 64+4
③ 64×4　　④ 64×64
⑤ 64÷4

3 나눗셈의 몫을 구하시오.

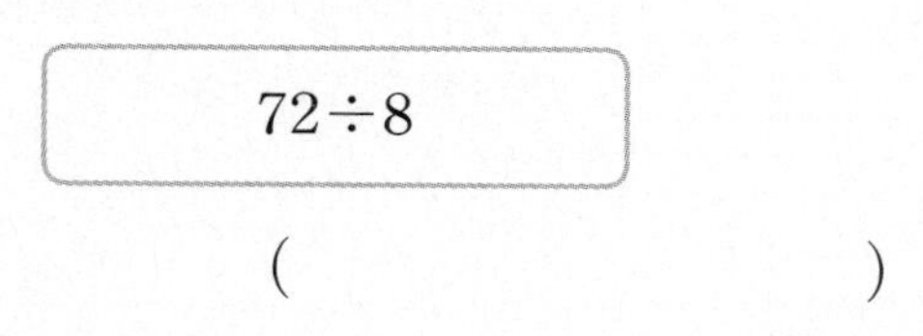

(　　　　　　　　)

4 직각삼각형은 모두 몇 개입니까?

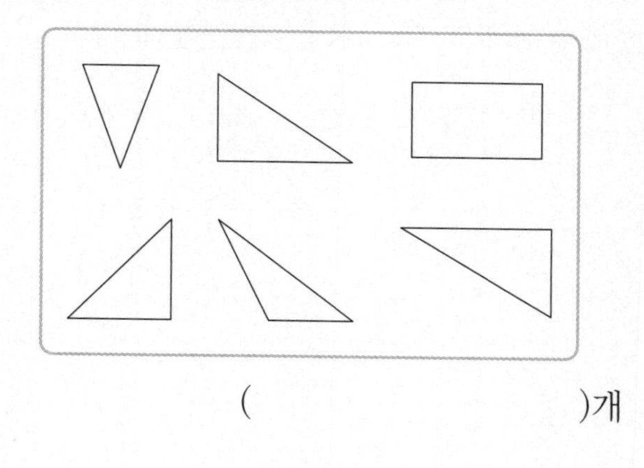

(　　　　　　　　)개

5 □ 안에 알맞은 수를 구하시오.

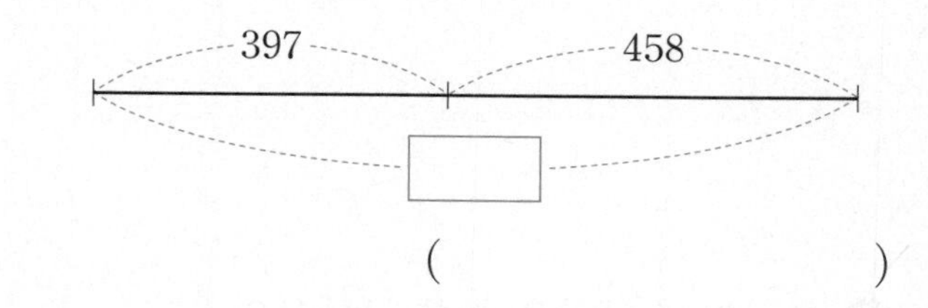

(　　　　　　　　)

실전 모의고사

6 직각 삼각자를 이용하여 직각을 바르게 그린 것은 어느 것입니까? ········· (　　　)

①
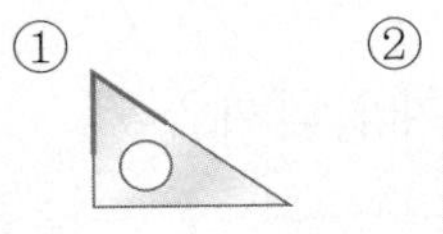
②

③
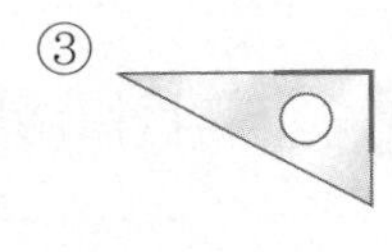
④
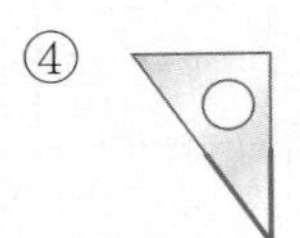
⑤
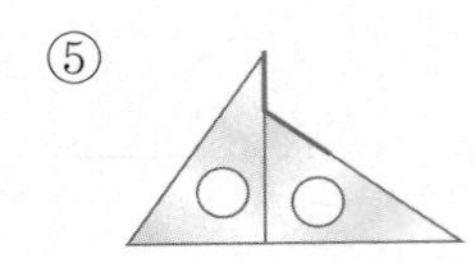

7 ㉠과 ㉡에 알맞은 수의 합을 구하시오.

• 20 cm 5 mm = [㉠] mm
• 300 mm = [㉡] cm

(　　　　　　)

8 □ 안에 알맞은 수를 구하시오.

$54 \div 6 = \square \div 3$

(　　　　　　)

9 천연기념물 제368호인 삽살개는 다리가 4개입니다. 삽살개의 다리를 세어 보니 모두 28개였습니다. 삽살개가 모두 몇 마리 있습니까?

(　　　　　　)마리

10 □ 안에 알맞은 수를 구하시오.

$$\begin{array}{r} 5\ \square \\ \times\quad 6 \\ \hline 3\ 4\ 8 \end{array}$$

(　　　　　　)

11 ㉠에 알맞은 수를 구하시오.

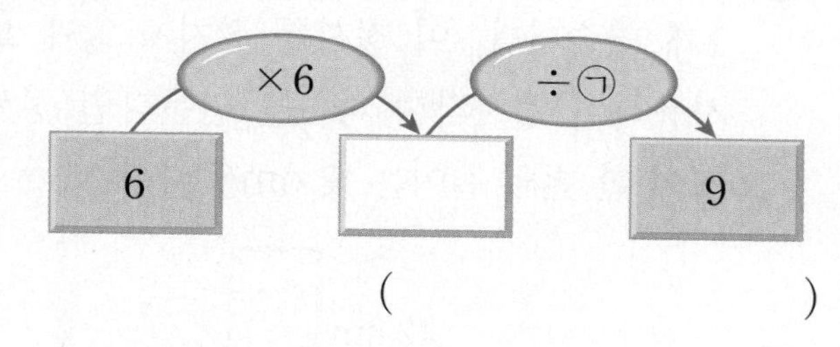

( )

12 정사각형 안에 있는 수의 차를 구하시오.

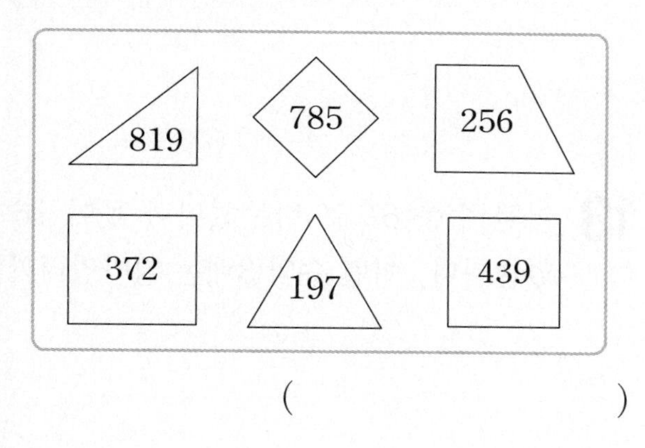

( )

13 다음은 재형이가 수영을 시작한 시각과 끝낸 시각을 나타낸 것입니다. 재형이가 수영을 한 시간은 몇 분입니까?

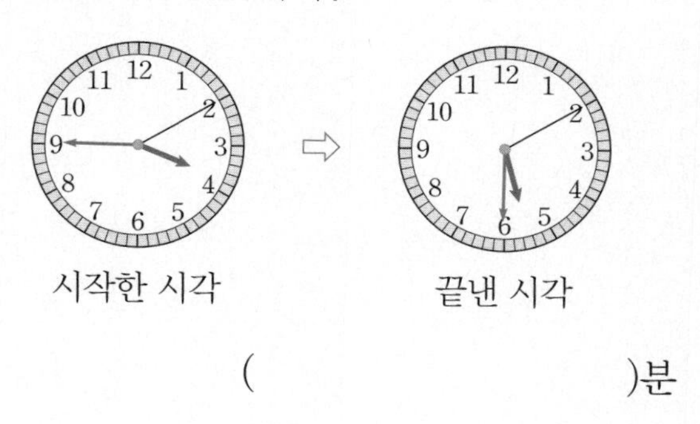

( )분

14 도형에서 찾을 수 있는 크고 작은 직각삼각형은 모두 몇 개입니까?

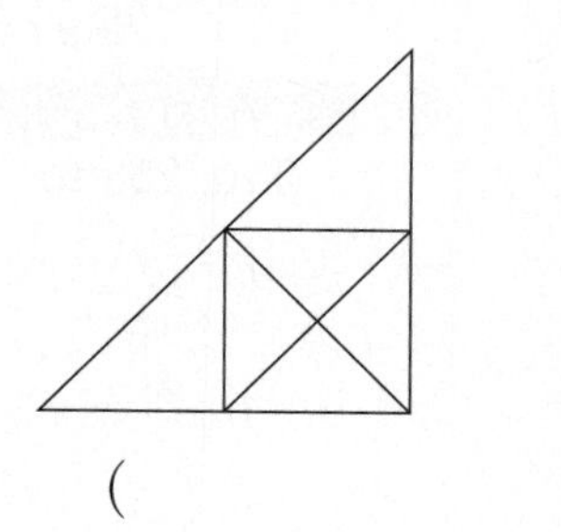

( )개

15 지우개를 한 상자에 35개씩 담았더니 4상자가 되고 5개가 남았습니다. 지우개는 모두 몇 개입니까?

( )개

16 나무 도막 ㉮, ㉯, ㉰를 겹치지 않게 길게 이어 붙이면 전체 길이는 몇 cm가 됩니까?

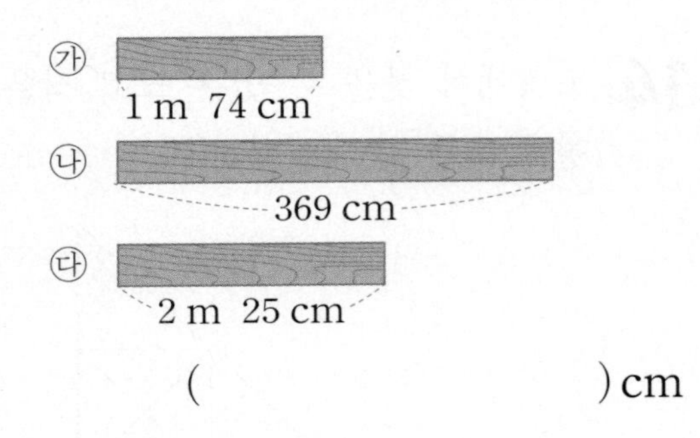

( ) cm

17 직사각형을 만든 철사와 길이가 같은 철사가 1개 있습니다. 이 철사를 겹치지 않게 모두 사용하여 정사각형 하나를 만든다면 정사각형의 한 변의 길이는 몇 cm입니까?

12 cm

6 cm

( ) cm

18 어떤 수를 6으로 나누었더니 몫이 16이 되었습니다. 어떤 수의 3배는 얼마입니까?

( )

19 칭찬 붙임 딱지를 1반은 154개, 2반은 128개 받았습니다. 두 반이 받은 칭찬 붙임 딱지의 수가 같아지려면 1반은 2반에게 칭찬 붙임 딱지를 몇 개 주어야 합니까?

( )개

20 큰 정사각형을 그림과 같이 3부분으로 나누었더니 작은 정사각형 한 개와 직사각형 두 개가 만들어졌습니다. 직사각형 ㉮의 네 변의 길이의 합은 몇 cm입니까?

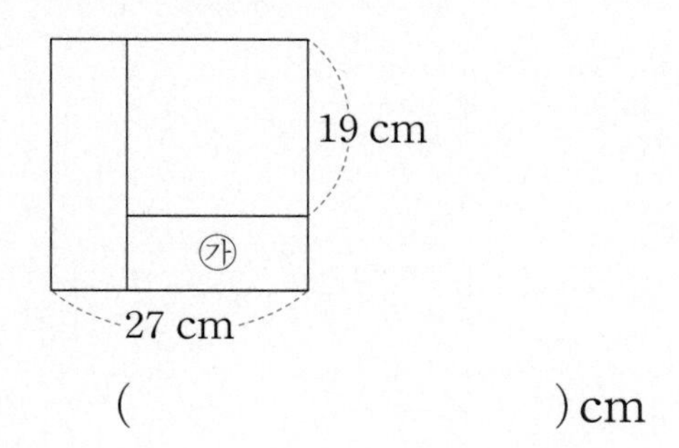

( ) cm

21 □ 안에 들어갈 수 있는 세 자리 수 중 가장 작은 수를 구하시오.

$532-\square<27\div3$

( )

22 어느 날 오전 8시부터 다음날 오전 8시까지 ‖조건‖을 만족하는 시각은 모두 몇 번 있습니까?

‖조건‖
- 긴바늘이 12를 가리킵니다.
- 긴바늘과 짧은바늘이 이루는 작은 쪽의 각은 직각입니다.

( )번

실전 모의고사

23 길이가 다른 양초가 2개 있습니다. 긴 양초의 길이는 짧은 양초의 길이보다 28 cm가 더 길고, 두 양초의 길이의 합은 36 cm입니다. 긴 양초의 길이는 짧은 양초의 길이의 몇 배입니까?

( )배

24 길이가 72 cm인 통나무를 똑같은 길이로 자르려고 합니다. 통나무 한 도막을 한 번 자르는 데 6분이 걸리고 자른 후에는 1분씩 쉬었습니다. 통나무를 2시부터 자르기 시작하여 2시 55분에 끝마쳤다면 잘린 한 도막의 길이는 몇 cm입니까?

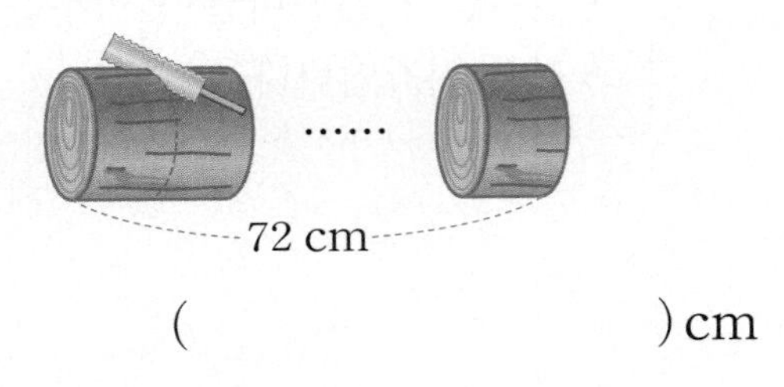

( ) cm

25 희주는 똑같은 직사각형 모양의 종이 10장을 겹치지 않게 이어 붙인 후 ♥ 모양의 붙임딱지를 그림과 같이 붙였습니다. 그림에서 찾을 수 있는 크고 작은 직사각형 중에서 ♥ 모양을 포함한 직사각형은 모두 몇 개입니까?

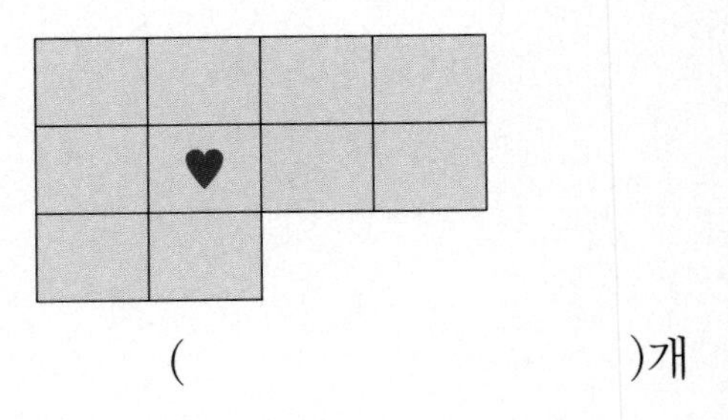

( )개

수학 학력평가

실전 모의고사 4회

점수

1 계산을 하시오.

$$\begin{array}{r} 2\ 4 \\ \times \quad 3 \\ \hline \end{array}$$

(　　　　　　　)

2 각이 없는 것은 모두 몇 개입니까?

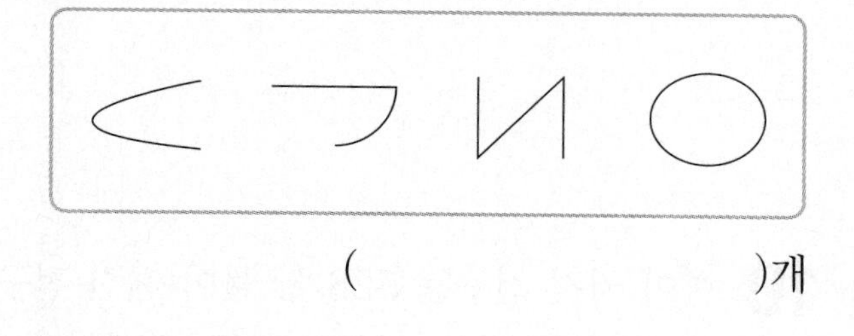

(　　　　　　　)개

3 □ 안에 알맞은 수를 구하시오.

450초=7분 □초

(　　　　　　　)

4 빈칸에 알맞은 수를 구하시오.

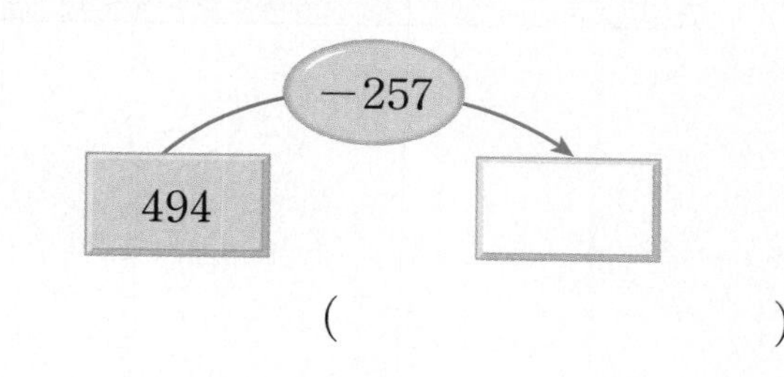

(　　　　　　　)

5 □ 안에는 같은 수가 들어갑니다. □ 안에 공통으로 들어갈 수 있는 수를 구하시오.

- 42÷□=7
- 30÷5=□
- 54÷□=9

(　　　　　　　)

실전 모의고사

6 물감의 길이는 몇 mm입니까?

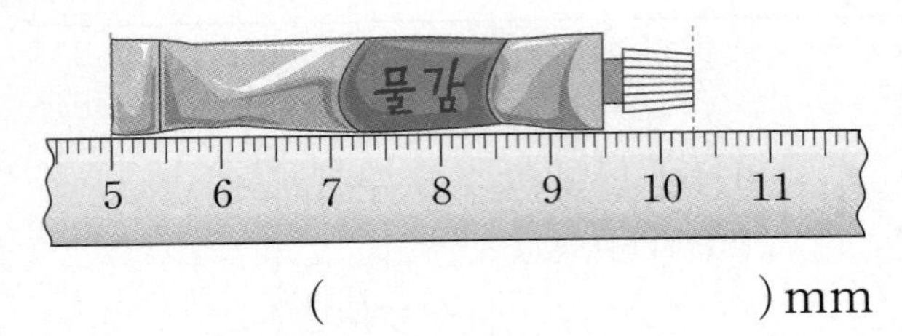

( ) mm

7 □ 안에 알맞은 수를 구하시오.

$827-534=\square+128$

( )

8 ㉠에 알맞은 수를 구하시오.

56 ⇨ ÷7 ⇨ □ ⇨ ÷4 ⇨ ㉠

( )

9 ㉠과 ㉡에 알맞은 수의 합을 구하시오.

정사각형에는 직각이 ㉠개 있고, 직각삼각형에는 직각이 ㉡개 있습니다.

( )

10 불이 켜진 전구는 528개, 불이 꺼진 전구는 394개 있습니다. 전구는 모두 몇 개입니까?

( )개

11 직사각형 모양의 종이를 그림과 같이 접어서 잘라 내어 사각형을 만들었습니다. □ 안에 알맞은 수를 구하시오.

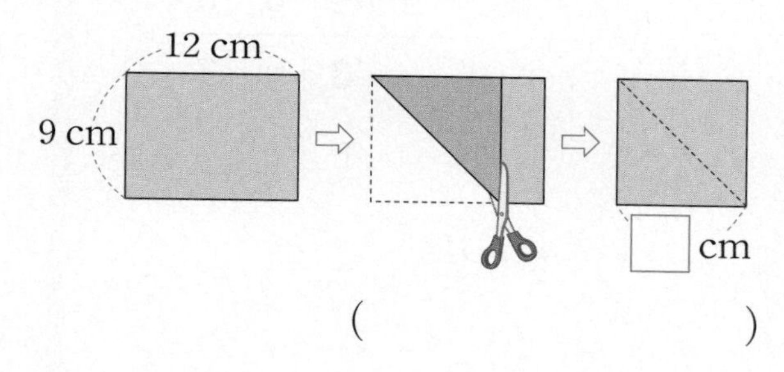

( )

12 ‖보기‖와 같이 13◆5를 계산한 값을 구하시오.

‖보기‖
8◆4 ⇨ 8+4=12, 12×4=48
10◆3 ⇨ 10+3=13, 13×3=39

( )

13 수정이네 모둠 학생들은 우리말에만 있는 단위 표현을 조사해 보았습니다. 오징어 한 축을 5명이 똑같이 나누어 가진다면 한 명이 몇 마리씩 가지게 됩니까?

( )마리

14 48×4와 곱이 같은 것은 모두 몇 개입니까?

24×8	62×3	96×2
37×5	56×2	32×6

( )개

15 서윤이는 도화지에 삼각형 15개와 오각형 14개를 서로 겹치거나 맞닿지 않게 그렸습니다. 서윤이가 그린 도형의 변은 모두 몇 개입니까?

( )개

16 차가 472가 되는 두 수를 찾아 두 수의 합을 구하시오.

384	269	198	751	670

( )

17 ㉠, ㉡, ㉢에 알맞은 수의 합을 구하시오.

$$\begin{array}{r} 7\ 4\ \boxed{㉠} \\ -\ \boxed{㉡}\ 6\ 5 \\ \hline 3\ \boxed{㉢}\ 7 \end{array}$$

( )

18 같은 모양은 같은 수를 나타냅니다. ▲에 알맞은 수를 구하시오.

▲÷★=17, 35÷★=7

( )

19 도형 가와 나에서 찾을 수 있는 직각은 모두 몇 개입니까?

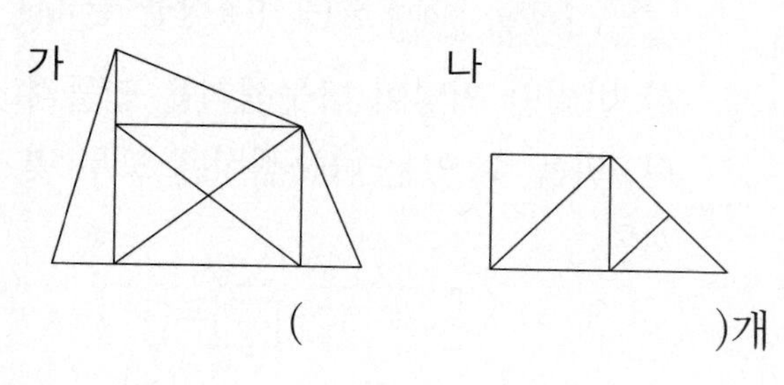

( )개

20 두 수 ●와 ▲가 있습니다. ●와 ▲의 합은 49이고 ●를 ▲로 나누었을 때의 몫은 6입니다. ●에 알맞은 수를 구하시오.

( )

21 다음과 같은 정사각형 4개를 겹치지 않게 모두 이어 붙여 네 변의 길이의 합이 가장 작은 직사각형을 만들려고 합니다. 만든 직사각형의 네 변의 길이의 합은 몇 cm입니까?

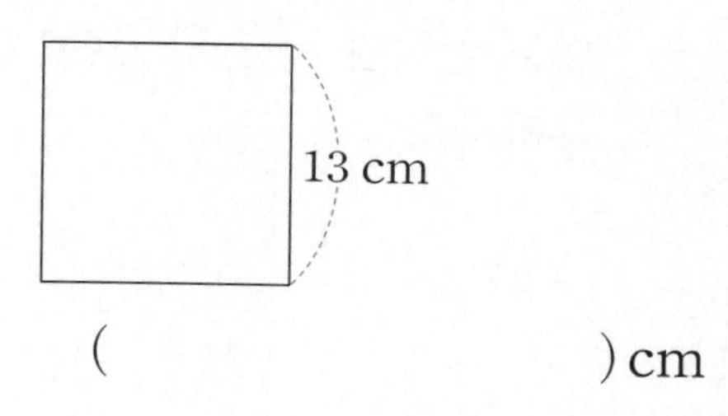

( ) cm

22 크기가 서로 다른 정사각형 3개를 겹치지 않게 이어 그린 것입니다. 빨간색 선의 길이는 몇 cm입니까?

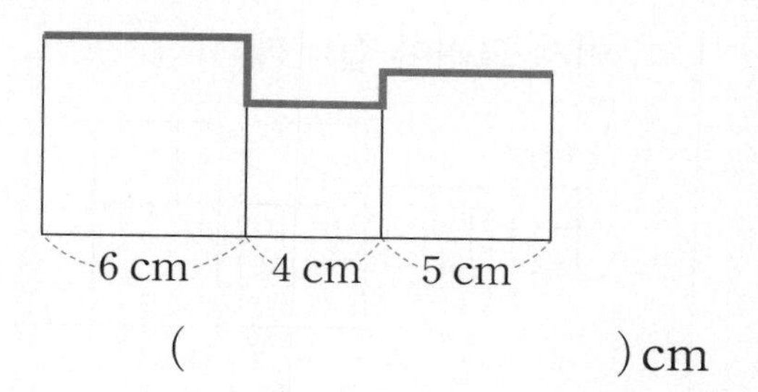

( ) cm

실전 모의고사

23 한 시간에 6초씩 빨라지는 고장 난 시계가 있습니다. 이 시계를 오늘 오전 7시에 정확히 맞추어 놓았다면 오늘 오후 7시가 되었을 때 고장 난 시계는 ㉠시 ㉡분 ㉢초를 가리켰다고 합니다. ㉠, ㉡, ㉢에 알맞은 수의 합을 구하시오.

( )

24 한 변이 1 cm인 정사각형이 있습니다. 이 정사각형에 그림과 같은 규칙으로 정사각형을 이어서 그리려고 합니다. 가장 큰 직사각형의 네 변의 길이의 합이 42 cm가 되려면 처음 정사각형에 몇 개의 정사각형을 더 이어서 그려야 합니까?

1 cm ……

( )개

25 8장의 수 카드 1, 2, 3, 4, 5, 6, 7, 8 중에서 4장을 골라 □ 안에 한 번씩만 써넣어 나눗셈식을 만들려고 합니다. 만들 수 있는 나눗셈식은 모두 몇 개입니까?

□□ ÷ □ = □

( )개

수학 학력평가

최종 모의고사 1회

점수

교재 뒤에 부록으로 있는 OMR 카드와 같이 활용하여 실제 HME 시험에 대비하세요.

1 □ 안에 알맞은 수를 구하시오.

$36 \div 6 = \square$

(　　　　　　)

2 도형에서 직각은 모두 몇 개입니까?

(　　　　　　)개

3 계산에서 □ 안의 숫자 1이 실제로 나타내는 수는 얼마입니까?

$$\begin{array}{r} \boxed{1}\ 1\ \ \\ 3\ 3\ 8 \\ +\ 7\ 9\ 4 \\ \hline 1\ 1\ 3\ 2 \end{array}$$

(　　　　　　)

4 빈칸에 알맞은 수를 구하시오.

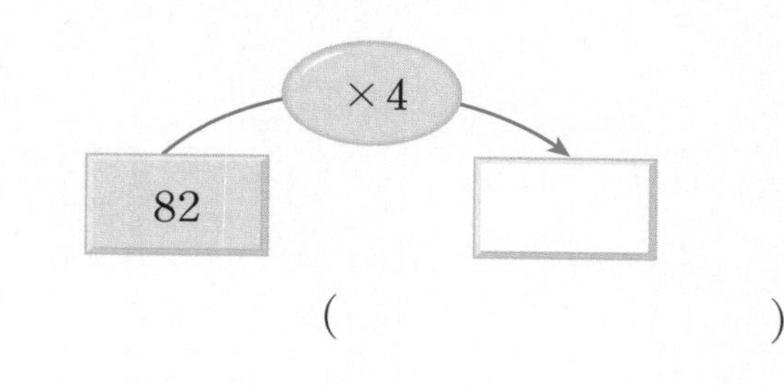

(　　　　　　)

5 □ 안에 알맞은 수를 구하시오.

$780 - \square = 390$

(　　　　　　)

최종 모의고사

6 □ 안에 알맞은 수를 구하시오.

$249+372=\square-296$

(　　　　　　)

7 ㉠에 알맞은 수를 구하시오.

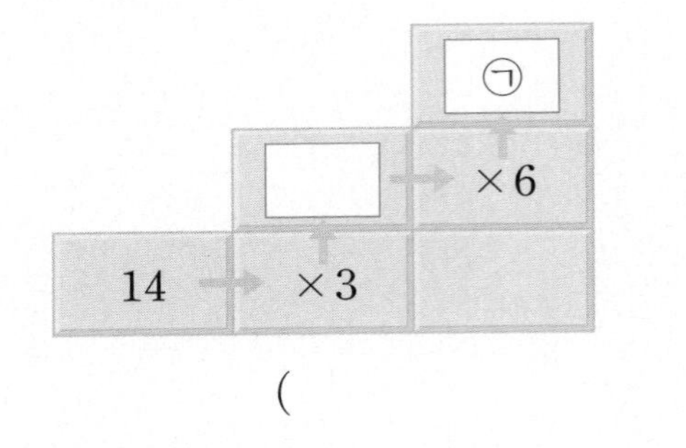

(　　　　　　)

8 □ 안에 알맞은 수를 구하시오.

$\square\div7=18\div2$

(　　　　　　)

9 8로 나누어지는 수는 모두 몇 개입니까?

41　24　32　17　18　64

(　　　　　　)개

10 차가 가장 큰 두 수를 찾아 두 수의 합을 구하시오.

129　337　481　253

(　　　　　　)

11 직사각형 모양의 종이 위에 그림과 같이 선을 그었습니다. 선을 따라 가위로 잘랐을 때 직각삼각형은 모두 몇 개 만들어집니까?

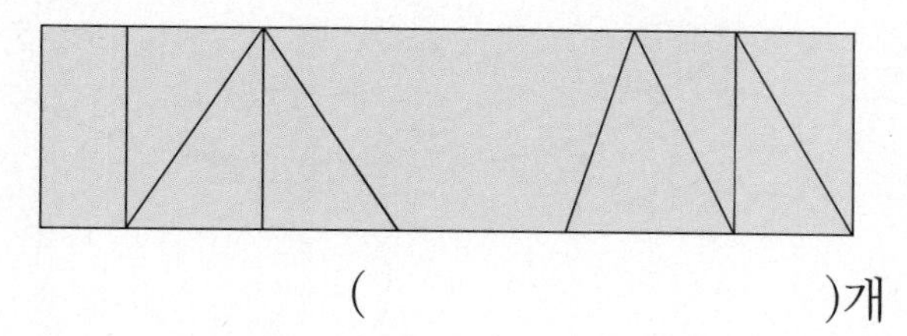

( )개

12 도형에서 한 변은 27 cm이고, 모든 변의 길이가 같습니다. 모든 변의 길이의 합은 몇 cm입니까?

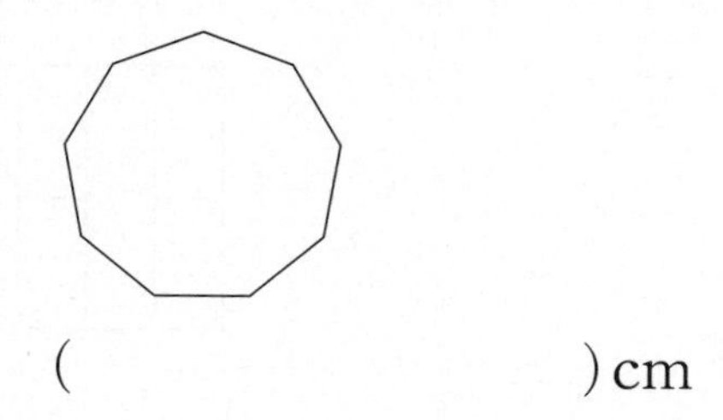

( ) cm

13 길이가 46 cm 4 mm인 색 테이프를 두 도막으로 잘랐습니다. 긴 도막의 길이가 307 mm라면 긴 도막은 짧은 도막보다 몇 cm 더 깁니까?

( ) cm

14 원효는 한 상자에 7개씩 들어 있는 빵을 8상자 샀습니다. 그중에서 11개를 동생에게 주고 남은 빵을 친구 9명에게 똑같이 나누어 주었습니다. 친구 한 명에게 빵을 몇 개씩 주었습니까?

( )개

15 그림에서 찾을 수 있는 크고 작은 직사각형은 모두 몇 개입니까?

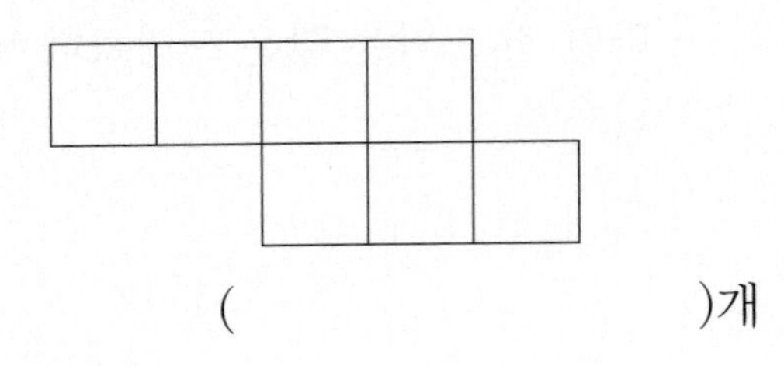

(　　　　　　　　　　)개

16 곱셈식에서 같은 기호는 같은 수를 나타낼 때 ㉡에 알맞은 수를 구하시오.

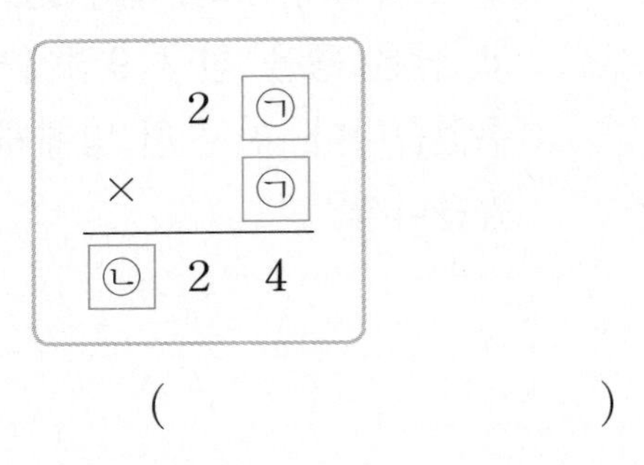

(　　　　　　　　　　)

17 ㉠과 ㉡에 알맞은 수의 합을 구하시오.

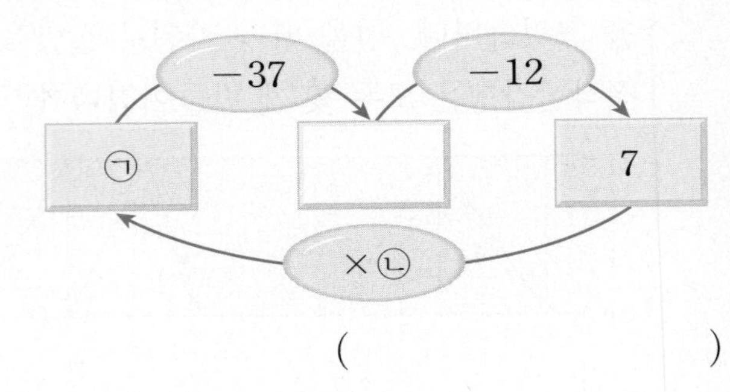

(　　　　　　　　　　)

18 그림은 정사각형을 크기가 같은 8개의 직사각형으로 나눈 것입니다. 가장 작은 직사각형 한 개의 네 변의 길이의 합이 18 cm라면 가장 큰 정사각형의 한 변은 몇 cm입니까?

(　　　　　　　　　　) cm

19 무늬가 있는 쌓기 나무를 거울에 비추어 보았더니 오른쪽과 같이 서로 반대 방향으로 바뀌어서 보입니다. 다음은 시계를 거울에 비친 모습입니다. 이 시각에서 30분 40초가 지났을 때 초바늘이 가리키는 숫자는 몇입니까?

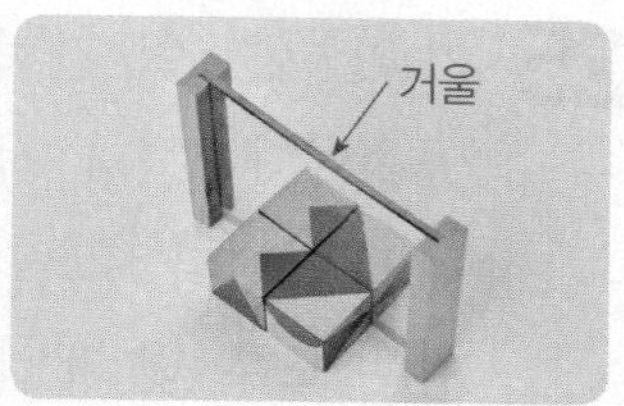

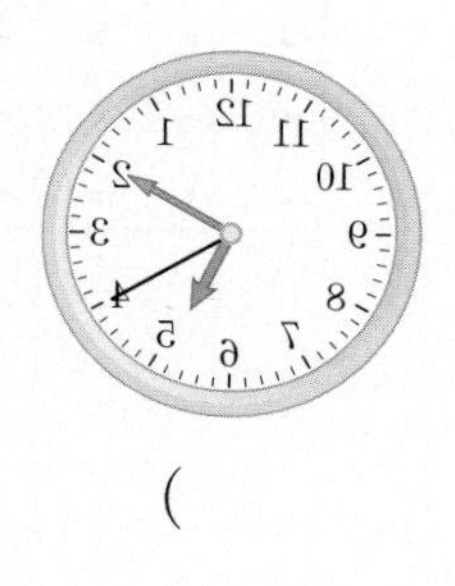

( )

20 어느 날 해 뜨는 시각은 오전 6시 30분 57초이고 해 지는 시각은 오후 5시 40분 20초입니다. 이날 밤의 길이를 ㉠시간 ㉡분 ㉢초라고 할 때 ㉠+㉡−㉢의 값을 구하시오.

( )

21 가로, 세로에 있는 세 수의 합이 모두 같을 때 ㉠에 알맞은 수를 구하시오.

㉠		342
	605	188
473		426

( )

22 4장의 수 카드 3, 6, 5, 7 을 한 번씩만 사용하여 (두 자리 수)×(한 자리 수)를 만들 때 곱이 가장 큰 곱셈식의 곱을 구하시오.

( )

23 문방구에서 민수네 집까지의 거리는 279 m, 민수네 집에서 도서관까지의 거리는 1 km, 도서관에서 학교까지의 거리는 635 m입니다. 문방구에서 학교까지의 거리는 민수네 집에서 도서관까지의 거리보다 몇 m 더 멉니까? (단, 문방구, 민수네 집, 도서관, 학교의 순서대로 일직선 상에 있습니다.)

( ) m

24 뺄셈식에서 같은 모양은 같은 수를 나타낼 때 ■ − ▲ + ●를 구하시오.

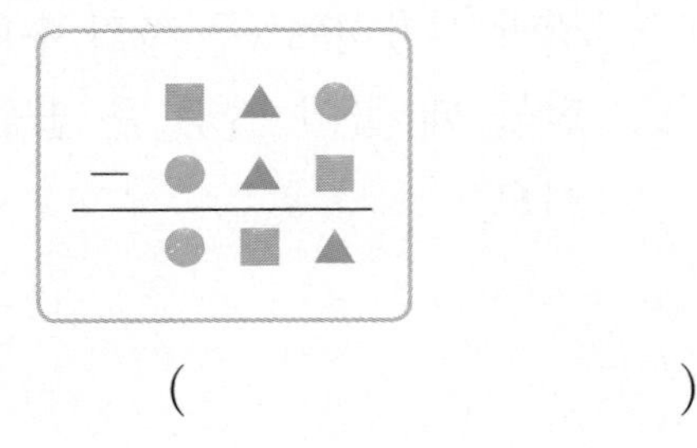

( )

25 가로, 세로의 간격이 모두 같은 점 25개가 있습니다. 점과 점을 이어 정사각형을 그리려고 합니다. 그릴 수 있는 크고 작은 정사각형은 모두 몇 개입니까? (단, 가로와 세로로만 점을 잇고 크기가 같아도 위치가 다르면 다른 것으로 봅니다.)

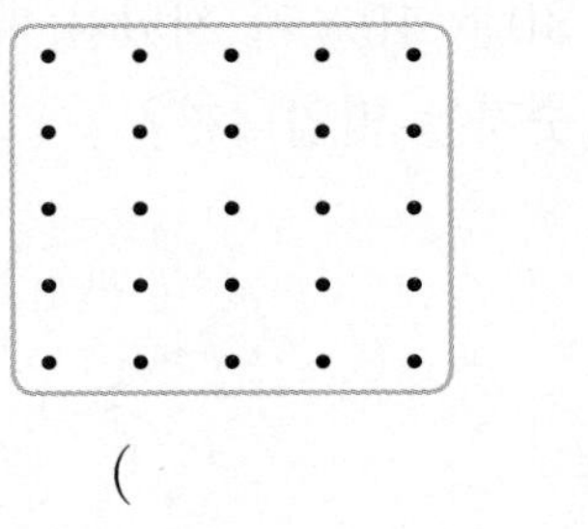

( )개

최종 모의고사 2회

점수

교재 뒤에 부록으로 있는 OMR 카드와 같이 활용하여 실제 HME 시험에 대비하세요.

1 나눗셈의 몫을 구하시오.

$48 \div 8$

( )

2 □ 안에 알맞은 수를 구하시오.

7 cm 3 mm = □ mm

( )

3 □ 안에 알맞은 수를 구하시오.

$63 \div \square = 7$

( )

4 두 수의 차를 구하시오.

259 543

( )

5 더 긴 시간은 몇 초입니까?

3분 20초 | 190초

( )초

최종 모의고사

6 직사각형의 네 변의 길이의 합은 24 cm입니다. □ 안에 알맞은 수를 구하시오.

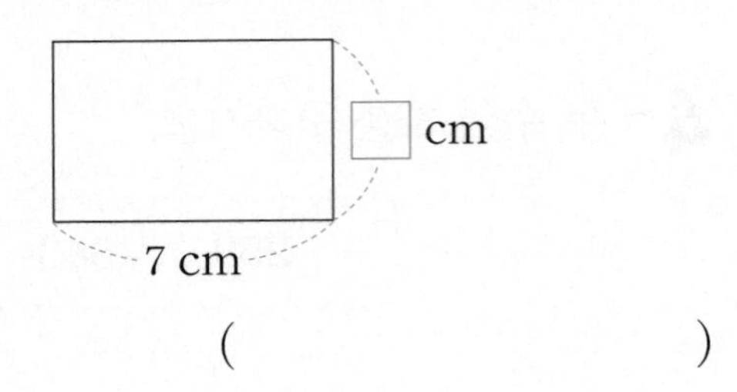

(　　　　　　　)

7 직각삼각형은 정사각형보다 몇 개 더 많습니까?

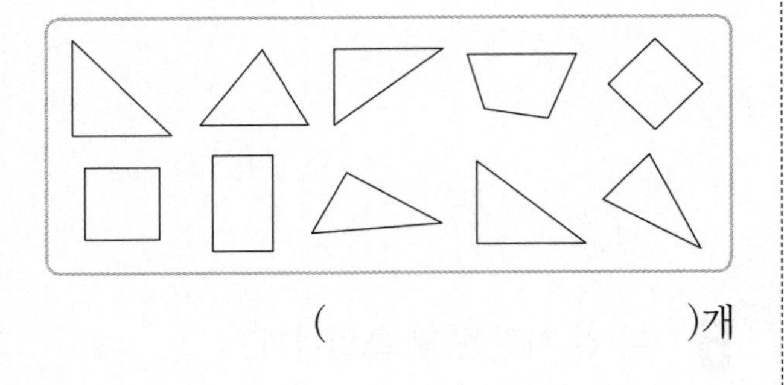

(　　　　　　　)개

8 □ 안에 알맞은 수를 구하시오.

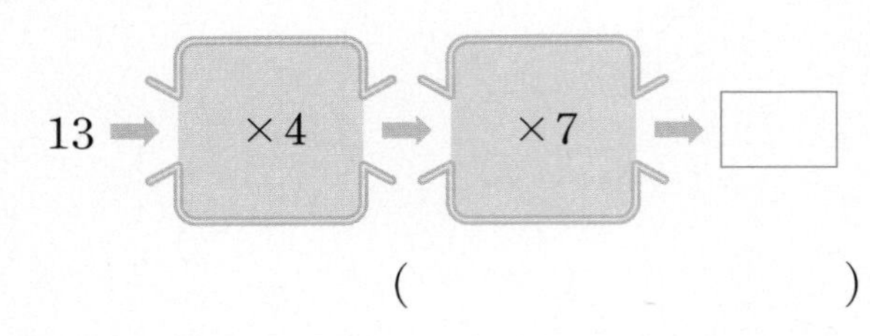

(　　　　　　　)

9 공책이 15권씩 3묶음 있다면 공책은 모두 몇 권입니까?

(　　　　　　　)권

10 빈칸에 알맞은 수를 구하시오.

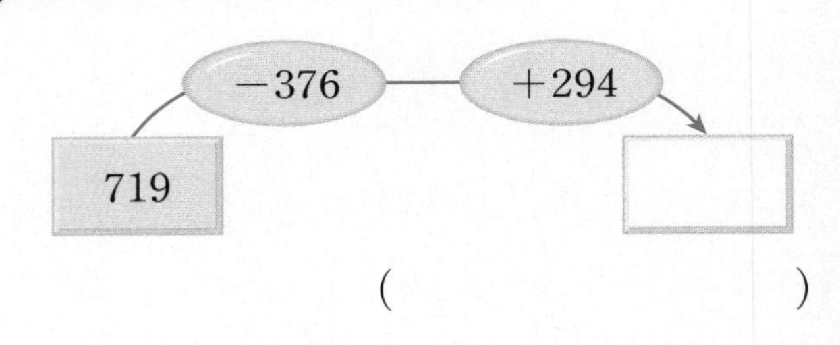

(　　　　　　　)

11 ㉮÷㉯를 구하시오.

$3 \times 8 = ㉮$　　$㉯ \times 6 = 36$

(　　　　　　　　)

12 찬호네 학교 학생들이 가고 싶어 하는 소풍 장소를 조사하여 나타낸 표입니다. 가장 많은 학생들이 가고 싶어 하는 장소와 가장 적은 학생들이 가고 싶어 하는 장소의 학생 수의 합은 몇 명입니까?

소풍 장소별 학생 수

장소	박물관	민속촌	공원	동물원
학생 수(명)	235	198	271	324

(　　　　　　　　)명

13 가장 긴 길이와 가장 짧은 길이의 차는 몇 mm입니까?

㉠ 25 cm 7 mm
㉡ 302 mm
㉢ 259 mm
㉣ 29 cm 4 mm

(　　　　　　　　)mm

14 덧셈식에서 □ 안에 알맞은 수의 합을 구하시오.

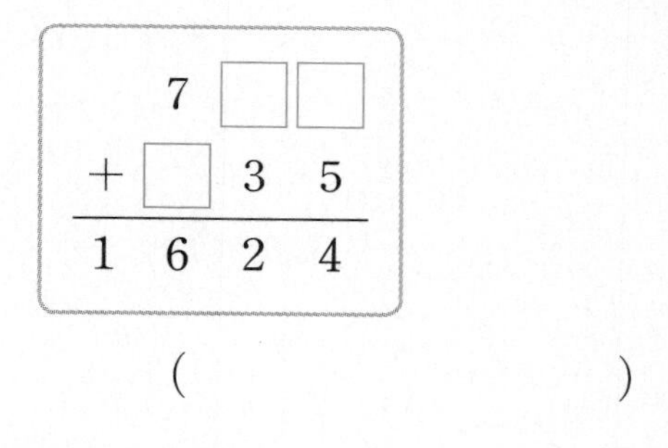

(　　　　　　　　)

최종 모의고사

15 직각삼각형 5개, 직사각형 2개, 정사각형 3개가 서로 겹치지 않게 있습니다. 도형에 있는 직각은 모두 몇 개입니까?

( )개

16 지선이는 종이학을 4분에 32개 접습니다. 지선이가 같은 빠르기로 종이학을 20분 동안 쉬지 않고 접는다면 모두 몇 개를 접을 수 있습니까?

( )개

17 길이가 42 cm인 철사를 두 도막으로 잘라 겹치지 않게 모두 사용하여 그림과 같은 직사각형과 정사각형을 각각 1개 만들었습니다. 정사각형의 한 변은 몇 cm입니까?

4 cm
3 cm

( ) cm

18 모양을 일정한 규칙에 따라 늘어놓았습니다. 36번째까지 놓인 모양 중 ☆ 모양은 모두 몇 개 있습니까?

☆♡○☆☆♡○☆☆♡○☆……

( )개

19 축구 경기는 일반적으로 전반전, 후반전 경기를 각각 45분씩 하고, 중간에 휴식 시간이 있습니다. 승호는 2시 15분 30초에 축구 경기를 시작해서 다음과 같이 경기를 하였습니다. 축구 경기가 끝난 시각이 ㉠시 ㉡분일 때, ㉡을 구하시오.

전반전	휴식 시간	후반전
45분	10분 30초	45분

( )

20 ㉮★㉯=(㉮+㉯)÷(㉯+1)을 이용하여 다음을 계산하시오. (단, 괄호 안부터 계산합니다.)

(50★6)÷(19★5)

( )

21 세호와 재석이네 과수원에 있는 사과나무와 배나무는 모두 960그루입니다. 사과나무가 세호네는 245그루, 재석이네는 287그루이고 배나무의 수는 같습니다. 세호네 과수원에 있는 사과나무와 배나무는 모두 몇 그루입니까?

( )그루

22 세정이네 학교 3학년 학생은 342명입니다. 이 중에서 체육을 좋아하는 학생은 189명, 음악을 좋아하는 학생은 134명, 체육과 음악을 모두 좋아하는 학생은 95명입니다. 체육과 음악 둘다 좋아하지 않는 학생은 몇 명입니까?

( )명

23 6개의 점 중에서 3개의 점을 이용하여 각을 그릴 때 점 ㅂ을 꼭짓점으로 하는 각은 모두 몇 개입니까? (단, 각을 겹쳤을 때 꼭 맞게 겹쳐지면 하나로 생각합니다.)

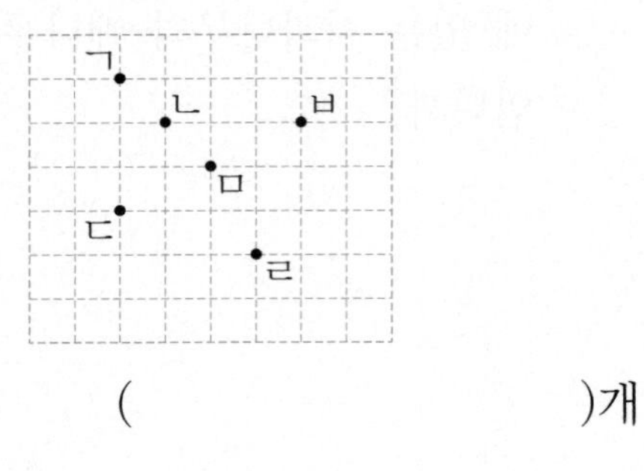

( )개

24 여러 가지 크기의 정사각형을 겹치지 않게 그려 놓았습니다. 정사각형 ㉮의 네 변의 길이의 합이 48 cm일 때 정사각형 ㉯의 한 변은 몇 cm입니까? (단, 가장 작은 정사각형끼리는 크기가 같습니다.)

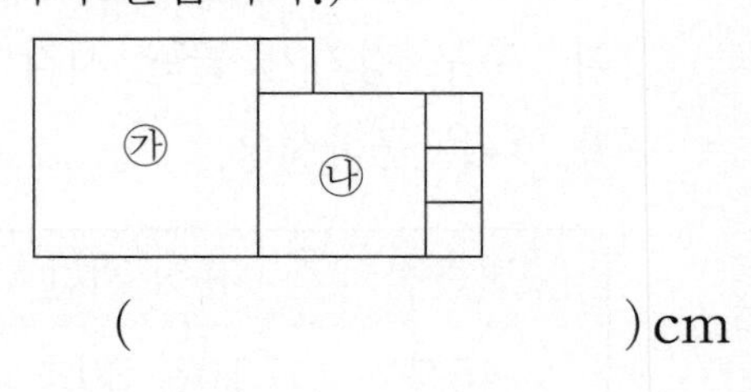

( ) cm

25 계단을 8층에서 3층까지 멈추지 않고 내려가는 데 32초가 걸립니다. 계단을 32층에서 7층까지 멈추지 않고 내려간다면 몇 초가 걸리겠습니까? (단, 계단을 항상 같은 빠르기로 내려갑니다.)

( )초

점수

최종 모의고사 3회

교재 뒤에 부록으로 있는 OMR 카드와 같이 활용하여 실제 HME 시험에 대비하세요.

1 □ 안에 알맞은 수를 구하시오.

$62\times6=$ □

( )

2 직각삼각형은 모두 몇 개입니까?

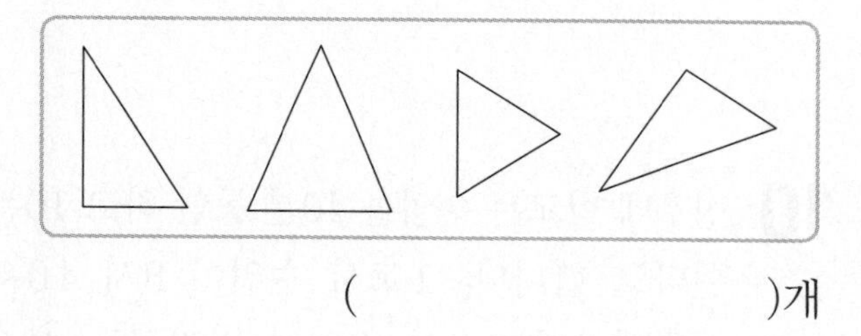

( )개

3 □ 안에 알맞은 수를 구하시오.

379

⇩

+486

⇩

□

( )

4 □ 안에 알맞은 수를 구하시오.

8분 57초= □ 초

( )

5 □ 안에는 같은 수가 들어갑니다. □ 안에 공통으로 들어갈 수 있는 수를 구하시오.

- $32\div$ □ $=4$
- $48\div$ □ $=6$
- $40\div5=$ □

( )

최종 모의고사

6 그림에서 직각은 모두 몇 개입니까?

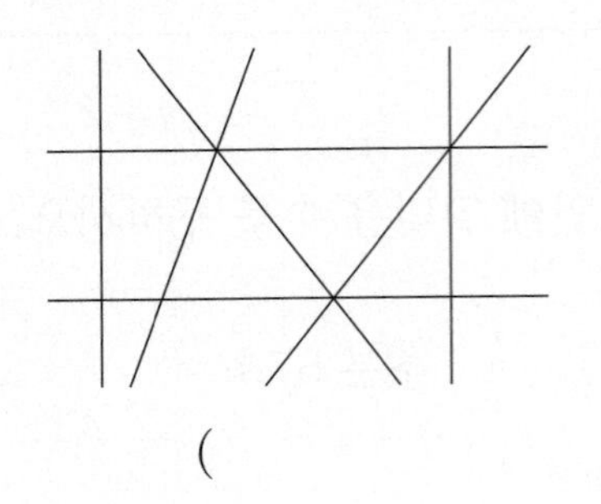

( )개

7 수직선에서 화살표(↑)로 표시된 곳의 길이는 몇 mm입니까?

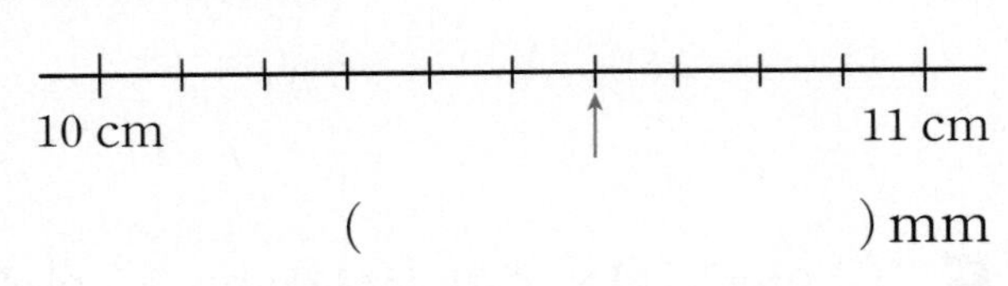

( ) mm

8 우진이는 동화책을 하루에 35쪽씩 일주일 동안 읽었습니다. 우진이가 읽은 동화책은 몇 쪽입니까?

( )쪽

9 인영이가 피아노를 치기 시작한 시각과 끝낸 시각을 나타낸 것입니다. 인영이가 피아노를 친 시간은 몇 분입니까?

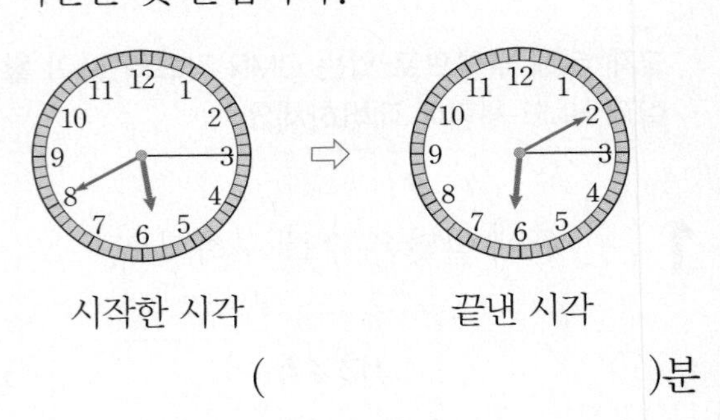

( )분

10 성우네 학교는 수업을 40분 동안 하고 10분씩 쉰다고 합니다. 1교시 수업이 8시 40분에 시작했다면 3교시 수업이 시작하는 시각은 ㉠시 ㉡분입니다. ㉠과 ㉡에 알맞은 수의 합을 구하시오.

( )

11 두 나눗셈의 몫이 같습니다. □ 안에 알맞은 수를 구하시오.

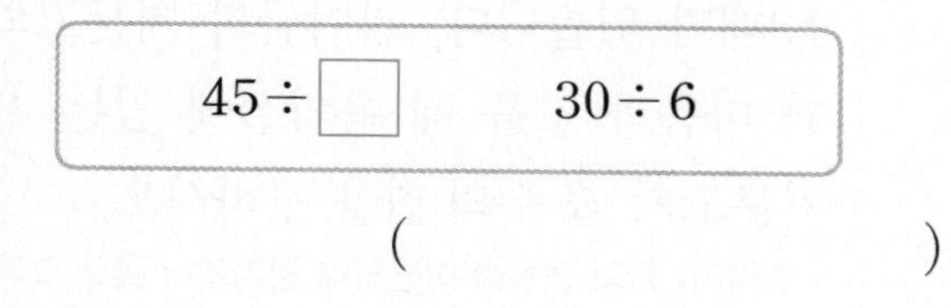

(　　　　　　　　)

12 100이 5개, 10이 46개, 1이 13개인 세 자리 수보다 395 작은 수를 구하시오.

(　　　　　　　　)

13 직사각형 모양의 색종이를 잘라 만들 수 있는 가장 큰 정사각형 모양의 네 변의 길이의 합은 몇 cm입니까?

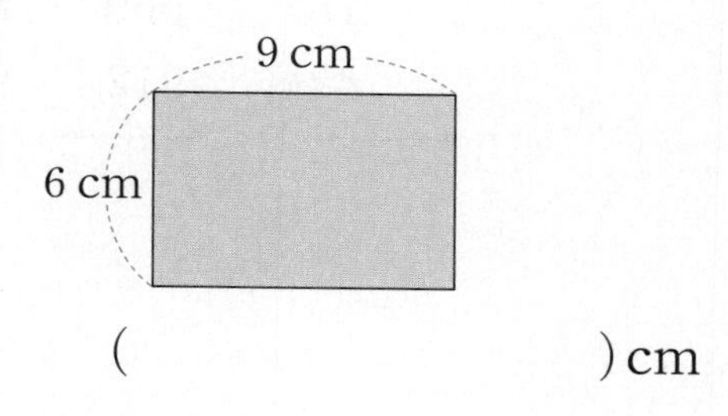

(　　　　　　　　) cm

14 오늘 민속촌에 입장한 사람은 726명입니다. 그중에서 남자 어른은 194명, 여자 어른은 227명입니다. 민속촌에 입장한 사람 중에서 어른이 아닌 사람은 몇 명입니까?

(　　　　　　　　)명

최종 모의고사

15 합이 1417인 두 수를 찾아 두 수의 차를 구하시오.

787	569	898
434	912	983

(　　　　　　　　)

16 □ 안에 들어갈 수 있는 세 자리 수 중에서 가장 큰 수를 구하시오.

$$452+329<925-\square$$

(　　　　　　　　)

17 가야금과 거문고는 우리나라의 대표적인 *현악기입니다. 음악실에 가야금 9대와 거문고 13대가 있습니다. 가야금과 거문고의 줄 수가 다음과 같을 때 음악실에 있는 가야금과 거문고의 줄 수의 합을 구하시오.

· 현악기: 줄의 진동을 이용하여 튕기거나 활로 그어서 소리내는 악기

▲ 가야금(12줄)　　▲ 거문고(6줄)

(　　　　　　　　)줄

18 어떤 수 ■를 9로 나누었더니 몫이 ●가 되었습니다. 그리고 ●를 3으로 나누었더니 몫이 4가 되었습니다. 어떤 수 ■는 얼마입니까?

(　　　　　　　　)

19 크기가 같은 정사각형 10개를 겹치지 않게 이어 그린 도형입니다. 도형에서 빨간색 선의 길이가 36 cm이면 가장 작은 정사각형 한 개의 네 변의 길이의 합은 몇 cm입니까?

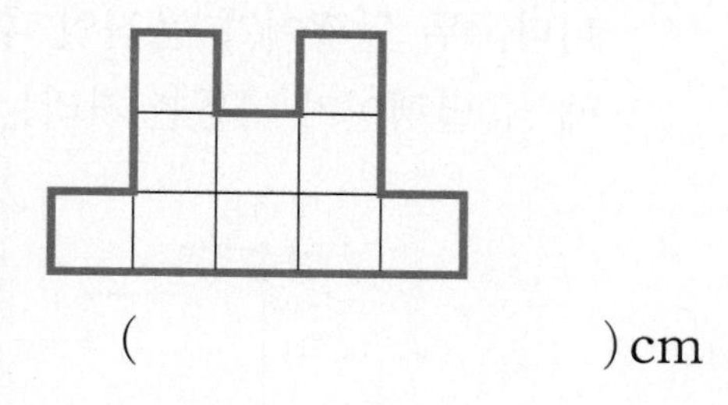

( ) cm

20 4장의 수 카드를 한 번씩만 사용하여 세 자리 수를 만들려고 합니다. 만들 수 있는 수 중에서 두 번째로 큰 수와 세 번째로 작은 수의 차는 295보다 얼마나 더 큽니까?

4 8 5 7

( )

21 길이가 다른 막대가 2개 있습니다. 긴 막대의 길이는 짧은 막대의 길이보다 20 cm 더 길고, 두 막대의 길이의 합은 28 cm입니다. 긴 막대로 짧은 막대를 몇 개까지 만들 수 있습니까?

( )개

22 2부터 6까지의 수를 한 번씩만 사용하여 두 자리 수를 만들었습니다. 만든 두 자리 수 중에서 7로 나누어지는 수는 모두 몇 개입니까?

( )개

23 한 변이 6 cm인 정사각형 모양의 색종이 7장을 그림과 같이 겹치게 이어 붙여서 도형을 만들었습니다. 빨간색 선의 길이는 몇 cm입니까? (단, 빨간색 선의 두께는 생각하지 않습니다.)

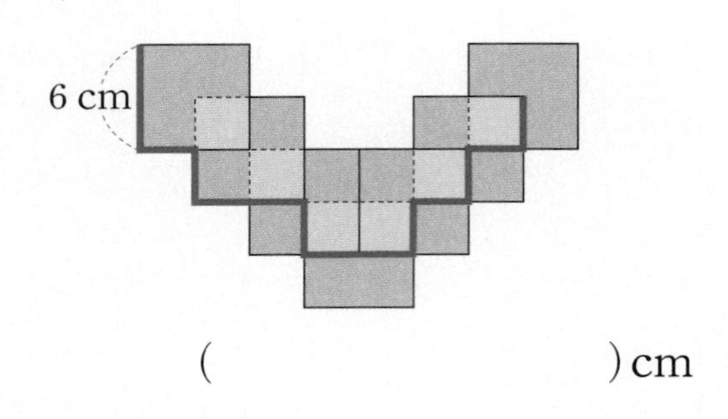

( ) cm

24 일정한 빠르기로 한 시간에 현주는 2 km 400 m, 서연이는 2 km 600 m를 걷는다고 합니다. 두 사람이 같은 지점에서 동시에 출발하여 서로 반대 방향으로 2시간 동안 걸으면 두 사람 사이의 거리는 몇 km입니까?

( ) km

25 두 마리 달팽이 ㉮와 ㉯가 그림과 같은 도형의 변을 따라 이동합니다. 한 점에서 동시에 출발하여 화살표 방향으로 ㉮ 달팽이는 1분에 6 m씩, ㉯ 달팽이는 1분에 9 m씩 갑니다. 두 달팽이가 움직인 후 처음 만났을 때 ㉯ 달팽이가 이동한 거리는 몇 m입니까?

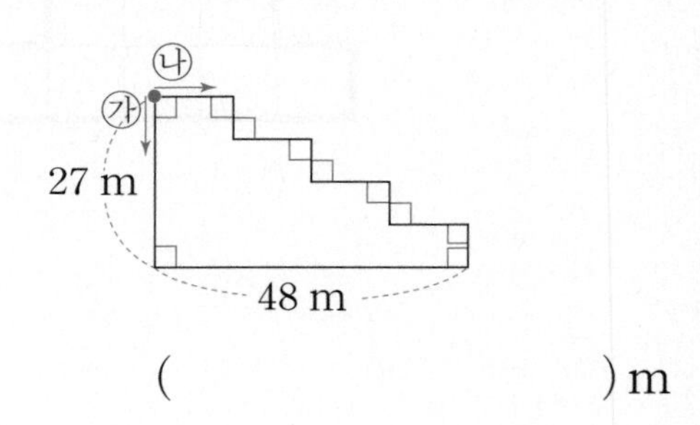

( ) m

점수

최종 모의고사 4회

교재 뒤에 부록으로 있는 OMR 카드와 같이 활용하여 실제 HME 시험에 대비하세요.

1 □ 안에 알맞은 수를 구하시오.

6분 48초= □ 초

(　　　　)

2 □ 안에 알맞은 수를 구하시오.

63÷ □ =9

(　　　　)

3 곱셈식의 일부분이 다음과 같이 물감에 지워졌습니다. ▒에 알맞은 수를 구하시오.

$$\begin{array}{r} \square 6 \\ \times \quad 7 \\ \hline 4\,6\,2 \end{array}$$

(　　　　)

4 다음 중 각이 <u>없는</u> 도형은 어느 것입니까? .... (　　　　)

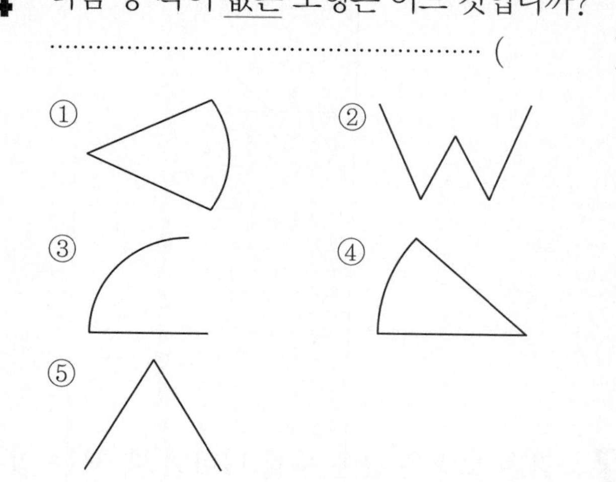

5 클립의 길이는 몇 mm입니까?

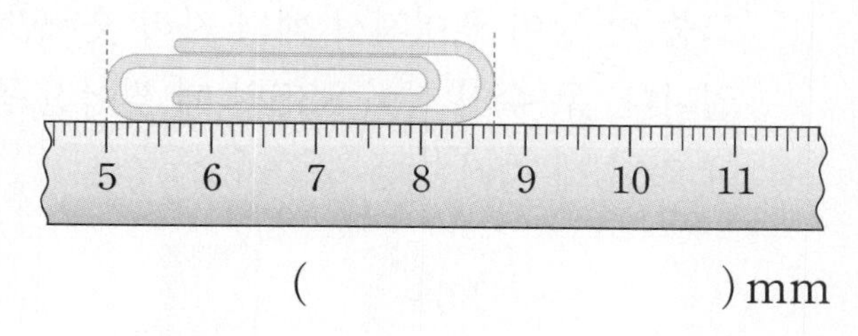

(　　　　) mm

최종 모의고사

6 도형에서 찾을 수 있는 직각은 모두 몇 개입니까?

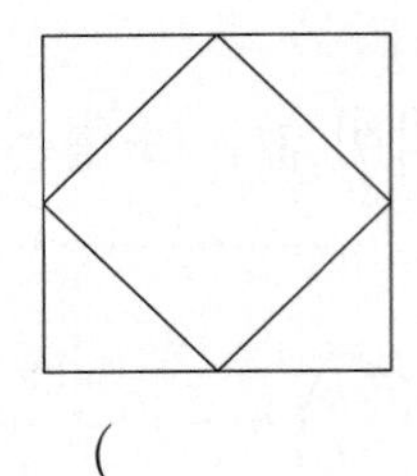

( )개

7 같은 모양은 같은 수를 나타낼 때 ♥는 얼마입니까?

64÷●=8
●÷2=♥

( )

8 종이 2장에 세 자리 수를 각각 써놓았는데 그중 한 장이 찢어져서 백의 자리 숫자만 보입니다. 두 수의 합이 835일 때 찢어진 종이에 적힌 세 자리 수를 구하시오.

568   2

( )

9 두 나눗셈의 몫이 같습니다. □ 안에 알맞은 수를 구하시오.

24÷4   42÷□

( )

10 은진이는 동화책을 하루에 27쪽씩 3일 동안 읽었더니 19쪽이 남았습니다. 은진이가 읽고 있는 동화책은 모두 몇 쪽입니까?

( )쪽

11 ㉠에 알맞은 수를 구하시오.

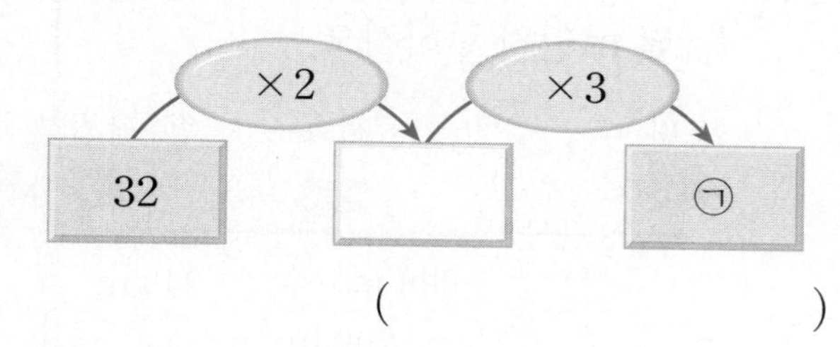

( )

12 1부터 9까지의 수 중에서 □ 안에 들어갈 수 있는 수는 모두 몇 개입니까?

$37\times7<45\times\square$

( )개

13 어떤 수에서 247을 빼야 할 것을 잘못하여 더했더니 820이 되었습니다. 바르게 계산하면 얼마입니까?

( )

*투호: 병을 일정한 거리에 놓고 그 속에 화살을 넣어 승부를 가리는 놀이

14 천재 초등학교 3, 4학년 학생들은 *투호를 하였습니다. 다음은 학년별로 청팀과 백팀이 넣은 화살의 수입니다. 어느 팀이 화살을 몇 개 더 많이 넣었습니까? ···· ( )

▲ 투호

	청팀	백팀
3학년	139개	207개
4학년	293개	199개

① 청팀, 16개
② 백팀, 16개
③ 청팀, 26개
④ 백팀, 26개
⑤ 청팀, 46개

최종 모의고사

15 6개의 점 중에서 2개의 점을 이어서 만들 수 있는 선분은 모두 몇 개입니까?

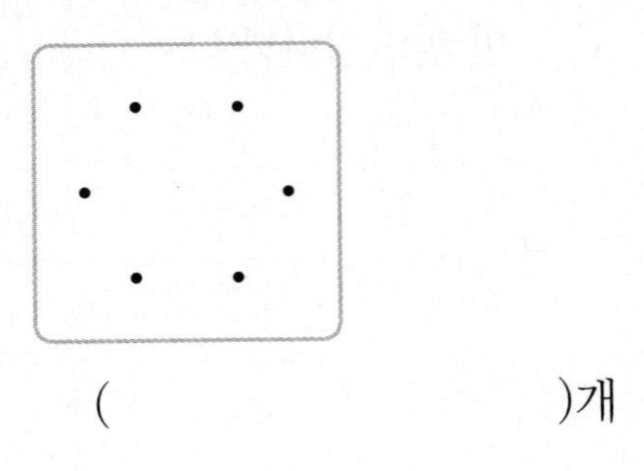

( )개

16 길이가 82 cm인 철사를 남김없이 사용하여 가로가 28 cm인 직사각형을 한 개 만들었습니다. 만든 직사각형의 세로는 몇 cm입니까?

( ) cm

17 다음을 보고 서점에서 민수네 집까지의 거리는 몇 m인지 구하시오.

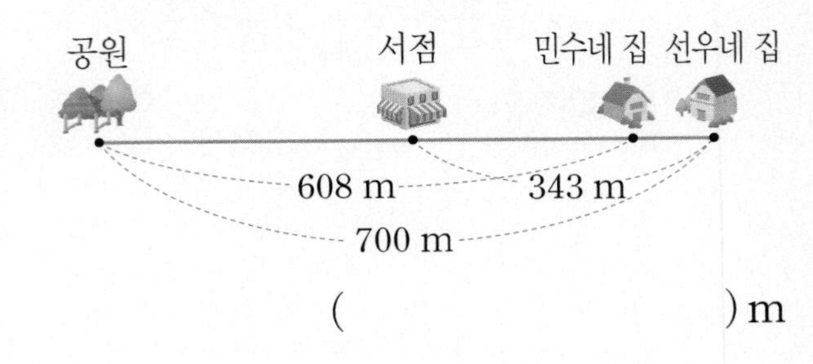

( ) m

18 은우는 580원을 가지고 있고 승아는 은우보다 300원 더 적게 가지고 있습니다. 두 사람이 가지고 있는 돈이 같아지려면 은우가 승아에게 얼마를 주어야 합니까?

( )원

19 4장의 수 카드를 한 번씩만 사용하여 (두 자리 수)×(한 자리 수)의 곱셈식을 만들었습니다. 만든 곱셈식의 곱이 두 번째로 클 때의 곱을 구하시오.

1　8　5　7

(　　　　　　)

20 하루에 12초씩 느려지는 고장난 시계가 있습니다. 이 시계를 일주일 전 오전 6시에 정확히 맞추어 놓았더니 오늘 오전 6시가 되었을 때 고장난 시계는 오전 ㉠시 ㉡분 ㉢초를 가리켰습니다. ㉠, ㉡, ㉢의 알맞은 수의 합은 얼마입니까?

(　　　　　　)

21 장난감 자동차를 ㉮ 공장에서는 1분에 9개씩, ㉯ 공장에서는 1분에 7개씩 만듭니다. ㉯ 공장이 ㉮ 공장보다 3분 전에 장난감 자동차를 만들기 시작했습니다. ㉯ 공장에서 35개의 장난감 자동차를 만들었을 때 ㉮ 공장에서는 장난감 자동차를 몇 개 만들었습니까?

(　　　　　　)개

22 사다리에서 시작하는 수와 사다리를 타고 내려가면서 만나는 수를 모두 한 번씩만 사용하여 가장 작은 세 자리 수를 만듭니다. 만든 수를 내려간 자리 ㉠, ㉡, ㉢에 각각 적을 때 ㉡과 ㉢의 차를 구하시오.

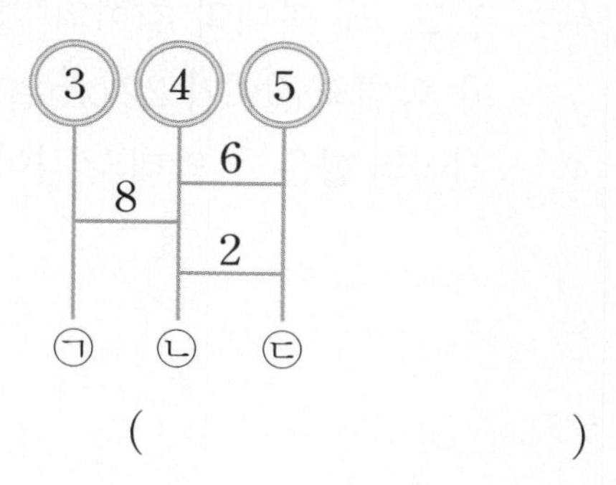

(　　　　　　)

최종 모의고사

23 그림과 같이 직사각형을 정사각형 5개로 나누었습니다. ㉠과 ㉡에 알맞은 수의 합을 구하시오.

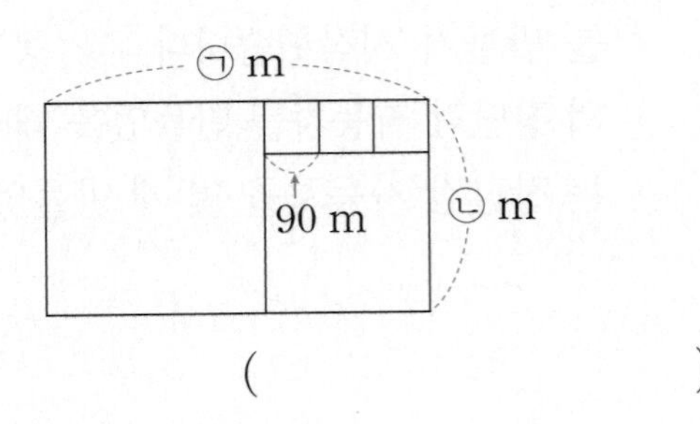

(　　　　　　　　　　)

24 길이가 다른 막대 ㉮, ㉯, ㉰ 3개가 있습니다. ㉮ 막대의 길이는 ㉰ 막대의 길이보다 27 cm 길고, 세 막대의 길이의 합은 63 cm입니다. ㉯ 막대의 길이가 22 cm일 때 ㉮와 ㉯ 막대의 길이의 합은 ㉰ 막대의 길이의 몇 배입니까?

(　　　　　　　　　　)배

25 다음은 정해진 규칙에 따라 수를 적은 것입니다. ㉠에 알맞은 수를 구하시오.

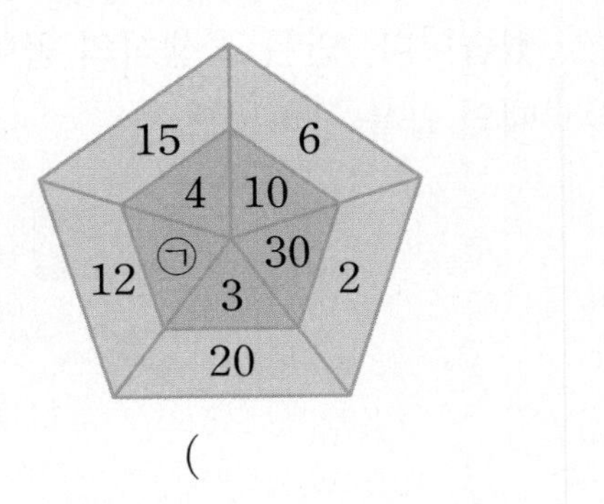

(　　　　　　　　　　)

절취선

최종 모의고사 ❶회

학 교 명:

성 명:

현재 학년: 반:

OMR 카드 작성시 유의사항

1. 학교명, 성명, 학년, 반 수험번호, 생년월일, 성별 기재
2. 반드시 원 안에 "●"와 같이 마킹 해야 합니다.
3. OMR카드에 답안 이외에 낙서 등 손상이 있는 경우 즉시 감독관에게 문의하시기 바랍니다.
4. 답을 작성하고 마킹을 하지 않는 경우 오답으로 간주합니다.
5. 답안은 작성 후 반드시 감독관에게 제출해야 합니다. 제출하지 않아 발생하는 사고에 대해서는 책임지지 않습니다.

※ **OMR카드를 잘못 작성하여 발생한 성적결과는 책임지지 않습니다.**

※ OMR 카드 작성 예시 ※

(맞는 경우)

1) 주관식 또는 객관식 답이 3인 경우

1번 (백 십 일): 3

(틀린 경우)

답이 120일 때, 2) 마킹을 하지 않은 경우

1번: 1 2 0

답이 120일 때, 3) 마킹을 일부만 한 경우

1번 (백 십 일)

수 험 번 호

(1)

(2)

※ (1)번 란에는 아라비아 숫자로 쓰고, (2)번란에는 해당란에 까맣게 표기해야 합니다.

1번	2번	3번	4번	5번	6번	7번	8번	9번	10번	11번	12번	13번
백 십 일	백 십 일	백 십 일	백 십 일	백 십 일	백 십 일	백 십 일	백 십 일	백 십 일	백 십 일	백 십 일	백 십 일	백 십 일

생 년 월 일 (년 월 일) / 성별 (남 / 여)

(1)

(2)

(예시) 2009년 3월 2일생인 경우, (1)번란 년, 월, 일 밑 빈칸에 09 03 02 를 쓰고, (2)란에는 까맣게 표기해야 합니다.

감 독 관 확 인 란

14번	15번	16번	17번	18번	19번	20번	21번	22번	23번	24번	25번
백 십 일	백 십 일	백 십 일	백 십 일	백 십 일	백 십 일	백 십 일	백 십 일	백 십 일	백 십 일	백 십 일	백 십 일

※ 실제 HME 해법수학 학력평가의 OMR 카드와 같습니다.

자르는 선

최종 모의고사 ❷회

학 교 명:

성 명:

현재 학년: 반:

OMR 카드 작성시 유의사항

1. 학교명, 성명, 학년, 반 수험번호, 생년월일, 성별 기재
2. 반드시 원 안에 "●"와 같이 마킹 해야 합니다.
3. OMR카드에 답안 이외에 낙서 등 손상이 있는 경우 즉시 감독관에게 문의하시기 바랍니다.
4. 답을 작성하고 마킹을 하지 않는 경우 오답으로 간주합니다.
5. 답안은 작성 후 반드시 감독관에게 제출해야 합니다. 제출하지 않아 발생하는 사고에 대해서는 책임지지 않습니다.

※ OMR카드를 잘못 작성하여 발생한 성적결과는 책임지지 않습니다.

※ OMR 카드 작성 예시 ※

(맞는 경우)

1) 주관식 또는 객관식 답이 3인 경우

1번		
백	십	3
	0	0
1	1	1
2	2	2
3	3	●

(틀린 경우)

답이 120일 때, 2) 마킹을 하지 않은 경우

1번		
1	2	0
	0	0
1	1	1
2	2	2
3	3	3

답이 120일 때, 3) 마킹을 일부만 한 경우

1번		
백	십	일
	0	0
●	1	1
2	●	2
3	3	3

수험번호													
(1)			–				–		–				
(2)	0	0	–	0	0	0	–		–	0	0	0	0
	1	1		1	1	1				1	1	1	1
	2	2		2	2	2		2		2	2	2	2
	3	3		3	3	3		3		3	3	3	3
	4	4		4	4	4		4		4	4	4	4
	5	5		5	5	5		5		5	5	5	5
	6	6		6	6	6		6		6	6	6	6
	7	7		7	7	7		7		7	7	7	7
	8	8		8	8	8		8		8	8	8	8
	9	9		9	9	9		9		9	9	9	9

※ (1)번 란에는 아라비아 숫자로 쓰고, (2)번란에는 해당란에 까맣게 표기해야 합니다.

1번			2번			3번			4번			5번			6번			7번			8번			9번			10번			11번			12번			13번		
백	십	일	백	십	일	백	십	일	백	십	일	백	십	일	백	십	일	백	십	일	백	십	일	백	십	일	백	십	일	백	십	일	백	십	일	백	십	일
	0	0		0	0		0	0		0	0		0	0		0	0		0	0		0	0		0	0		0	0		0	0		0	0		0	0
1	1	1	1	1	1	1	1	1	1	1	1	1	1	1	1	1	1	1	1	1	1	1	1	1	1	1	1	1	1	1	1	1	1	1	1	1	1	1
2	2	2	2	2	2	2	2	2	2	2	2	2	2	2	2	2	2	2	2	2	2	2	2	2	2	2	2	2	2	2	2	2	2	2	2	2	2	2
3	3	3	3	3	3	3	3	3	3	3	3	3	3	3	3	3	3	3	3	3	3	3	3	3	3	3	3	3	3	3	3	3	3	3	3	3	3	3
4	4	4	4	4	4	4	4	4	4	4	4	4	4	4	4	4	4	4	4	4	4	4	4	4	4	4	4	4	4	4	4	4	4	4	4	4	4	4
5	5	5	5	5	5	5	5	5	5	5	5	5	5	5	5	5	5	5	5	5	5	5	5	5	5	5	5	5	5	5	5	5	5	5	5	5	5	5
6	6	6	6	6	6	6	6	6	6	6	6	6	6	6	6	6	6	6	6	6	6	6	6	6	6	6	6	6	6	6	6	6	6	6	6	6	6	6
7	7	7	7	7	7	7	7	7	7	7	7	7	7	7	7	7	7	7	7	7	7	7	7	7	7	7	7	7	7	7	7	7	7	7	7	7	7	7
8	8	8	8	8	8	8	8	8	8	8	8	8	8	8	8	8	8	8	8	8	8	8	8	8	8	8	8	8	8	8	8	8	8	8	8	8	8	8
9	9	9	9	9	9	9	9	9	9	9	9	9	9	9	9	9	9	9	9	9	9	9	9	9	9	9	9	9	9	9	9	9	9	9	9	9	9	9

	생년월일						성별
(1)	년		월		일		
(2)	0	0	0	0	0	0	남
	1	1	1	1	1	1	
	2	2		2	2	2	○
	3	3		3	3	3	
	4	4		4		4	
	5	5		5		5	여
	6	6		6		6	
	7	7		7		7	○
	8	8		8		8	
	9	9		9		9	

(예시) 2009년 3월 2일생인 경우, (1)번란 년, 월, 일 밑 빈칸에 09 03 02 를 쓰고, (2)란에는 까맣게 표기해야 합니다.

감 독 관 확 인 란

14번			15번			16번			17번			18번			19번			20번			21번			22번			23번			24번			25번		
백	십	일	백	십	일	백	십	일	백	십	일	백	십	일	백	십	일	백	십	일	백	십	일	백	십	일	백	십	일	백	십	일	백	십	일
	0	0		0	0		0	0		0	0		0	0		0	0		0	0		0	0		0	0		0	0		0	0		0	0
1	1	1	1	1	1	1	1	1	1	1	1	1	1	1	1	1	1	1	1	1	1	1	1	1	1	1	1	1	1	1	1	1	1	1	1
2	2	2	2	2	2	2	2	2	2	2	2	2	2	2	2	2	2	2	2	2	2	2	2	2	2	2	2	2	2	2	2	2	2	2	2
3	3	3	3	3	3	3	3	3	3	3	3	3	3	3	3	3	3	3	3	3	3	3	3	3	3	3	3	3	3	3	3	3	3	3	3
4	4	4	4	4	4	4	4	4	4	4	4	4	4	4	4	4	4	4	4	4	4	4	4	4	4	4	4	4	4	4	4	4	4	4	4
5	5	5	5	5	5	5	5	5	5	5	5	5	5	5	5	5	5	5	5	5	5	5	5	5	5	5	5	5	5	5	5	5	5	5	5
6	6	6	6	6	6	6	6	6	6	6	6	6	6	6	6	6	6	6	6	6	6	6	6	6	6	6	6	6	6	6	6	6	6	6	6
7	7	7	7	7	7	7	7	7	7	7	7	7	7	7	7	7	7	7	7	7	7	7	7	7	7	7	7	7	7	7	7	7	7	7	7
8	8	8	8	8	8	8	8	8	8	8	8	8	8	8	8	8	8	8	8	8	8	8	8	8	8	8	8	8	8	8	8	8	8	8	8
9	9	9	9	9	9	9	9	9	9	9	9	9	9	9	9	9	9	9	9	9	9	9	9	9	9	9	9	9	9	9	9	9	9	9	9

※ 실제 HME 해법수학 학력평가의 OMR 카드와 같습니다.

최종 모의고사 ❸회

학 교 명:

성 명:

현재 학년: 반:

OMR 카드 작성시 유의사항

1. 학교명, 성명, 학년, 반 수험번호, 생년월일, 성별 기재
2. 반드시 원 안에 "●"와 같이 마킹 해야 합니다.
3. OMR카드에 답안 이외에 낙서 등 손상이 있는 경우 즉시 감독관에게 문의하시기 바랍니다.
4. 답을 작성하고 마킹을 하지 않는 경우 오답으로 간주합니다.
5. 답안은 작성 후 반드시 감독관에게 제출해야 합니다. 제출하지 않아 발생하는 사고에 대해서는 책임지지 않습니다.

※ **OMR카드를 잘못 작성하여 발생한 성적결과는 책임지지 않습니다.**

※ OMR 카드 작성 예시 ※

(맞는 경우)

1) 주관식 또는 객관식 답이 3인 경우

1번		
백	십	3
	0	0
1	1	1
2	2	2
3	3	●

(틀린 경우)

답이 120일 때, 2) 마킹을 하지 않은 경우

1번		
1	2	0
	0	0
1	1	1
2	2	2
3	3	3

답이 120일 때, 3) 마킹을 일부만 한 경우

1번		
백	십	일
	0	0
●	1	1
2	●	2
3	3	3

	수	험	번	호										
(1)			–				–		–				
(2)	0	0		0	0	0				0	0	0	0
	1	1		1	1	1				1	1	1	1
	2	2		2	2	2		2		2	2	2	2
	3	3		3	3	3		3		3	3	3	3
	4	4		4	4	4		4		4	4	4	4
	5	5	–	5	5	5	–	5	–	5	5	5	5
	6	6		6	6	6		6		6	6	6	6
	7	7		7	7	7		7		7	7	7	7
	8	8		8	8	8		8		8	8	8	8
	9	9		9	9	9		9		9	9	9	9

※ (1)번 란에는 아라비아 숫자로 쓰고, (2)번란에는 해당란에 까맣게 표기해야 합니다.

	생	년 월 일					성별
	년		월		일		
(1)							
(2)	0	0	0	0	0	0	남
	1	1	1	1	1	1	
	2	2		2	2	2	○
	3	3		3	3	3	
	4	4		4		4	
	5	5		5		5	여
	6	6		6		6	
	7	7		7		7	○
	8	8		8		8	
	9	9		9		9	

(예시) 2009년 3월 2일생인 경우, (1)번란 년, 월, 일 밑 빈칸에 09 03 02 를 쓰고, (2)란에는 까맣게 표기해야 합니다.

감독관 확인란

1번			2번			3번			4번			5번			6번			7번			8번			9번			10번			11번			12번			13번		
백	십	일	백	십	일	백	십	일	백	십	일	백	십	일	백	십	일	백	십	일	백	십	일	백	십	일	백	십	일	백	십	일	백	십	일	백	십	일
	0	0		0	0		0	0		0	0		0	0		0	0		0	0		0	0		0	0		0	0		0	0		0	0		0	0
1	1	1	1	1	1	1	1	1	1	1	1	1	1	1	1	1	1	1	1	1	1	1	1	1	1	1	1	1	1	1	1	1	1	1	1	1	1	1
2	2	2	2	2	2	2	2	2	2	2	2	2	2	2	2	2	2	2	2	2	2	2	2	2	2	2	2	2	2	2	2	2	2	2	2	2	2	2
3	3	3	3	3	3	3	3	3	3	3	3	3	3	3	3	3	3	3	3	3	3	3	3	3	3	3	3	3	3	3	3	3	3	3	3	3	3	3
4	4	4	4	4	4	4	4	4	4	4	4	4	4	4	4	4	4	4	4	4	4	4	4	4	4	4	4	4	4	4	4	4	4	4	4	4	4	4
5	5	5	5	5	5	5	5	5	5	5	5	5	5	5	5	5	5	5	5	5	5	5	5	5	5	5	5	5	5	5	5	5	5	5	5	5	5	5
6	6	6	6	6	6	6	6	6	6	6	6	6	6	6	6	6	6	6	6	6	6	6	6	6	6	6	6	6	6	6	6	6	6	6	6	6	6	6
7	7	7	7	7	7	7	7	7	7	7	7	7	7	7	7	7	7	7	7	7	7	7	7	7	7	7	7	7	7	7	7	7	7	7	7	7	7	7
8	8	8	8	8	8	8	8	8	8	8	8	8	8	8	8	8	8	8	8	8	8	8	8	8	8	8	8	8	8	8	8	8	8	8	8	8	8	8
9	9	9	9	9	9	9	9	9	9	9	9	9	9	9	9	9	9	9	9	9	9	9	9	9	9	9	9	9	9	9	9	9	9	9	9	9	9	9

14번			15번			16번			17번			18번			19번			20번			21번			22번			23번			24번			25번		
백	십	일	백	십	일	백	십	일	백	십	일	백	십	일	백	십	일	백	십	일	백	십	일	백	십	일	백	십	일	백	십	일	백	십	일
	0	0		0	0		0	0		0	0		0	0		0	0		0	0		0	0		0	0		0	0		0	0		0	0
1	1	1	1	1	1	1	1	1	1	1	1	1	1	1	1	1	1	1	1	1	1	1	1	1	1	1	1	1	1	1	1	1	1	1	1
2	2	2	2	2	2	2	2	2	2	2	2	2	2	2	2	2	2	2	2	2	2	2	2	2	2	2	2	2	2	2	2	2	2	2	2
3	3	3	3	3	3	3	3	3	3	3	3	3	3	3	3	3	3	3	3	3	3	3	3	3	3	3	3	3	3	3	3	3	3	3	3
4	4	4	4	4	4	4	4	4	4	4	4	4	4	4	4	4	4	4	4	4	4	4	4	4	4	4	4	4	4	4	4	4	4	4	4
5	5	5	5	5	5	5	5	5	5	5	5	5	5	5	5	5	5	5	5	5	5	5	5	5	5	5	5	5	5	5	5	5	5	5	5
6	6	6	6	6	6	6	6	6	6	6	6	6	6	6	6	6	6	6	6	6	6	6	6	6	6	6	6	6	6	6	6	6	6	6	6
7	7	7	7	7	7	7	7	7	7	7	7	7	7	7	7	7	7	7	7	7	7	7	7	7	7	7	7	7	7	7	7	7	7	7	7
8	8	8	8	8	8	8	8	8	8	8	8	8	8	8	8	8	8	8	8	8	8	8	8	8	8	8	8	8	8	8	8	8	8	8	8
9	9	9	9	9	9	9	9	9	9	9	9	9	9	9	9	9	9	9	9	9	9	9	9	9	9	9	9	9	9	9	9	9	9	9	9

※ 실제 HME 해법수학 학력평가의 OMR 카드와 같습니다.

자르는 선

최종 모의고사 ❹회

학 교 명:

성 명:

현재 학년: 반:

OMR 카드 작성시 유의사항

1. 학교명, 성명, 학년, 반 수험번호, 생년월일, 성별 기재
2. 반드시 원 안에 "●"와 같이 마킹 해야 합니다.
3. OMR카드에 답안 이외에 낙서 등 손상이 있는 경우 즉시 감독관에게 문의하시기 바랍니다.
4. 답을 작성하고 마킹을 하지 않는 경우 오답으로 간주합니다.
5. 답안은 작성 후 반드시 감독관에게 제출해야 합니다.
   제출하지 않아 발생하는 사고에 대해서는 책임지지 않습니다.

※ OMR카드를 잘못 작성하여 발생한 성적결과는 책임지지 않습니다.

※ OMR 카드 작성 예시 ※

(맞는 경우)

1) 주관식 또는 객관식 답이 3인 경우

1번		
백	십	3

(틀린 경우)

답이 120일 때,
2) 마킹을 하지 않은 경우

1번		
1	2	0

답이 120일 때,
3) 마킹을 일부만 한 경우

1번		
백	십	일

수험번호
(1) □□ – □□□ – □ – □ – □□□□
(2)

※ (1)번 란에는 아라비아 숫자로 쓰고, (2)번란에는 해당란에 까맣게 표기해야 합니다.

1번	2번	3번	4번	5번	6번	7번	8번	9번	10번	11번	12번	13번
백 십 일	백 십 일	백 십 일	백 십 일	백 십 일	백 십 일	백 십 일	백 십 일	백 십 일	백 십 일	백 십 일	백 십 일	백 십 일

생년월일			성별
년	월	일	
(1)			
(2)			남 ○ 여 ○

감독관 확인란

14번	15번	16번	17번	18번	19번	20번	21번	22번	23번	24번	25번
백 십 일	백 십 일	백 십 일	백 십 일	백 십 일	백 십 일	백 십 일	백 십 일	백 십 일	백 십 일	백 십 일	백 십 일

(예시) 2009년 3월 2일생인 경우, (1)번란 년, 월, 일 밑 빈칸에 09 03 02 를 쓰고, (2)란에는 까맣게 표기해야 합니다.

※ 실제 HME 해법수학 학력평가의 OMR 카드와 같습니다.

천재교육과 여러분처럼…♥
멋진 우정을 위한 긍정의 한 줄

모든 언행을 칭찬하는 자보다
결점을 친절하게 말해 주는 친구를 가까이하라.

소크라테스(Socrates)

어리석은 사람은 박수에 웃음 짓고
현명한 사람은 비판에 기뻐한다고 해요.
진심 어린 조언을 해 주는 친구가 있다면
여러분은 진정한 친구를 사귄 것입니다.

* 친구와 함께 열심히 공부해 보세요. 효과가 더 커진답니다.

상반기 대비

HME 수학 학력평가

HME 수학 학력평가

상반기 대비

정답 및 풀이

초 3 학년

천재교육

천재교육이 여러분을 응원합니다!
멋진 미래를 위한 긍정의 한 줄

나는 똑똑한 것이 아니라 단지 문제를 더 오래 연구할 뿐이다.

아인슈타인(Einstein, A.)

문제를 풀다 포기하는 사람보다
문제를 어떻게든, 끝까지 푸는 사람이
목표에 도달할 확률이 높다고 합니다.
오늘부터는 중간에 그만두지 말고
끝까지 꿈을 향해 달려보도록 해요.

* 천재교육과 함께 꽃길만 걸어요.

정답 및 풀이

1단원 기출 유형 (정답률 75% 이상)

5~11쪽

유형 1 789

1 372	**2** 733

유형 2 521

3 481	**4** 368

유형 3 359

5 1230	**6** 262

유형 4 157

7 532	**8** 836

유형 5 266

9 389	**10** 530

유형 6 319

11 278	**12** 103

유형 7 143

13 258	**14** 454

유형 8 365

15 143	**16** 844
유형 9 9	**17** 백군, 26

유형 10 24

18 13	**19** 20

유형 11 620

20 669	**21** 119

유형 12 2

22 5	**23** 3

유형 13 11

24 8	**25** 13

유형 14 667

26 287	**27** 603

유형 1 $424+365=\square$
$\square=789$

1 $804-432=\square$
$\square=372$

2 $223+163+347=\square$
$\square=733$

다른 풀이
더하는 순서를 바꾸어도 계산 결과는 같습니다.
$223+163+347$: $223+163=386$, $386+347=733$
$223+163+347$: $163+347=510$, $223+510=733$

유형 2 (수확한 사과와 배의 수)
$=$(수확한 사과의 수)$+$(수확한 배의 수)
$=389+132$
$=521$(개)

3 (현준이가 가지고 있는 색종이의 수)
$=$(빨간 색종이의 수)$+$(파란 색종이의 수)
$=296+185$
$=481$(장)

4 (여학생이 모은 빈 병의 수)
$=$(전체 빈 병의 수)$-$(남학생이 모은 빈 병의 수)
$=540-172$
$=368$(개)

유형 3 $634>283>275$이므로 가장 큰 수는 634이고 가장 작은 수는 275입니다.
⇨ $634-275=359$

참고
백, 십, 일의 자리부터 크기를 비교하여 가장 큰 수와 가장 작은 수의 차를 구합니다.
(백의 자리 비교) → (십의 자리 비교) → (일의 자리 비교)

5
푸는 순서
❶ 세 수의 크기 비교하기
❷ 가장 큰 수, 가장 작은 수 찾기
❸ ❷의 두 수의 합 구하기

❶ 세 수의 크기를 비교하면 $743>564>487$입니다.
❷ 가장 큰 수는 743이고 가장 작은 수는 487입니다.
❸ $743+487=1230$

6 $640>582>378>349$이므로 가장 큰 수는 640이고 두 번째로 작은 수는 378입니다.
⇨ $640-378=262$

유형 4 어떤 수를 □라 하면
$\square-433=489$
$489+433=\square$
$\square=922$
⇨ $922-765=157$

7 전략 가이드
어떤 수를 □라 하여 뺄셈식을 세워 계산합니다.

어떤 수를 □라 하면
$\square-268=453$
$453+268=\square$
$\square=721$
⇨ $721-189=532$

참고
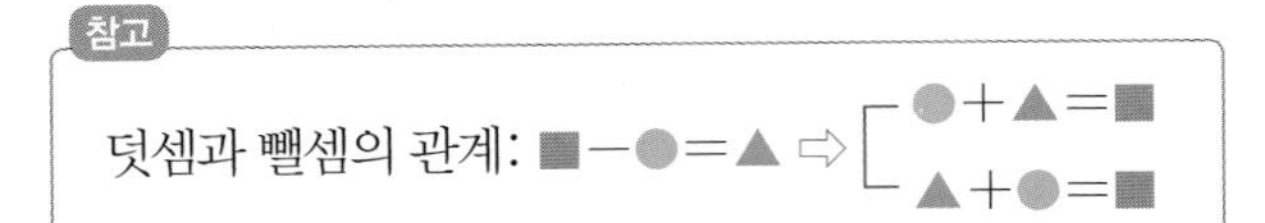

8 어떤 수를 □라 하면
$\square+137=800$
$800-137=\square$
$\square=663$
⇨ $663+173=836$

유형 5 $248+167=415$
$415-149=㉠$
$㉠=266$

주의
받아올림과 받아내림에 주의하여 계산합니다.

9 $195+547=742$
$742-353=㉠$
$㉠=389$

10 $625-237+142=388+142=㉠$,
$㉠=530$

주의
앞에서부터 차례로 계산합니다.
625−237+142 → 379 → 246(×)
625−237+142 → 388 → 530(○)

유형 6 합계에서 김밥과 피자를 좋아하는 학생 수를 뺍니다.
(떡볶이를 좋아하는 학생 수)$=932-226-387$
$=706-387$
$=319$(명)

11 전략 가이드
합계에서 빨간색과 파란색을 좋아하는 학생 수를 뺍니다.

(노란색을 좋아하는 학생 수)$=703-189-236$
$=514-236$
$=278$(명)

12 푸는 순서
❶ 야구를 좋아하는 학생 수 구하기
❷ 수영을 좋아하는 학생 수 구하기

❶ (야구를 좋아하는 학생 수)$=423-138$
$=285$(명)
❷ (수영을 좋아하는 학생 수)$=811-423-285$
$=388-285$
$=103$(명)

유형 7 찢어진 종이에 적힌 수를 □라 하면
$389+\square=532$
$532-389=\square$
$\square=143$

13 $456+\square=714$
$714-456=\square$
$\square=258$

14 전략 가이드
찢어진 종이에 적힌 수를 □라 하여 뺄셈식을 세웁니다.

찢어진 종이에 적힌 수를 □라 하면
$841-\square=387$
$841-387=\square$
$\square=454$

유형 8 100이 5개: 500
10이 2개: 20
1이 13개: 13
533

⇨ 533보다 168 작은 수는 533－168＝365입니다.

참고

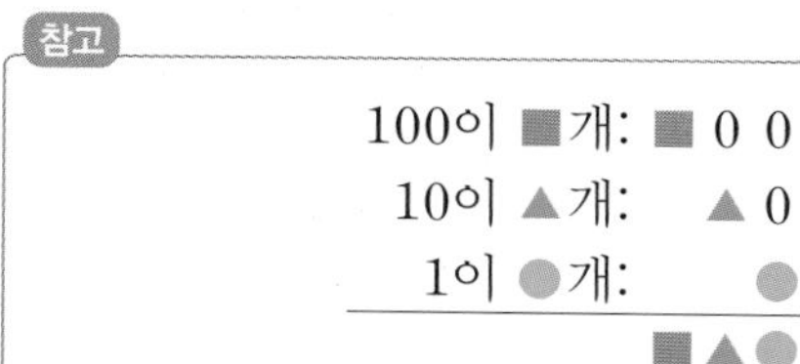

100이 ■개: ■ 0 0
10이 ▲개: ▲ 0
1이 ●개: ●
■▲●

15 100이 5개: 500
10이 21개: 210
1이 6개: 6
716

⇨ 716보다 573 작은 수는 716－573＝143입니다.

참고
- ■보다 ▲ 작은 수는 ■－▲입니다.
- ■보다 ▲ 큰 수는 ■＋▲입니다.

16 100이 4개: 400
10이 17개: 170
1이 6개: 6
576

⇨ 576보다 268 큰 수는 576＋268＝844입니다.

유형 9 (청군이 넣은 콩 주머니의 수)＝278＋403
＝681(개)
(백군이 넣은 콩 주머니의 수)＝292＋398
＝690(개)
⇨ 백군은 청군보다 콩 주머니를 690－681＝9(개) 더 많이 넣었습니다.

17 **푸는 순서**
❶ 청군이 넣은 고리의 수 구하기
❷ 백군이 넣은 고리의 수 구하기
❸ ❶과 ❷의 차 구하기

❶ (청군이 넣은 고리의 수)＝319＋276
＝595(개)
❷ (백군이 넣은 고리의 수)＝186＋435
＝621(개)
❸ 595개＜621개이므로 백군은 청군보다 고리를 621－595＝26(개) 더 많이 넣었습니다.

유형 10
3 3 ㉠
＋ ㉡ ㉢ 4
1 1 3 2

- 일의 자리 계산: ㉠＋4＝12
12－4＝㉠
㉠＝8
- 십의 자리 계산: 1＋3＋㉢＝13
13－4＝㉢
㉢＝9
- 백의 자리 계산: 1＋3＋㉡＝11
11－4＝㉡
㉡＝7

⇨ ㉠＋㉡＋㉢＝8＋7＋9＝24

18
5 8 ㉠
＋ ㉡ ㉢ 3
8 3 0

- 일의 자리 계산: ㉠＋3＝10
10－3＝㉠
㉠＝7
- 십의 자리 계산: 1＋8＋㉢＝13
13－9＝㉢
㉢＝4
- 백의 자리 계산: 1＋5＋㉡＝8
8－6＝㉡
㉡＝2

⇨ ㉠＋㉡＋㉢＝7＋2＋4＝13

19
6 ㉠ 4
＋ ㉡ 7 ㉢
1 3 5 1

- 일의 자리 계산: 4＋㉢＝11
11－4＝㉢
㉢＝7
- 십의 자리 계산: 1＋㉠＋7＝15
15－8＝㉠
㉠＝7
- 백의 자리 계산: 1＋6＋㉡＝13
13－7＝㉡
㉡＝6

⇨ ㉠＋㉡＋㉢＝7＋6＋7＝20

유형 11 • ●＋738＝162＋738＝900
⇨ ★＝900
• ★－280＝900－280＝620
⇨ ♥＝620

20 푸는 순서

❶ ★ 구하기
❷ ♥ 구하기

❶ ●$-547=820-547=273$
⇨ ★$=273$
❷ ★$+396=273+396=669$
⇨ ♥$=669$

21 • $631-$■$=631-256=375$
⇨ ★$=375$
• ★$-$■$=375-256=119$
⇨ ▲$=119$

유형 12 $545+283=828$
$828<$□43에서 □ 안에 9부터 수를 차례로 넣어봅니다.
$828<$9$43$(○)
$828<$8$43$(○)
$828>$7$43$(×)
⋮
⇨ □ 안에 들어갈 수 있는 수는 8, 9로 모두 2개입니다.

22 전략 가이드

계산한 다음 □ 안에 1부터 수를 차례로 넣어 크기를 비교해 봅니다.

$486+273=759$
$759>7$□5에서 □ 안에 1부터 수를 차례로 넣어봅니다.
$759>7$1$5$(○)
$759>7$2$5$(○)
$759>7$3$5$(○)
$759>7$4$5$(○)
$759>7$5$5$(○)
$759<7$6$5$(×)
⋮
⇨ □ 안에 들어갈 수 있는 수는 1, 2, 3, 4, 5로 모두 5개입니다.

23 $923-475=448$
$448>$□51에서 □ 안에 1부터 수를 차례로 넣어봅니다.
$448>$1$51$(○)
$448>$2$51$(○)
$448>$3$51$(○)
$448<$4$51$(×)
⋮
⇨ □ 안에 들어갈 수 있는 수는 1, 2, 3으로 모두 3개입니다.

유형 13

```
    6 2 ㉠
 -  ㉡ 9 8
 ─────────
    2 ㉢ 8
```

• 일의 자리 계산: $10+$㉠$-8=8$
$2+$㉠$=8$
㉠$=6$
• 십의 자리 계산: $11-9=$㉢
㉢$=2$
• 백의 자리 계산: $6-1-$㉡$=2$
$5-$㉡$=2$
㉡$=3$
⇨ ㉠$+$㉡$+$㉢$=6+3+2=11$

24 푸는 순서

❶ 일의 자리 수 구하기
❷ 십의 자리 수 구하기
❸ 백의 자리 수 구하기
❹ □ 안에 알맞은 수의 합 구하기

```
    7 3 ㉠
 -  ㉡ 8 7
 ─────────
    3 ㉢ 4
```

❶ 일의 자리 계산: $10+$㉠$-7=4$
$3+$㉠$=4$
㉠$=1$
❷ 십의 자리 계산: $12-8=$㉢
㉢$=4$
❸ 백의 자리 계산: $7-1-$㉡$=3$
$6-$㉡$=3$
㉡$=3$
❹ ㉠$+$㉡$+$㉢$=1+3+4=8$

25

$$\begin{array}{r} 9\ ㉠\ 3 \\ -\ ㉡\ 7\ ㉢ \\ \hline 2\ 4\ 8 \end{array}$$

• 일의 자리 계산: 10+3−㉢=8
13−㉢=8
㉢=5

• 십의 자리 계산: 10+㉠−1−7=4
2+㉠=4
㉠=2

• 백의 자리 계산: 9−1−㉡=2
8−㉡=2
㉡=6

⇨ ㉠+㉡+㉢=2+6+5=13

주의

일의 자리 수끼리 뺄 수 없으면 십의 자리에서 10을 받아내림해야 합니다.

유형 14 (남은 배의 수)=448+358−139
=806−139
=667(개)

참고

어제와 오늘 딴 배의 수는 더하고 시장에서 판 배의 수는 뺍니다.

26 (남은 고구마의 수)=238+165−116
=403−116
=287(개)

27 (밤의 수)=530−185+258
=345+258
=603(개)

주의

계산 순서를 바꾸면 계산 결과는 틀립니다.

530−185+258 → 185+258=443, 530−443=87 (×)

530−185+258 → 530−185=345, 345+258=603 (○)

1단원 기출 유형 정답률 55% 이상

12~13쪽

유형 15 8	28 22
유형 16 86	
29 75	30 수현, 12
유형 17 610	
31 364	32 194
유형 18 428	
33 846	34 433

유형 15

$$\begin{array}{r} ■\ ●\ ▲ \\ +\ ●\ 1\ ▲ \\ \hline ▲\ ▲\ 8 \end{array}$$

• 일의 자리 계산:
▲+▲=8 또는 ▲+▲=18이어야 하는데 ▲는 1부터 8까지의 수이므로 ▲=4입니다.

• 십의 자리 계산:
●+1=▲에서 ●+1=4이므로 ●=3

• 백의 자리 계산:
■+●=▲에서 ■+3=4이므로 ■=1

⇨ ■+●+▲=1+3+4=8

28

$$\begin{array}{r} ■\ ●\ ▲ \\ +\ 2\ ▲\ ▲ \\ \hline ●\ ▲\ 4 \end{array}$$

• 일의 자리 계산:
▲+▲=4 또는 ▲+▲=14이어야 하므로 ▲=2 또는 ▲=7입니다.

• 십의 자리 계산:
▲=2일 때 ●+2=2이므로
●=0, ■+2=0(×)
▲=7일 때 1+●+7=17, ●=9

• 백의 자리 계산:
1+■+2=●에서 1+■+2=9, ■=6

⇨ ■+●+▲=6+9+7=22

유형 16 가은이가 준수에게 딱지 123장을 받았다면 딱지의 수는 가은이가 319+123=442(장), 준수가 479−123=356(장)이 됩니다.
⇨ 442−356=86(장)

29 푸는 순서

❶ 주현, 혜미가 각각 가지고 있는 구슬의 수 구하기
❷ 구슬 수의 차 구하기

❶ 혜미가 주현이에게 구슬 155개를 주었다면 구슬의 수는 주현이가 278+155=433(개), 혜미가 513−155=358(개)가 됩니다.
❷ 433−358=75(개)

30 전략 가이드

경민, 수현이가 각각 가지게 되는 공깃돌의 수를 구한 다음 비교해 봅니다.

경민이가 수현이에게 공깃돌 135개를 준다면 공깃돌의 수는 경민이가 714−135=579(개), 수현이가 456+135=591(개)가 됩니다.
⇨ 수현이가 591−579=12(개) 더 많이 가지게 됩니다.

유형 17 319+□=928이라 하면
928−319=□
□=609
319+□>928이려면 □는 609보다 커야 합니다.
⇨ □ 안에 들어갈 수 있는 세 자리 수 중에서 가장 작은 수는 610입니다.

참고

< 또는 > 대신 =라 놓고 □ 안에 들어갈 수 있는 수를 알아봅니다.

31 전략 가이드

□+538=903이라 놓고 □ 안에 알맞은 수를 구합니다.

□+538=903이라 하면
903−538=□
□=365
□+538<903이려면 □는 365보다 작아야 합니다.
⇨ □ 안에 들어갈 수 있는 세 자리 수 중에서 가장 큰 수는 364입니다.

참고

- ▲+□<●일 경우: □는 ●−▲보다 작은 수를 구합니다.
- ▲+□>●일 경우: □는 ●−▲보다 큰 수를 구합니다.

32 680=875−□라 하면
875−680=□
□=195
680<875−□이려면 □는 195보다 작아야 합니다.
⇨ □ 안에 들어갈 수 있는 세 자리 수 중에서 가장 큰 수는 194입니다.

참고

- ▲−□<●일 경우: □는 ▲−●보다 큰 수를 구합니다.
- ▲−□>●일 경우: □는 ▲−●보다 작은 수를 구합니다.

유형 18 가장 큰 수: 531
가장 작은 수: 103
⇨ 531−103=428

주의

수 카드로 세 자리 수를 만들 경우 백의 자리에 0이 올 수 없습니다.

33 가장 큰 수: 642
가장 작은 수: 204
⇨ 642+204=846

34 푸는 순서

❶ 두 번째로 큰 수 구하기
❷ 두 번째로 작은 수 구하기
❸ ❶과 ❷의 차 구하기

❶ 가장 큰 수: 743, 두 번째로 큰 수: 740
❷ 가장 작은 수: 304, 두 번째로 작은 수: 307
❸ 740−307=433

1단원 종합

14~16쪽

1 662	**2** 602
3 289	**4** 257
5 179	**6** 399
7 110	**8** 502
9 3	**10** 19
11 569	**12** 645

1 247+415=□, □=662

2 (열대어의 수)+(금붕어의 수)=428+174
=602(마리)

3 어떤 수를 □라 하면
□−384=177
177+384=□
□=561
⇨ 850−561=289

4 376+454=830
830−573=㉠
㉠=257

5 합계에서 영국과 프랑스에 가고 싶은 학생 수를 뺍니다.
(독일에 가고 싶은 학생 수)=620−254−187
=366−187
=179(명)

6 찢어진 종이에 적힌 수를 □라 하면
524+□=923
923−524=□
□=399

7 푸는 순서
❶ 홍팀이 넣은 고리의 수 구하기
❷ 청팀이 넣은 고리의 수 구하기
❸ ❶과 ❷의 차 구하기

❶ (홍팀이 넣은 고리의 수)=242+179
=421(개)
❷ (청팀이 넣은 고리의 수)=166+365
=531(개)
❸ 청팀은 홍팀보다 고리를 531−421=110(개) 더 많이 넣었습니다.

8 • 710−●=710−372=338
⇨ ★=338
• ★+164=338+164=502
⇨ ♥=502

9 전략 가이드
147+568을 계산한 다음 □ 안에 9부터 수를 차례로 넣어 크기를 비교해 봅니다.

147+568=715
715<□20에서 □ 안에 9부터 수를 차례로 넣어봅니다.
715<920(○)
715<820(○)
715<720(○)
715>620(×)
⋮
⇨ □ 안에 들어갈 수 있는 수는 7, 8, 9로 모두 3개입니다.

10
```
   ㉠ 4 0
 − 6 5 ㉡
 ────────
   1 ㉢ 7
```
• 일의 자리 계산: 10−㉡=7
10−7=㉡
㉡=3
• 십의 자리 계산: 13−5=㉢
㉢=8
• 백의 자리 계산: ㉠−1−6=1
㉠−7=1
㉠=8
⇨ ㉠+㉡+㉢=8+3+8=19

11 375+□=943이라 하면
943−375=□
□=568
375+□>943이려면 □는 568보다 커야 합니다.
⇨ □ 안에 들어갈 수 있는 세 자리 수 중에서 가장 작은 수는 569입니다.

12 가장 큰 수: 852, 두 번째로 큰 수: 850
가장 작은 수: 205
⇨ 850−205=645

2단원 기출 유형 정답률 75% 이상

17~21쪽

유형 1 ②
1 ③ 2 ⑤
유형 2 5
3 6 4 7
유형 3 ④
5 ③ 6 ④
유형 4 2
7 3 8 ⑤
유형 5 2
9 3 10 2
유형 6 11
11 12 12 10
유형 7 3
13 5 14 7
유형 8 12
15 10 16 4
유형 9 11 17 14
유형 10 30 18 25
유형 11 10 19 12

유형 1 각 ㄱㄷㄴ(②) 또는 각 ㄴㄷㄱ으로 읽습니다.

참고
각을 읽을 때에는 꼭짓점이 가운데에 오도록 읽습니다.

1 각 ㄹㄷㅁ(③) 또는 각 ㅁㄷㄹ로 읽습니다.

2 ②

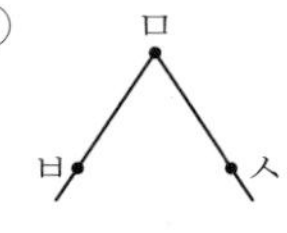

⇨ 각 ㅂㅁㅅ 또는 각 ㅅㅁㅂ

③ ⇨ 각 ㅁㅅㅂ 또는 각 ㅂㅅㅁ

④ ⇨ 각 ㅁㅅㅂ 또는 각 ㅂㅅㅁ

⑤

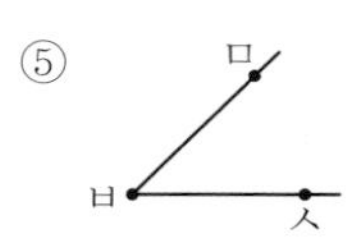

⇨ 각 ㅁㅂㅅ 또는 각 ㅅㅂㅁ

유형 2

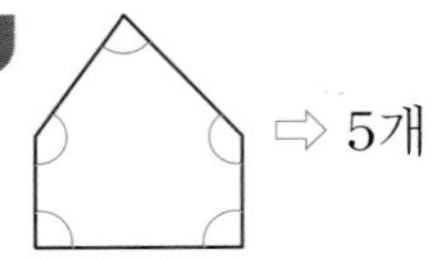

⇨ 5개

3

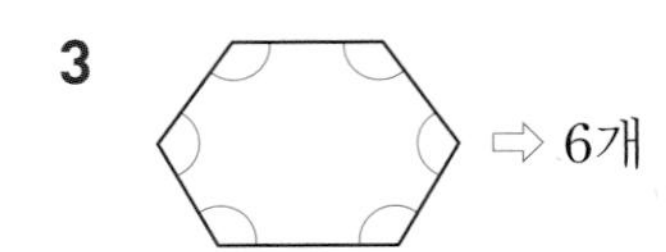

⇨ 6개

4

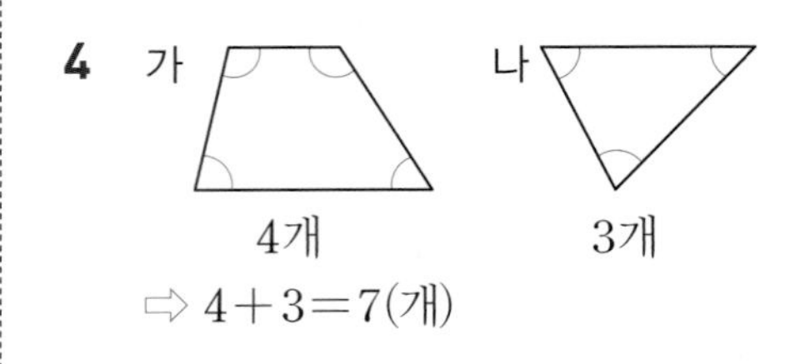

⇨ 4+3=7(개)

유형 3 반직선 ㄱㄴ은 점 ㄱ에서 시작하여 점 ㄴ을 지나는 것이므로 ④입니다.

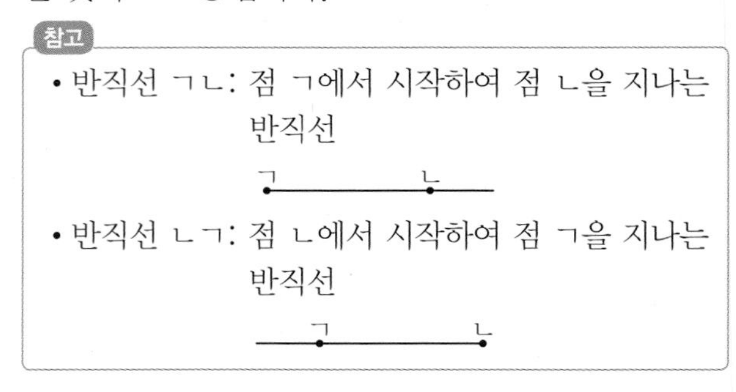
참고
• 반직선 ㄱㄴ: 점 ㄱ에서 시작하여 점 ㄴ을 지나는 반직선
• 반직선 ㄴㄱ: 점 ㄴ에서 시작하여 점 ㄱ을 지나는 반직선

5 반직선 ㄷㄹ은 점 ㄷ에서 시작하여 점 ㄹ을 지나는 것이므로 ③입니다.

6 ① 선분 ㅁㅂ ② 반직선 ㅂㅁ
③ 직선 ㅁㅂ ⑤ 반직선 ㅁㅂ

참고

	같은 점	다른 점
선분	곧은 선이다.	끝이 있다. 늘어나지 않는다.
반직선		한쪽 끝이 정해져 있다. 한쪽 방향으로 늘어난다.
직선		끝이 없다. 양쪽 방향으로 늘어난다.

유형 4

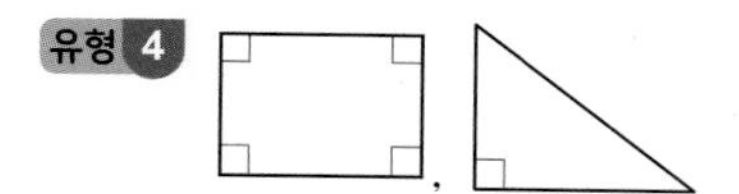

⇨ 직각이 있는 도형은 모두 2개입니다.

주의

직각의 수를 세어 답하지 않도록 주의합니다.

7

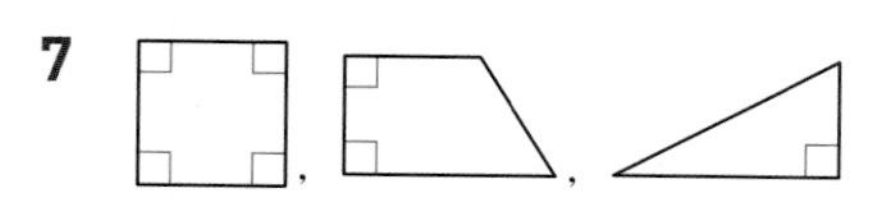

⇨ 직각이 있는 도형은 모두 3개입니다.

8

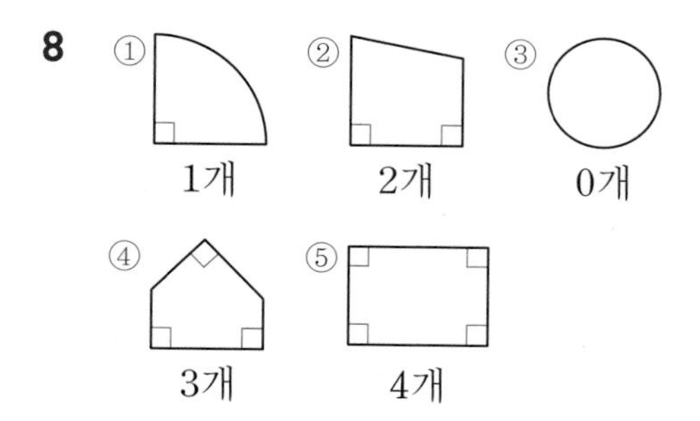

유형 5 각은 한 점에서 그은 두 반직선으로 이루어진 도형입니다.

주의

각은 한 점에서 그은 두 반직선으로 이루어진 도형으로 굽은 선으로 이루어진 도형은 각이 아닙니다.

9

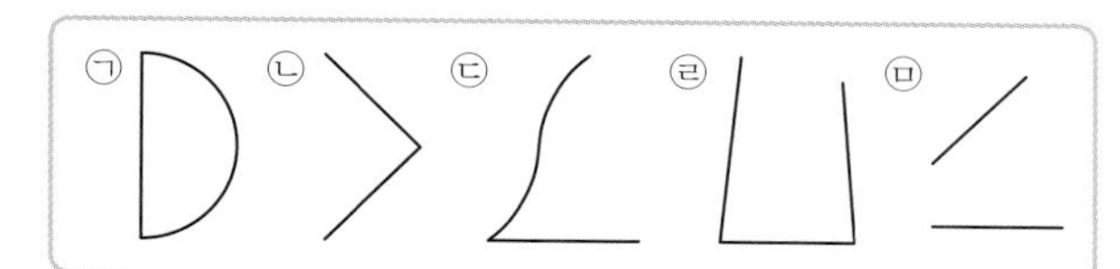

㉠, ㉢: 한 점에서 만나는 선이 굽은 선이 있습니다.

㉤: 두 선이 만나지 않습니다.

참고

• 각이 아닌 도형

두 반직선이 한 점에서 만나지 않으므로 각이 아닙니다.

반직선이 아닌 굽은 선으로 이루어진 부분이 있어 각이 아닙니다.

10

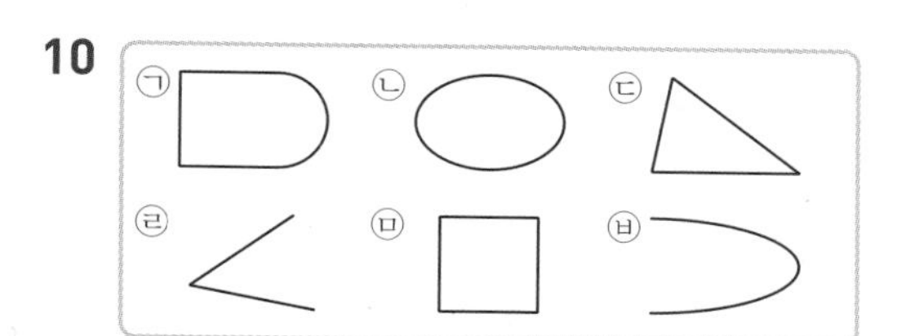

• 각이 있는 도형: ㉠, ㉢, ㉣, ㉤ → 4개

• 각이 없는 도형: ㉡, ㉥ → 2개

⇨ $4-2=2$(개)

유형 6

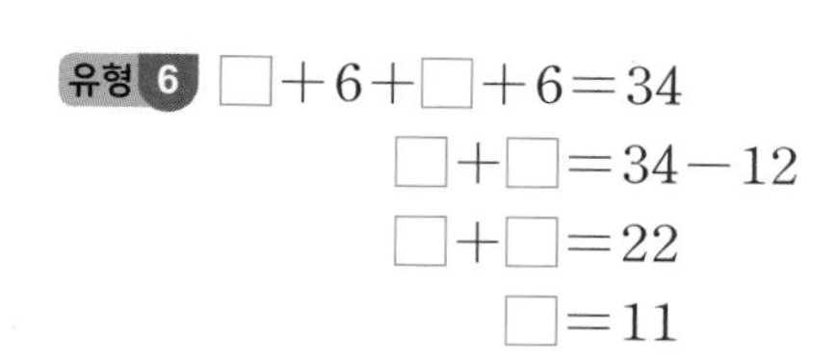

$\square+6+\square+6=34$

$\square+\square=34-12$

$\square+\square=22$

$\square=11$

11 $8+\square+8+\square=40$

$\square+\square=40-16$

$\square+\square=24$

$\square=12$

참고

(직사각형의 네 변의 길이의 합)
=(가로)+(세로)+(가로)+(세로)

12 **전략 가이드**

정사각형의 네 변의 길이의 합을 구하면 직사각형의 네 변의 길이의 합을 알 수 있습니다.

(정사각형의 네 변의 길이의 합)

$=8+8+8+8$

$=32$ (cm)

직사각형의 네 변의 길이의 합도 32 cm이므로

$\square+6+\square+6=32$

$\square+\square=32-12$

$\square+\square=20$

$\square=10$

유형 7

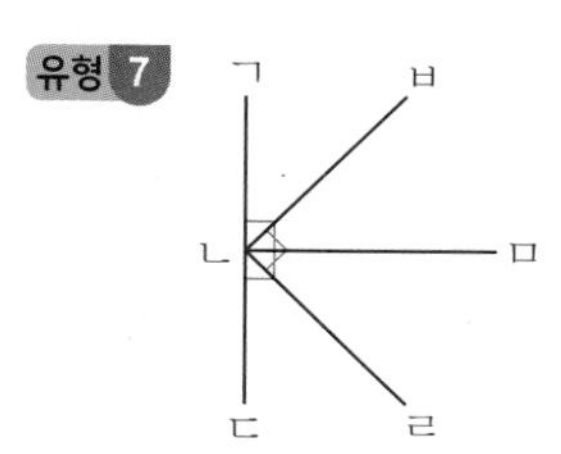

각 ㄱㄴㅁ, 각 ㄷㄴㅁ, 각 ㄹㄴㅂ ⇨ 3개

주의

두 각이 합쳐서 직각이 되는 경우도 빠짐없이 셉니다.

13

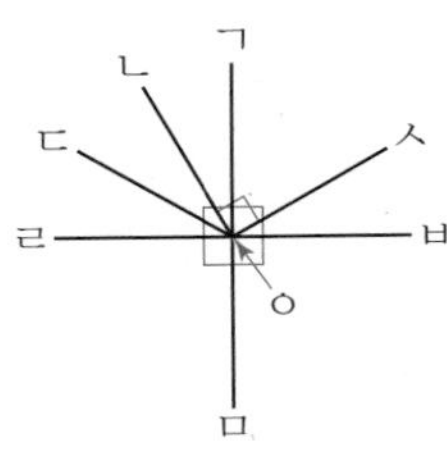

각 ㄱㅇㄹ, 각 ㄱㅇㅂ, 각 ㄴㅇㅅ, 각 ㄹㅇㅁ, 각 ㅁㅇㅂ ⇨ 5개

14

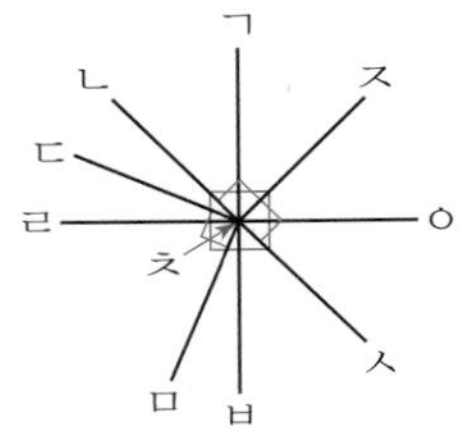

각 ㄱㅊㄹ, 각 ㄴㅊㅈ, 각 ㄹㅊㅂ, 각 ㅂㅊㅇ, 각 ㅇㅊㄱ, 각 ㄷㅊㅁ, 각 ㅅㅊㅈ ⇨ 7개

유형 8 직각삼각형 1개짜리: 8개
직각삼각형 2개짜리: 4개
⇨ $8+4=12$(개)

15 직각삼각형 1개짜리: 5개
직각삼각형 2개짜리: 3개
직각삼각형 3개짜리: 2개
⇨ $5+3+2=10$(개)

16 푸는 순서

❶ 가에서 찾을 수 있는 크고 작은 직각삼각형의 수 구하기
❷ 나에서 찾을 수 있는 크고 작은 직각삼각형의 수 구하기
❸ ❶과 ❷의 차 구하기

❶ 가: 도형 1개짜리: 2개, 도형 2개짜리: 2개 ⇨ 4개
❷ 나: 도형 1개짜리: 4개, 도형 2개짜리: 4개 ⇨ 8개
❸ $8-4=4$(개)

유형 9 □ 모양: 8개, ⊞ 모양: 3개 ⇨ $8+3=11$(개)

17 □ 모양: 9개,

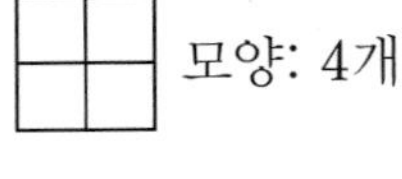

모양: 4개

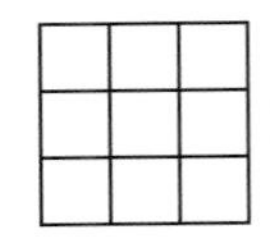

모양: 1개

⇨ $9+4+1=14$(개)

유형 10 지금 시각은 2시 30분이고 3시에 처음으로 시계의 긴바늘과 짧은바늘이 이루는 작은 쪽의 각이 직각이 됩니다.
⇨ 3시는 지금 시각부터 30분 후입니다.

18 지금 시각은 8시 35분이고 9시에 처음으로 시계의 긴바늘과 짧은바늘이 이루는 작은 쪽의 각이 직각이 됩니다.
⇨ 9시는 지금 시각부터 25분 후입니다.

유형 11

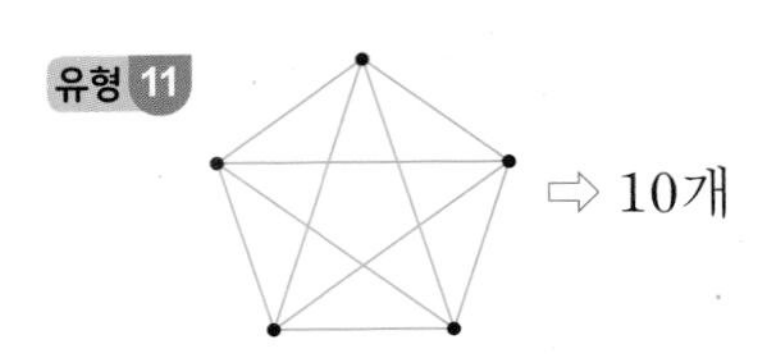

⇨ 10개

19 한 점에서 그을 수 있는 반직선은 3개입니다.
점이 4개이므로 만들 수 있는 반직선은 $3\times4=12$(개)입니다.

다른 풀이

4개의 점 중 2개를 이어서 반직선을 그어 봅니다.

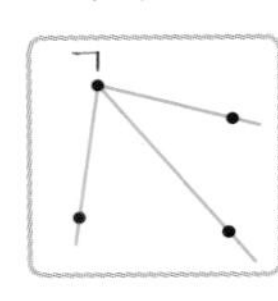

점 ㄱ에서 시작하여 만들 수 있는 반직선: 3개

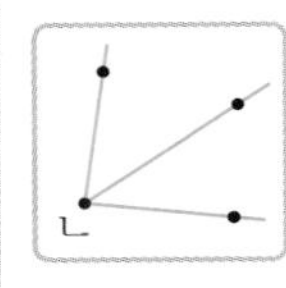

점 ㄴ에서 시작하여 만들 수 있는 반직선: 3개

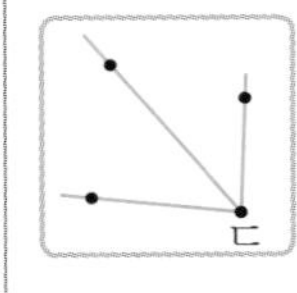

점 ㄷ에서 시작하여 만들 수 있는 반직선: 3개

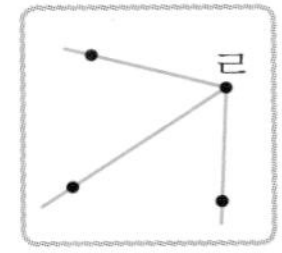

점 ㄹ에서 시작하여 만들 수 있는 반직선: 3개

⇨ 4개의 점 중 2개의 점을 이어서 만들 수 있는 반직선은 모두 12개입니다.

2단원 기출 유형 (정답률 55% 이상)

22~23쪽

유형 12 24	20 26
유형 13 530	21 111
유형 14 12	
22 8	23 13
유형 15 20	24 160

유형 12

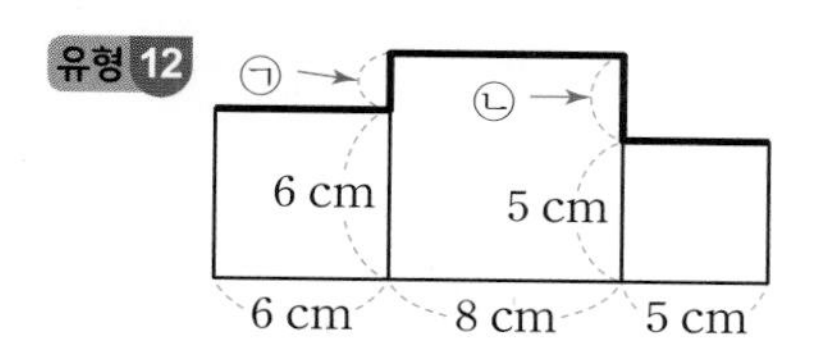

㉠$=8-6=2$ (cm)
㉡$=8-5=3$ (cm)
⇨ (굵은 선의 길이)$=6+2+8+3+5$
$=24$ (cm)

20 푸는 순서
❶ ㉠의 길이 구하기
❷ ㉡의 길이 구하기
❸ 굵은 선의 길이 구하기

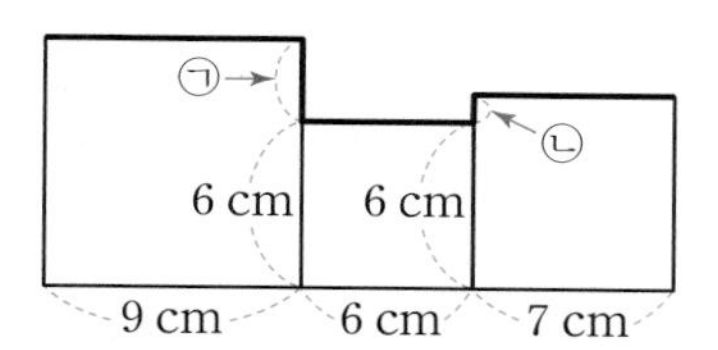

❶ ㉠$=9-6=3$ (cm)
❷ ㉡$=7-6=1$ (cm)
❸ (굵은 선의 길이)$=9+3+6+1+7$
$=26$ (cm)

유형 13

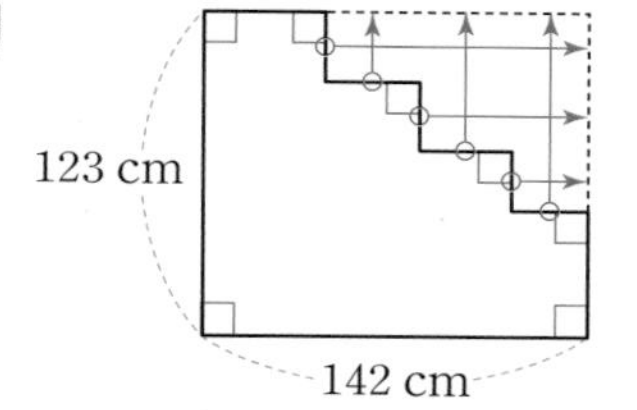

그림과 같이 변을 이동해 보면 주어진 도형의 모든 변의 길이의 합은 가로가 142 cm, 세로가 123 cm인 직사각형의 네 변의 길이의 합과 같습니다.
⇨ (모든 변의 길이의 합)$=142+123+142+123$
$=530$ (cm)

21 전략 가이드
변을 이동하여 길이를 잴 수 있는 도형으로 만든 다음 변의 길이의 합을 이용합니다.

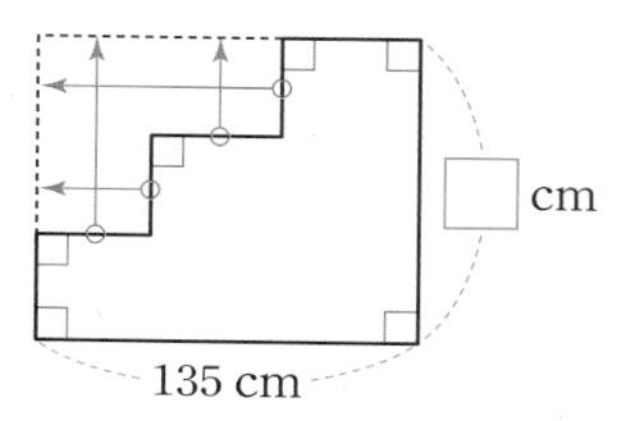

그림과 같이 변을 이동해 보면 주어진 도형의 모든 변의 길이의 합은 가로가 135 cm, 세로가 □ cm인 직사각형의 네 변의 길이의 합과 같습니다.

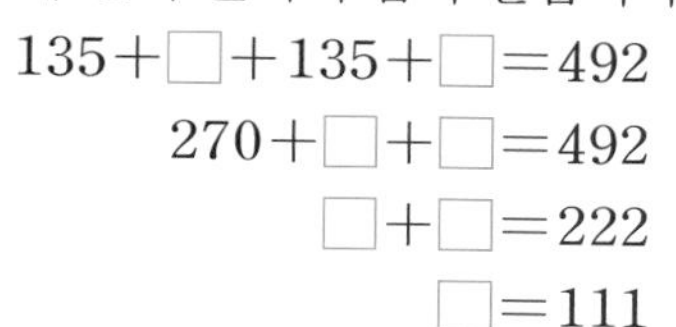

$135+\square+135+\square=492$
$270+\square+\square=492$
$\square+\square=222$
$\square=111$

유형 14

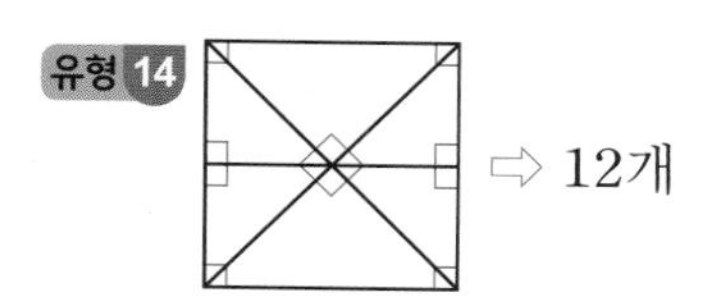

⇨ 12개

22

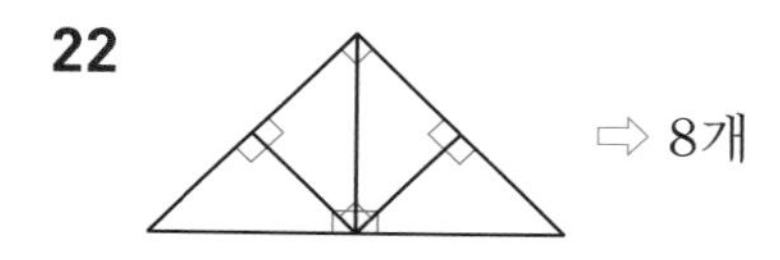

⇨ 8개

23

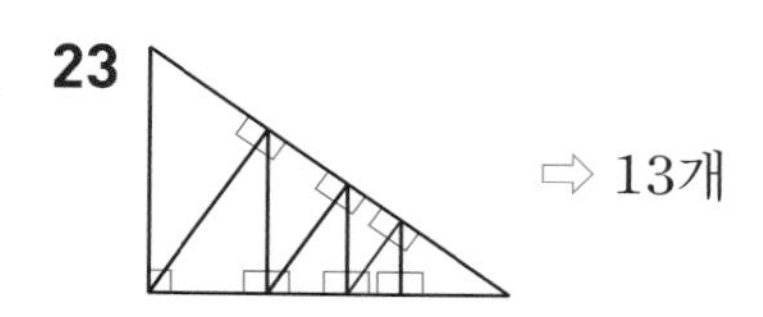

⇨ 13개

유형 15 직사각형 모양의 종이를 잘라 만들 수 있는 가장 큰 정사각형의 한 변은 5 cm입니다.
⇨ (네 변의 길이의 합)$=5+5+5+5$
$=20$ (cm)

24 (변 ㄱㄴ)$=$(변 ㄹㄷ)$=\square$ cm라 하면
직사각형 ㄱㄴㄷㄹ의 네 변의 길이의 합은
$13+\square+13+\square=106$
$\square+\square=80$
$\square=40$
변 ㄱㄴ이 접어서 만든 정사각형의 한 변이므로
(정사각형의 네 변의 길이의 합)
$=40+40+40+40$
$=160$ (cm)

2단원 종합

24~26쪽

1 5	**2** ④
3 4	**4** 2
5 4	**6** 9
7 14	**8** 96
9 15	**10** 36
11 442	**12** 70

1 ⇨ 5개

2 반직선 ㅅㅇ은 점 ㅅ에서 시작하여 점 ㅇ을 지나는 것이므로 ④입니다.

주의
반직선은 어느 점에서 시작하느냐에 따라 읽는 방법이 달라집니다.

ㅅ ㅇ ⇨ 반직선 ㅅㅇ | ㅅ ㅇ ⇨ 반직선 ㅇㅅ

3 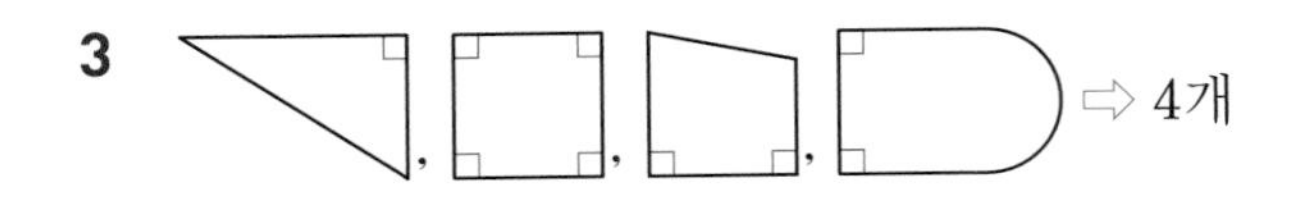 ⇨ 4개

4 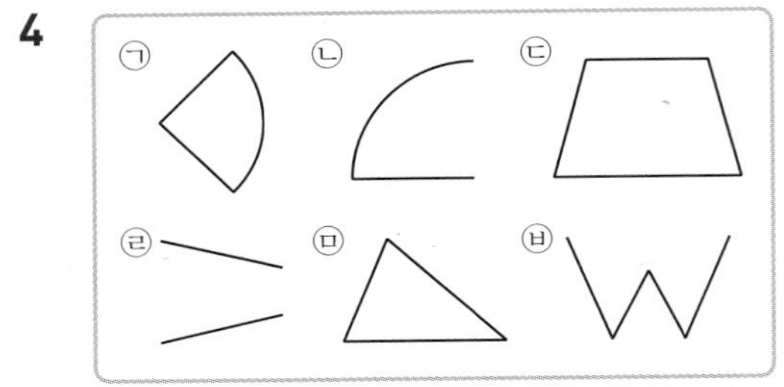

⇨ 각이 없는 도형은 ㉡, ㉣로 모두 2개입니다.

5 각 ㄱㅇㄷ, 각 ㄱㅇㅂ, 각 ㄴㅇㄹ, 각 ㅁㅇㅅ ⇨ 4개

6 직각삼각형 1개짜리: 6개
직각삼각형 2개짜리: 2개
직각삼각형 6개짜리: 1개
⇨ $6+2+1=9$(개)

7 모양: 10개
모양: 4개
⇨ $10+4=14$(개)

8 (정사각형의 한 변)$=6+6+6+6$
$=24$ (cm)
(정사각형의 네 변의 길이의 합)
$=24+24+24+24$
$=96$ (cm)

9 한 점에서 그을 수 있는 직선은 5개입니다.
점이 6개이므로 점을 이어서 만들 수 있는 직선은 $5\times6\div2=15$(개)입니다.

다른 풀이
6개의 점 중에서 2개의 점을 이어서 만들 수 있는 직선은 모두 15개입니다.

10 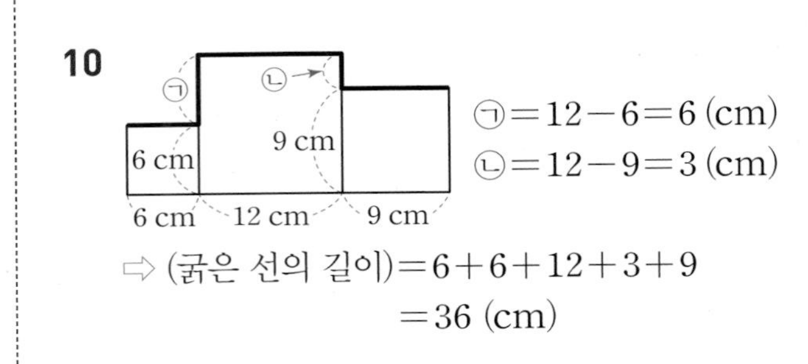

㉠$=12-6=6$ (cm)
㉡$=12-9=3$ (cm)
⇨ (굵은 선의 길이)$=6+6+12+3+9$
$=36$ (cm)

11 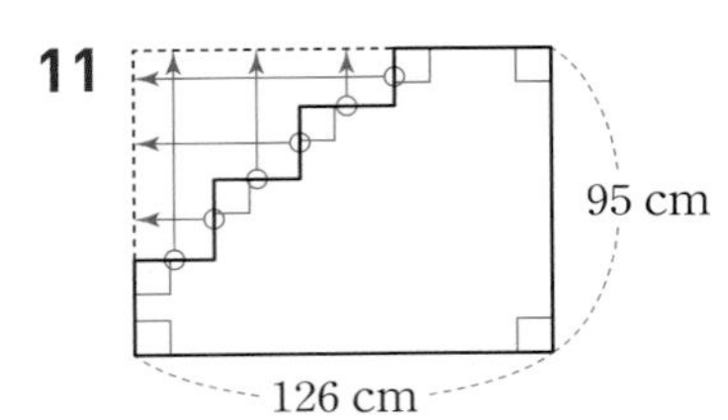

그림과 같이 변을 이동해 보면 주어진 도형의 모든 변의 길이의 합은 가로가 126 cm, 세로가 95 cm인 직사각형의 네 변의 길이의 합과 같습니다.
⇨ (모든 변의 길이의 합)$=126+95+126+95$
$=442$ (cm)

12 (변 ㄱㄴ)$=$(변 ㄹㄷ)$=24$ cm이므로
(변 ㄱㄹ)$=$(변 ㄴㄷ)$=35-24=11$ (cm)
⇨ (직사각형 ㄱㄴㄷㄹ의 네 변의 길이의 합)
$=11+24+11+24$
$=70$ (cm)

3단원 기출 유형 정답률 75%이상

27~31쪽

유형 1 6	
1 9	2 9
유형 2 5	
3 9	4 9
유형 3 5	
5 8	6 8
유형 4 5	
7 6	8 9
유형 5 9	
9 8	10 48
유형 6 8	11 8
유형 7 6	
12 4	13 9
유형 8 3	
14 4	15 60
유형 9 7	
16 5	17 3
유형 10 4	
18 7	19 5

유형 1 24에서 □씩 4번 빼면 0이 되므로 24÷□=4로 나타낼 수 있습니다.

24÷□=4 ⇨ □×4=24
24÷4=□
□=6

참고

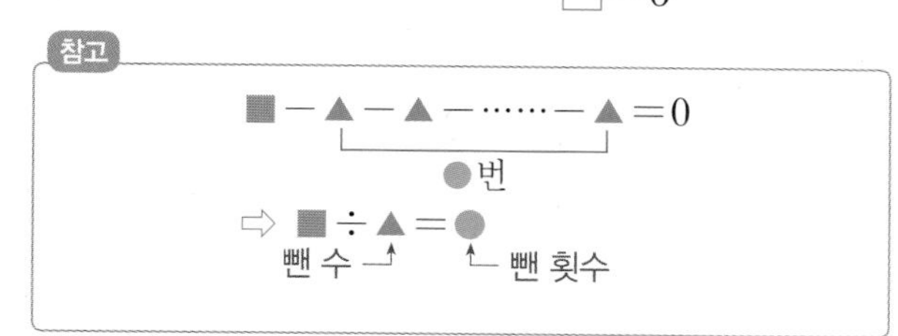

1 45에서 □씩 5번 빼면 0이 되므로 45÷□=5로 나타낼 수 있습니다.

45÷□=5 ⇨ □×5=45
45÷5=□
□=9

2 63에서 ■씩 7번 빼면 0이 되므로 63÷■=7로 나타낼 수 있습니다.

63÷■=7 ⇨ ■×7=63
■=9

유형 2 기린 한 마리의 다리는 4개입니다.

⇨ (기린의 수)=20÷4
=5(마리)

3 오리 한 마리의 다리는 2개입니다.

⇨ (오리의 수)=18÷2
=9(마리)

4 푸는 순서

❶ 닭 5마리의 다리 수 구하기
❷ 소의 다리 수의 합 구하기
❸ 소의 수 구하기

❶ (닭 5마리의 다리 수)=5×2
=10(개)

❷ (소의 다리 수의 합)=46−10
=36(개)

❸ (소의 수)=36÷4
=9(마리)

유형 3 조기 20마리를 4명이 똑같이 나누어 가지려면 한 명이 20÷4=5(마리)씩 가져야 합니다.

주의

문제를 해결할 때 고등어 한 손은 필요없는 조건입니다.

5 바늘 24개를 3명이 똑같이 나누어 가지려면 한 명이 24÷3=8(개)씩 가져야 합니다.

6 푸는 순서

❶ 북어 두 쾌의 수 구하기
❷ 한 명이 가져야 하는 북어의 수 구하기

❶ (북어 두 쾌)=20+20
=40(마리)

❷ 북어 40마리를 5명이 똑같이 나누어 가지려면 한 명이 40÷5=8(마리)씩 가져야 합니다.

참고

묶음을 나타내는 단위를 낱개로 고쳐서 계산합니다.

유형 4 (전체에게 나누어 준 우표의 수)$=42-2$
$=40$(장)
(한 명에게 나누어 준 우표의 수)$=40\div8$
$=5$(장)

7 (전체에게 나누어 준 사탕의 수)$=33-3$
$=30$(개)
(한 명에게 나누어 준 사탕의 수)$=30\div5$
$=6$(개)

8 (전체에게 나누어 줄 구슬의 수)$=55+8$
$=63$(개)
⇨ (한 명에게 나누어 줄 수 있는 구슬의 수)
$=63\div7=9$(개)

유형 5 $15\times3=45$, $45\div5=$㉠ ⇨ ㉠$=9$

9 $14\times4=56$, $56\div7=$㉠ ⇨ ㉠$=8$

10

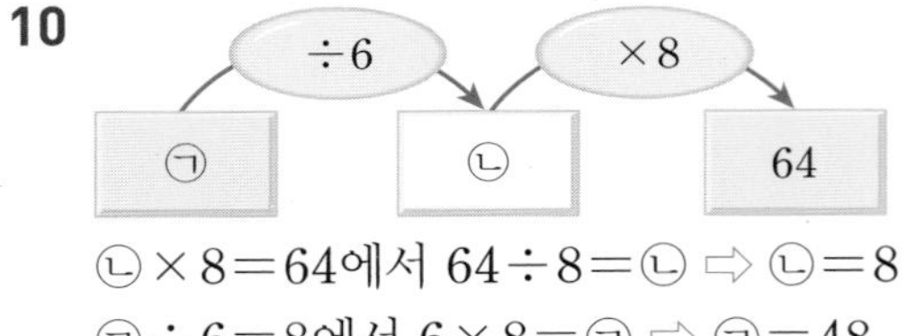

㉡$\times8=64$에서 $64\div8=$㉡ ⇨ ㉡$=8$
㉠$\div6=8$에서 $6\times8=$㉠ ⇨ ㉠$=48$

유형 6 저울이 수평이 되었으므로 왼쪽 접시에도 바둑돌을 72개 올려놓은 것입니다. 왼쪽 접시에 바둑돌을 9개씩 ■묶음 올려놓았다고 하면
$9\times$■$=72$입니다.
$9\times$■$=72$ ⇨ $72\div9=$■
■$=8$
이므로 왼쪽 접시에 바둑돌을 9개씩 8묶음 올려놓았습니다.

11 저울이 수평이 되었으므로 왼쪽 접시에도 바둑돌을 $43-3=40$(개) 올려놓은 것입니다. 왼쪽 접시에 바둑돌을 5개씩 ■묶음 올려놓았다고 하면
$5\times$■$=40$입니다.
$5\times$■$=40$ ⇨ $40\div5=$■
■$=8$
이므로 왼쪽 접시에 바둑돌을 5개씩 8묶음 올려놓았습니다.

유형 7
- □$\times9=63$이라 하면
  $7\times9=63$이므로 □$=7$입니다.
  □$\times9<63$에서 □ 안에는 7보다 작은 수가 들어갈 수 있으므로 □ 안에 알맞은 수는 0부터 6까지의 수입니다.
- $42\div$□$=7$ ⇨ $42\div$ 6 $=7$

따라서 □ 안에 공통으로 들어갈 수는 6입니다.

12

전략 가이드
□$\times8=48$이라 놓고 □ 안에 알맞은 수를 구합니다.

- □$\times8=48$이라 하면
  $6\times8=48$이므로 □$=6$입니다.
  □$\times8<48$에서 □ 안에는 6보다 작은 수가 들어갈 수 있으므로 □ 안에 알맞은 수는 0부터 5까지의 수입니다.
- $24\div$□$=6$ ⇨ $24\div$ 4 $=6$

따라서 □ 안에 공통으로 들어갈 수는 4입니다.

13

전략 가이드
$7\times$□$=35$라 놓고 □ 안에 알맞은 수를 구합니다.

- $7\times$□$=35$라 하면
  $7\times5=35$이므로 □$=5$입니다.
  $7\times$□>35에서 □ 안에는 5보다 큰 수가 들어갈 수 있으므로 □ 안에 알맞은 수는 6, 7, 8, 9입니다.
- $45\div$□$=5$ ⇨ $45\div$ 9 $=5$

따라서 □ 안에 공통으로 들어갈 수는 9입니다.

유형 8
- $63\div$●$=7$
  ⇨ $7\times$●$=63$, $63\div7=$●, ●$=9$
- ●$\div3=$▲
  ⇨ $9\div3=$▲, ▲$=3$

14

전략 가이드
●를 구한 다음 ●를 이용하여 ★을 구합니다.

- $48\div$●$=6$
  ⇨ $6\times$●$=48$, $48\div6=$●, ●$=8$
- ●$\div2=$★
  ⇨ $8\div2=$★, ★$=4$

15 • ▲×4=24
⇨ 24÷4=▲, ▲=6
• ■÷9=▲
⇨ ■÷9=6, 9×6=■, ■=54
⇨ ■+▲=54+6=60

유형 9 81÷9=9이므로 63÷□=9입니다.
□×9=63에서 7×9=63이므로 □=7입니다.

> **참고**
> • 곱셈과 나눗셈의 관계
>
> 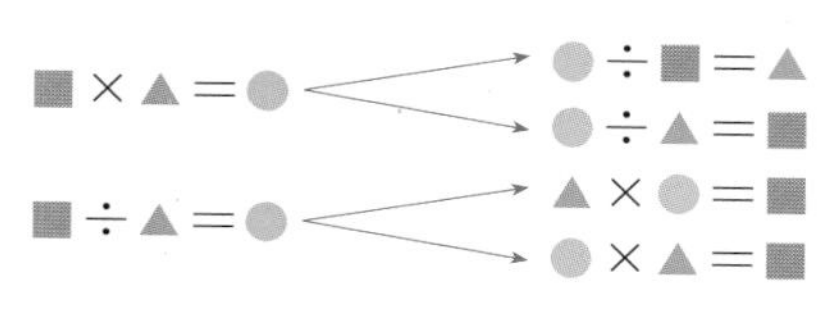

16 72÷9=8이므로 40÷□=8입니다.
□×8=40에서 5×8=40이므로 □=5입니다.

> **다른 풀이**
> 72÷9=8이므로 40÷□=8입니다.
> □×8=40 ⇨ 40÷8=□, □=5

17 64÷8=8이므로 24÷□=8입니다.
□×8=24에서 3×8=24이므로 □=3입니다.

유형 10 (정사각형의 한 변)=(철사의 길이)÷4
=16÷4
=4 (cm)

> **참고**
> 정사각형은 네 변의 길이가 모두 같습니다.
> ⇨ (정사각형의 한 변)=(네 변의 길이의 합)÷4

18 (정사각형의 한 변)=(끈의 길이)÷4
=28÷4
=7 (cm)

19

> **푸는 순서**
> ❶ 철사 한 도막의 길이 구하기
> ❷ 정사각형의 한 변 구하기

❶ 60=20+20+20이므로 철사 한 도막의 길이는 20 cm입니다.
❷ (정사각형의 한 변)=(철사 한 도막의 길이)÷4
=20÷4
=5 (cm)

3단원 기출 유형 (정답률 55% 이상)

32~33쪽

유형 11 45	**20** 30
유형 12 64	
21 60	**22** 105
유형 13 2	
23 4	**24** 8
유형 14 30	**25** 15

유형 11 (가로로 만들 수 있는 정사각형의 수)
=27÷3=9(개)
(세로로 만들 수 있는 정사각형의 수)
=15÷3=5(개)
⇨ 정사각형을 모두 9×5=45(개)까지 만들 수 있습니다.

> **참고**
> 가로와 세로로 각각 몇 개씩 만들 수 있는지 먼저 구합니다.

20

> **푸는 순서**
> ❶ 가로로 만들 수 있는 정사각형의 수 구하기
> ❷ 세로로 만들 수 있는 정사각형의 수 구하기
> ❸ 직사각형 모양의 세로 구하기

❶ (가로로 만들 수 있는 정사각형의 수)
=40÷5=8(개)
❷ 정사각형을 모두 48개 만들 수 있으므로
(세로로 만들 수 있는 정사각형의 수)
=48÷8=6(개)
❸ 직사각형 모양의 세로를 □ cm라 하면
□÷5=6
5×6=□
□=30

유형 12 (토끼 한 마리가 하루에 먹는 당근의 수)
=28÷7=4(개)
(토끼 8마리가 하루에 먹는 당근의 수)
=4×8=32(개)
⇨ (토끼 8마리가 2일 동안 먹는 당근의 수)
=32+32=64(개)

21 (다람쥐 한 마리가 하루에 먹는 도토리의 수)
$=20\div4=5$(개)
(다람쥐 6마리가 하루에 먹는 도토리의 수)
$=5\times6=30$(개)
⇨ (다람쥐 6마리가 2일 동안 먹는 도토리의 수)
$=30+30=60$(개)

22 (달팽이 한 마리가 하루에 먹는 배춧잎의 수)
$=9\div3=3$(장)
(달팽이 5마리가 하루에 먹는 배춧잎의 수)
$=3\times5=15$(장)
⇨ (달팽이 5마리가 일주일 동안 먹는 배춧잎의 수)
$=15+15+15+15+15+15+15$
$=105$(장)

유형 13 만들 수 있는 두 자리 수: 23, 24, 25, 32, 34, 35, 42, 43, 45, 52, 53, 54
이 중에서 8로 나누어지는 수는 24, 32로 모두 2개입니다.
⇨ $24\div8=3$ $32\div8=4$

23 만들 수 있는 두 자리 수: 34, 35, 36, 43, 45, 46, 53, 54, 56, 63, 64, 65
이 중에서 9로 나누어지는 수는 36, 45, 54, 63으로 모두 4개입니다.
$36\div9=4$ $45\div9=5$
$54\div9=6$ $63\div9=7$

24
- $4\times9=36$ → $36\div4=9$, $36\div9=4$
- $6\times9=54$ → $54\div6=9$, $54\div9=6$
- $7\times8=56$ → $56\div7=8$, $56\div8=7$
- $7\times9=63$ → $63\div7=9$, $63\div9=7$

⇨ 만들 수 있는 식은 모두 8가지입니다.

참고
- 곱셈식을 나눗셈식 2개로 바꾸기

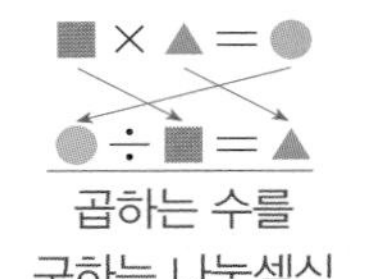

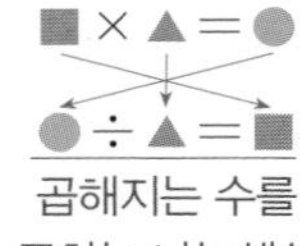

유형 14 $<24> \Rightarrow 24\div8=3$
$\Rightarrow <24>=3$
$<40> \Rightarrow 40\div8=5$
$\Rightarrow <40>=5$
$<48> \Rightarrow 48\div8=6$
$\Rightarrow <48>=6$
$<56> \Rightarrow 56\div8=7$
$\Rightarrow <56>=7$
$<72> \Rightarrow 72\div8=9$
$\Rightarrow <72>=9$
$\Rightarrow <24>+<40>+<48>+<56>+<72>$
$=3+5+6+7+9$
$=30$

참고
<◆>의 값은 8의 단 곱셈구구를 이용합니다.

25 $[36] \Rightarrow 36\div9=4$
$\Rightarrow [36]=4$
$[45] \Rightarrow 45\div9=5$
$\Rightarrow [45]=5$
$[63] \Rightarrow 63\div9=7$
$\Rightarrow [63]=7$
$[72] \Rightarrow 72\div9=8$
$\Rightarrow [72]=8$
$[81] \Rightarrow 81\div9=9$
$\Rightarrow [81]=9$
$\Rightarrow [36]+[45]+[63]+[72]-[81]$
$=4+5+7+8-9$
$=15$

참고
[★]의 값은 9의 단 곱셈구구를 이용합니다.

3단원 종합

34 ~ 36쪽

1 9	**2** 6
3 8	**4** 9
5 9	**6** 7
7 3	**8** 5
9 10	**10** 28
11 144	**12** 4

1 54에서 □를 6번 빼면 0이 되므로
54÷□=6으로 나타낼 수 있습니다.

54÷□=6 ⇨ □×6=54
54÷6=□
□=9

참고

▲÷□=● ⇨ ▲÷●=□

2 (바늘 두 쌈)=24+24=48(개)
48개를 8명이 똑같이 나누어 가지려면 한 명이
48÷8=6(개)씩 가져야 합니다.

3 푸는 순서

❶ 전체에게 나누어 준 색종이의 수 구하기
❷ 한 명에게 나누어 준 색종이의 수 구하기

❶ (전체에게 나누어 준 색종이의 수)
=60−4=56(장)
❷ (한 명에게 나누어 준 색종이의 수)
=56÷7=8(장)

4 24×3=72, 72÷8=㉠ ⇨ ㉠=9

5 저울이 수평이 되었으므로 왼쪽 접시에도 바둑돌을 63개 올려놓은 것입니다. 왼쪽 접시에 바둑돌을 7개씩 ■묶음 올려놓았다고 하면 7×■=63입니다.

7×■=63 ⇨ 63÷7=■
■=9

이므로 왼쪽 접시에 바둑돌을 7개씩 9묶음 올려놓았습니다.

6 • 6×□=48이라 하면 6×8=48이므로 □=8입니다.
6×□<48에서 □ 안에는 8보다 작은 수가 들어갈 수 있으므로 □ 안에 알맞은 수는 0부터 7까지의 수입니다.
• 56÷□=8 ⇨ 56÷7=8
따라서 □ 안에 공통으로 들어갈 수는 7입니다.

7 • 54÷●=9 ⇨ ●×9=54
54÷9=●
●=6
• ●÷2=▲ ⇨ 6÷2=▲
▲=3

8 49÷7=7이므로 35÷□=7입니다.
□×7=35에서 5×7=35이므로 □=5입니다.

9 54÷6=9이므로 나무 사이의 간격은 9군데입니다.
도로의 처음과 끝에도 나무를 심어야 하므로 도로의 한쪽에 필요한 나무는 모두 9+1=10(그루)입니다.

참고

• 도로의 처음과 끝에도 나무를 심을 경우:
(나무 사이의 간격의 수)=■군데라 하면
(도로 한쪽에 필요한 나무의 수)=(■+1)그루
입니다.

10 푸는 순서

❶ 가로로 만들 수 있는 정사각형의 수 구하기
❷ 세로로 만들 수 있는 정사각형의 수 구하기
❸ 만들 수 있는 정사각형의 수 구하기

❶ (가로로 만들 수 있는 정사각형의 수)
=28÷4=7(개)
❷ (세로로 만들 수 있는 정사각형의 수)
=16÷4=4(개)
❸ 정사각형을 모두 7×4=28(개)까지 만들 수 있습니다.

11 (말 한 마리가 하루에 먹는 당근의 수)
=32÷4=8(개)
말 6마리가 하루에 먹는 당근은 8×6=48(개)입니다.
⇨ 말 6마리가 3일 동안 먹는 당근은
48+48+48=144(개)입니다.

12 만들 수 있는 두 자리 수: 12, 14, 15, 21, 24, 25, 41, 42, 45, 51, 52, 54
이 중에서 6으로 나누어지는 수는 12, 24, 42, 54로 모두 4개입니다.

12÷6=2　24÷6=4
42÷6=7　54÷6=9

4단원 기출 유형 정답률 75%이상

37~41쪽

유형 1 ②	
1 ㉢	2 ②
유형 2 252	
3 50	4 296
유형 3 2	
5 4	6 2, 9
유형 4 329	7 344
유형 5 168	8 486
유형 6 7	
9 3	10 3
유형 7 288	
11 144	12 119
유형 8 4	
13 6	14 6
유형 9 161	
15 243	16 280
유형 10 24	
17 40	18 2
유형 11 208	
19 178	20 108

유형 1 $36+36+36+36+36+36=36\times6$ (6번)

1 $43+43+43+43=43\times4$ (4번)

2 $57+57+57+57+57=57\times$ 5 (5번)

유형 2 $84>9>3$이므로 가장 큰 수는 84, 가장 작은 수는 3입니다.
⇨ $84\times3=252$

3 $25>4>2$이므로 가장 큰 수는 25, 가장 작은 수는 2입니다.
⇨ $25\times2=50$

4 푸는 순서
❶ 수의 크기 비교하기
❷ 가장 큰 수, 두 번째로 작은 수 찾기
❸ ❷의 두 수의 곱 구하기

❶ 수의 크기를 비교하면 $37>32>8>5$입니다.
❷ 가장 큰 수는 37, 두 번째로 작은 수는 8입니다.
❸ $37\times8=296$

유형 3
$$\begin{array}{r} \square\ 4 \\ \times\ \ \ 7 \\ \hline 1\ 6\ 8 \end{array}$$
$4\times7=28$에서 십의 자리에 올림한 수 2가 있습니다.
$\square\times7$에 일의 자리 계산에서 올림한 수 2를 더하여 16이 되었으므로 $\square\times7=14$입니다.
$2\times7=14$에서 $\square=2$입니다.

참고
일의 자리에서 올림이 있으면 올림한 수를 십의 자리 계산에 더합니다.

5
$$\begin{array}{r} 3\ 7 \\ \times\ \ \square \\ \hline 1\ 4\ 8 \end{array}$$
$7\times\square$의 일의 자리 숫자가 8인 경우는
$7\times$ 4 $=28$이므로 $\square=4$입니다.
⇨ $37\times4=148$

6
$$\begin{array}{r} ㉠\ 3 \\ \times\ \ ㉡ \\ \hline 2\ 0\ 7 \end{array}$$
$3\times$㉡의 일의 자리 숫자가 7인 경우는
$3\times$ 9 $=27$이므로 ㉡$=9$입니다.
㉠$\times9$에 일의 자리 계산에서 올림한 수 2를 더하여 20이 되었으므로
㉠$\times9=18$, 2 $\times9=18$, ㉠$=2$입니다.

유형 4 어떤 수를 □라 하면
$\square\div7=47$ ⇨ $7\times47=47\times7=\square$,
$\square=329$

7 전략 가이드
어떤 수를 □라 하여 나눗셈식을 세워 계산합니다.

어떤 수를 □라 하면
$\square\div4=86$ ⇨ $4\times86=86\times4=\square$,
$\square=344$

유형 5 $42\times2=84$, $84\times2=$㉠ ⇨ ㉠$=168$

8 $27\times3=81$, $81\times6=$㉠ ⇨ ㉠$=486$

유형 6 $23 \times 5 = 115$이므로 □ 안에 1부터 차례로 수를 넣어봅니다.

$16 \times 1 = 16$ ⇨ $115 > 16$(○)
$16 \times 2 = 32$ ⇨ $115 > 32$(○)
$16 \times 3 = 48$ ⇨ $115 > 48$(○)
$16 \times 4 = 64$ ⇨ $115 > 64$(○)
$16 \times 5 = 80$ ⇨ $115 > 80$(○)
$16 \times 6 = 96$ ⇨ $115 > 96$(○)
$16 \times 7 = 112$ ⇨ $115 > 112$(○)
$16 \times 8 = 128$ ⇨ $115 < 128$(×)
⋮

⇨ □ 안에 들어갈 수 있는 가장 큰 수는 7입니다.

9

전략 가이드
24×3을 계산한 다음 □ 안에 1부터 차례로 수를 넣어봅니다.

$24 \times 3 = 72$이므로 □ 안에 1부터 차례로 수를 넣어봅니다.

$19 \times 1 = 19$ ⇨ $72 > 19$(○)
$19 \times 2 = 38$ ⇨ $72 > 38$(○)
$19 \times 3 = 57$ ⇨ $72 > 57$(○)
$19 \times 4 = 76$ ⇨ $72 < 76$(×)
⋮

⇨ □ 안에 들어갈 수 있는 가장 큰 수는 3입니다.

참고
- 1부터 9까지의 수 중에서 □ 안에 들어갈 수 구하기
  ▲×□<●일 경우:
  □ 안에는 1부터 수를 차례로 넣습니다.
  ▲×□>●일 경우:
  □ 안에 9부터 수를 차례로 넣습니다.

10 $37 \times 2 = 74$, $27 \times 4 = 108$

$74 < 15 \times □ < 108$에서 □ 안에 알맞은 수를 넣어봅니다.

$15 \times 4 = 60$ ⇨ $74 > 60$(×)
$15 \times 5 = 75$ ⇨ $74 < 75 < 108$(○)
$15 \times 6 = 90$ ⇨ $74 < 90 < 108$(○)
$15 \times 7 = 105$ ⇨ $74 < 105 < 108$(○)
$15 \times 8 = 120$ ⇨ $120 > 108$(×)
⋮

⇨ □ 안에 들어갈 수 있는 수는 5, 6, 7로 모두 3개입니다.

유형 7 (축구공 1개를 만드는 데 필요한 오각형과 육각형 조각 수의 합)
$= 12 + 20 = 32$(개)
⇨ (축구공 9개를 만드는 데 필요한 오각형과 육각형 조각 수의 합)
$= 32 \times 9 = 288$(개)

11 (꽃다발 1개를 만드는 데 필요한 장미의 수)
$= 17 + 7 = 24$(송이)
⇨ (꽃다발 6개를 만드는 데 필요한 장미의 수)
$= 24 \times 6 = 144$(송이)

12

푸는 순서
❶ 하루에 팔고 남은 사과 상자의 수 구하기
❷ 일주일 동안 팔고 남은 사과 상자의 수 구하기

❶ (하루에 팔고 남은 사과 상자의 수)
$= 40 - 23 = 17$(상자)
❷ (일주일 동안 팔고 남은 사과 상자의 수)
$= 17 \times 7 = 119$(상자)

유형 8 $23 \times 4 = 92$, $23 \times 5 = 115$
$100 - 92 = 8$, $115 - 100 = 15$이므로 92와 115 중 100에 더 가까운 수는 92입니다.

참고
$23 \times □$가 100보다 작은 수 중에서 가장 큰 수와 100보다 큰 수 중에서 가장 작은 수를 100과 비교합니다.

13

전략 가이드
200에 가까운 수는 200보다 작을 수도 있고, 200보다 클 수도 있습니다.

$35 \times 5 = 175$, $35 \times 6 = 210$
$200 - 175 = 25$, $210 - 200 = 10$이므로
175와 210 중 200에 더 가까운 수는 210입니다.

14 $47 \times 6 = 282$, $47 \times 7 = 329$
$300 - 282 = 18$, $329 - 300 = 29$이므로
282와 329 중 300에 더 가까운 수는 282입니다.

유형 9 나무를 7그루 심었으므로 나무 사이의 간격은 7군데입니다.
⇨ (연못의 둘레) $= 23 \times 7$
$= 161$ (m)

15 푸는 순서

❶ 간격의 수 구하기
❷ 원 모양 호수의 둘레 구하기

❶ 나무를 9그루 심었으므로 나무 사이의 간격은 9군데입니다.
❷ (호수의 둘레)=(나무 사이의 간격)×(간격의 수)
$=27\times9$
$=243$ (m)

16 게시판이 정사각형 모양이므로 간격의 수는 누름 못의 수와 같은 8군데입니다.
⇨ (게시판의 둘레)$=35\times8$
$=280$ (cm)

참고

- 나무를 심은 원 모양 호수의 둘레 구하기
 ① 간격의 수를 구합니다.
 (간격의 수)=(나무의 수)
 ② 원 모양 호수의 둘레를 구합니다.
 (호수의 둘레)
 =(나무 사이의 간격)×(간격의 수)

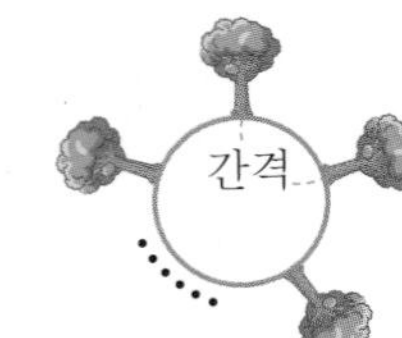

유형 10 (판 귤의 수)$=18\times7=126$(개)
⇨ (남은 귤의 수)$=150-126=24$(개)

참고

- (판 귤의 수)
 =(한 상자에 담은 귤의 수)×(상자 수)
- (남은 귤의 수)=(전체 귤의 수)−(판 귤의 수)

17 (판 사과의 수)$=15\times8=120$(개)
⇨ (남은 사과의 수)$=160-120$
$=40$(개)

18 푸는 순서

❶ 상자로 판 가지의 수 구하기
❷ 봉지로 판 가지의 수 구하기
❸ 남은 가지의 수 구하기

❶ (상자로 판 가지의 수)$=25\times4$
$=100$(개)
❷ (봉지로 판 가지의 수)$=11\times3$
$=33$(개)
❸ (남은 가지의 수)$=135-100-33$
$=35-33$
$=2$(개)

유형 11 (오각형 14개의 변의 수)$=14\times5$
$=70$(개)
(육각형 23개의 변의 수)$=23\times6$
$=138$(개)
⇨ $70+138=208$(개)

참고

- (오각형 ■개의 변의 수)=(5×■)개
- (육각형 ▲개의 변의 수)=(6×▲)개

19 (사각형 16개의 변의 수)$=16\times4$
$=64$(개)
(삼각형 38개의 변의 수)$=38\times3$
$=114$(개)
⇨ $64+114=178$(개)

참고

- (사각형 ●개의 변의 수)=(4×●)개
- (삼각형 ◆개의 변의 수)=(3×◆)개

20 (가야금의 줄 수)$=12\times7$
$=84$(줄)
(거문고의 줄 수)$=6\times4$
$=24$(줄)
⇨ $84+24=108$(줄)

4단원 기출 유형 (정답률 55% 이상)

42~43쪽

유형 12 88	
21 281	**22** 336
유형 13 144	**23** 90
유형 14 8	**24** $83\times6=498$
유형 15 3	
25 3	**26** 20

유형 12 (읽은 동화책의 쪽수)$=25\times3$
$=75$(쪽)
⇨ (전체 동화책의 쪽수)$=75+13$
$=88$(쪽)

21 (상자에 담은 클립의 수)$=45\times6$
$=270$(개)
⇨ (전체 클립의 수)$=270+11$
$=281$(개)

22 푸는 순서
❶ 책꽂이 한 개에 꽂은 책의 수 구하기
❷ 책꽂이 4개에 꽂은 책의 수 구하기
❸ 전체 책의 수 구하기

❶ (책꽂이 한 개에 꽂은 책의 수)$=27\times3$
$=81$(권)
❷ (책꽂이 4개에 꽂은 책의 수)$=81\times4$
$=324$(권)
❸ (전체 책의 수)$=324+12=336$(권)

유형 13 가◉나$=$가$\times$나$\times$나 (가$\times$나 └ 다)
16◉3$=16\times3\times3$
$=48\times3$
$=144$
⇨ ㉠의 값은 144입니다.

23 가◆나$=$가$\times$나$+$나 (가$\times$나 └ 다)
17◆5는 $17\times5=85$이고 $85+5=90$이므로
㉠$=90$입니다.

유형 14 수의 크기를 비교하면 $5>4>3$입니다.
곱이 가장 크게 되려면 곱하는 수에는 가장 큰 수인 5를, 곱해지는 수의 십의 자리에는 두 번째로 큰 수인 4를 놓아야 합니다.
⇨ 곱이 가장 큰 곱셈식은 $43\times5=215$이므로
㉠$+$㉡$+$㉢$=2+1+5=8$입니다.

참고
수 카드에서 수의 크기가 ③>②>①일 때

곱이 가장 큰 경우	곱이 가장 작은 경우
가장 큰 수 ┐ ② ① × ③ └ 남은 두 수로 만들 수 있는 가장 큰 수	가장 작은 수 ┐ ② ③ × ① └ 남은 두 수로 만들 수 있는 가장 작은 수

이때 0이 있으면 ② 0 × ③ = ③ 0 × ②입니다.

24 $8>6>3$이므로 곱이 가장 큰 곱셈식은
$63\times8=504$입니다.
곱이 두 번째로 큰 곱셈식은 6과 8의 자리를 바꾼
$83\times6=498$입니다.

유형 15 축구공을 □개 만든다고 하면 두 모양이 각각 60개씩 있으므로
오각형: $12\times\square=60$, $\square=5$
육각형: $20\times\square=60$, $\square=3$
오각형만으로 만들 수 있는 축구공은 5개,
육각형만으로 만들 수 있는 축구공은 3개입니다.
⇨ 두 도형을 함께 이어 붙여야 하므로 축구공은 3개까지 만들 수 있습니다.

주의
조각이 모자라면 축구공을 만들 수 없습니다.

25 생일 카드를 □장 만든다고 하면
두 붙임 딱지가 각각 48개씩 있으므로
꽃: $16\times\square=48$, $\square=3$
별: $12\times\square=48$, $\square=4$
꽃 붙임 딱지만으로 만들 수 있는 생일 카드는 3장,
별 붙임 딱지만으로 만들 수 있는 생일 카드는 4장입니다.
⇨ 두 붙임 딱지를 함께 붙여야 하므로 생일 카드는 3장까지 만들 수 있습니다.

26 전략 가이드
담을 수 있는 상자의 수를 □개라 하여 두 과일만으로 담을 수 있는 상자의 수를 각각 구합니다.

사과와 배를 상자 □개에 담는다고 하면 두 과일이 각각 70개씩 있으므로
사과: $14\times\square=70$, $\square=5$
배: $10\times\square=70$, $\square=7$
사과만으로 담을 수 있는 상자는 5개,
배만으로 담을 수 있는 상자는 7개입니다.
⇨ 두 과일을 함께 담아야 하므로 5개의 상자까지 담을 수 있고, 남는 과일은 배 $70-50=20$(개)입니다.

4단원 종합

44~46쪽

1 ③	**2** 3
3 585	**4** 680
5 5	**6** 216
7 7	**8** 37
9 21	**10** 16
11 100	**12** 416

1 $\underbrace{41+41+41+41+41+41+41}_{7\text{번}}=41\times7$

참고

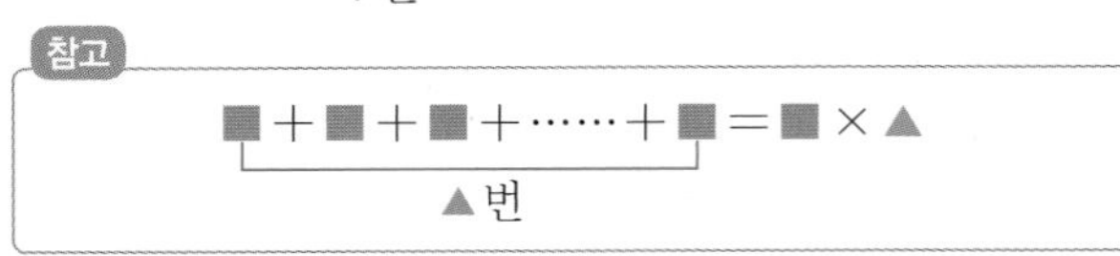

2
$$\begin{array}{r} 5\square \\ \times\quad 4 \\ \hline 2\ 1\ 2 \end{array}$$

5×4=20이므로 일의 자리에서 올림한 수 1이 있습니다.

⇨ □×4=12, 3×4=12이므로 □=3입니다.

3 어떤 수를 □라 하면

□÷9=65 ⇨ 9×65=65×9=□,

□=585

4 17×5=85, 85×8=㉠ ⇨ ㉠=680

5

전략 가이드

18×□가 23×4보다 작은 경우는 □ 안에 1부터 수를 차례로 넣습니다.

23×4=92이므로 □ 안에 1부터 차례로 수를 넣어 봅니다.

18×1=18 ⇨ 92>18(◯)

18×2=36 ⇨ 92>36(◯)

18×3=54 ⇨ 92>54(◯)

18×4=72 ⇨ 92>72(◯)

18×5=90 ⇨ 92>90(◯)

18×6=108 ⇨ 92<108(×)

⋮

따라서 □ 안에 들어갈 수 있는 가장 큰 수는 5입니다.

6 (한 봉지에 담은 사탕의 수)=12+15

=27(개)

⇨ (8봉지에 담은 사탕의 수)=27×8

=216(개)

7 28×7=196, 28×8=224

200−196=4, 224−200=24이므로 196과 224 중 200에 더 가까운 수는 196입니다.

참고

28×□가 200보다 작은 수 중에서 가장 큰 수와 200보다 큰 수 중에서 가장 작은 수를 200과 비교합니다.

8 (판 오이의 수)=27×4

=108(개)

⇨ (남은 오이의 수)=145−108

=37(개)

9

푸는 순서

❶ 삼각형 35개의 꼭짓점의 수 구하기

❷ 육각형 14개의 꼭짓점의 수 구하기

❸ ❶과 ❷의 차 구하기

❶ (삼각형 35개의 꼭짓점의 수)=35×3

=105(개)

❷ (육각형 14개의 꼭짓점의 수)=14×6

=84(개)

❸ 105−84=21(개)

10 2 m=200 cm이고 사용한 철사의 길이는 46×4=184 (cm)입니다.

⇨ (남은 철사의 길이)=200−184=16 (cm)

11 가♥나=가÷나×가 (가÷나=다)

20♥4=20÷4×20

=5×20

=100

⇨ ㉠의 값은 100입니다.

12 수의 크기를 비교하면 2<5<8입니다.

곱이 가장 크게 되려면 곱하는 수에는 가장 큰 수인 8을, 곱해지는 수의 십의 자리에는 두 번째로 큰 수인 5를 놓아야 합니다.

⇨ 52×8=416

5단원 기출 유형 (정답률 75% 이상)

47~51쪽

유형 1 84	
1 76	2 97
유형 2 70	
3 200	4 ③
유형 3 18	
5 33	6 52
유형 4 295	
7 268	8 608
유형 5 10	
9 11	10 42
유형 6 ④	
11 ⑤	12 ①
유형 7 4	13 3, 20
유형 8 115	
14 85	15 117
유형 9 1	16 3
유형 10 187	17 201

유형 1 1 cm=10 mm

⇨ 8 cm 4 mm=8 cm+4 mm
=80 mm+4 mm
=84 mm

참고
1 cm=10 mm임을 이용합니다.

1 1 cm=10 mm

⇨ 7 cm 6 mm=7 cm+6 mm
=70 mm+6 mm
=76 mm

2 수직선에서 작은 눈금 한 칸의 크기는 1 mm이므로 표시된 곳은 9 cm 7 mm입니다.

9 cm 7 mm=9 cm+7 mm
=90 mm+7 mm
=97 mm

참고
1 cm를 10칸으로 똑같이 나눈 작은 눈금 한 칸의 크기는 1 mm입니다.

유형 2 1분 10초=1분+10초
=60초+10초
=70초

3 3분 20초=3분+20초
=180초+20초
=200초

4 ③ 4분 40초=4분+40초
=240초+40초
=280초

유형 3 시계가 나타내는 시각은 3시 30분 15초이므로 ㉠=3, ㉡=15입니다.

⇨ ㉠+㉡=3+15=18

참고
• 초바늘이 가리키는 숫자와 나타내는 시각

가리키는 숫자	1	2	3	4	5	6	7	8	9	10	11
나타내는 시각(초)	5	10	15	20	25	30	35	40	45	50	55

5 시계가 나타내는 시각은 8시 15분 25초이므로 ㉠=8, ㉡=25입니다.

⇨ ㉠+㉡=8+25=33

6 시계가 나타내는 시각은 2시 45분 5초이므로 ㉠=2, ㉡=45, ㉢=5입니다.

⇨ ㉠+㉡+㉢=2+45+5
=52

유형 4 1 cm=10 mm이므로

12 cm 5 mm=12 cm+5 mm
=120 mm+5 mm
=125 mm

⇨ 12 cm 5 mm+170 mm
=125 mm+170 mm
=295 mm

참고
1 cm=10 mm임을 이용하여 단위를 바꿔서 계산합니다.

다른 풀이
170 mm=17 cm

```
   12 cm   5 mm
 + 17 cm
 ──────────────
   29 cm   5 mm
```

⇨ 29 cm 5 mm=29 cm+5 mm
=290 mm+5 mm
=295 mm

7 1 cm=10 mm이므로

72 cm 7 mm=72 cm+7 mm
=720 mm+7 mm
=727 mm

⇨ 72 cm 7 mm−459 mm
=727 mm−459 mm
=268 mm

참고
단위가 다른 길이의 합 또는 차를 구할 때에는 같은 단위로 고친 다음 계산합니다.

다른 풀이
459 mm=450 mm+9 mm
=45 cm 9 mm

	72 cm	7 mm
−	45 cm	9 mm
	26 cm	8 mm

⇨ 26 cm 8 mm=26 cm+8 mm
=260 mm+8 mm
=268 mm

8 1 cm=10 mm이므로

50 cm 4 mm=50 cm+4 mm
=500 mm+4 mm
=504 mm

⇨ 50 cm 4 mm−159 mm+263 mm
=504 mm−159 mm+263 mm
=345 mm+263 mm
=608 mm

유형 5 크레파스는 1 cm가 6번이고 작은 눈금 4칸을 더 갔으므로 크레파스의 길이는 6 cm 4 mm입니다.
⇨ ㉠=6, ㉡=4이므로
㉠+㉡=6+4=10입니다.

주의
물건의 끝이 가리키는 지점이 물건의 길이라고 읽지 않도록 주의합니다.

9 못은 1 cm가 5번이고 작은 눈금 6칸을 더 갔으므로 못의 길이는 5 cm 6 mm입니다.
⇨ ㉠=5, ㉡=6이므로
㉠+㉡=5+6=11입니다.

10 사탕은 1 cm가 6번이고 작은 눈금 7칸을 더 갔으므로 사탕의 길이는 6 cm 7 mm입니다.
⇨ ㉠=6, ㉡=7이므로
㉠×㉡=6×7=42입니다.

유형 6 ① 3 km 50 m=3050 m
② 3 km 150 m=3150 m
③ 3 km 10 m=3010 m
④ 3005 m
⑤ 3510 m
⇨ 길이가 가장 짧은 것은 ④입니다.

참고
단위가 다른 길이를 비교할 때에는 같은 단위로 고쳐서 비교합니다.

11 ① 5 km 50 m=5050 m
② 5 km 150 m=5150 m
③ 5 km 200 m=5200 m
④ 5009 m
⑤ 5210 m
⇨ 길이가 가장 긴 것은 ⑤입니다.

12 전략 가이드
단위를 모두 같게 고쳐서 비교합니다.

① 6 km 70 m=6070 m
② 6 km 790 m=6790 m
③ 6 km 700 m=6700 m
④ 6007 m
⑤ 6750 m
따라서 길이가 두 번째로 짧은 것은 ①입니다.

유형 7 인희가 집에서 나온 시각은 3시 15분입니다.
(우체국에 도착한 시각)
=(집에서 나온 시각)+(걸린 시간)
=3시 15분+45분
=4시

참고
분 단위끼리의 합이 60분과 같거나 60분보다 클 때는 60분=1시간으로 받아올림합니다.

13 민준이가 집에서 나온 시각은 2시 45분입니다.
(도서관에 도착한 시각)
=(집에서 나온 시각)+(걸린 시간)
=2시 45분+35분=3시 20분

유형 8

$$\begin{array}{rr} \overset{4}{\cancel{5}}\text{시} & \overset{60}{15}\text{분} \\ -\ 3\text{시} & 20\text{분} \\ \hline 1\text{시간} & 55\text{분} \end{array}$$

⇨ 1시간=60분이므로

1시간 55분=1시간+55분

=60분+55분

=115분

참고

분 단위끼리 뺄 수 없을 때에는 1시간=60분으로 받아내림합니다.

14 **전략 가이드**

시간의 차를 구한 다음 분 단위로 나타냅니다.

$$\begin{array}{rr} \overset{3}{\cancel{4}}\text{시} & \overset{60}{10}\text{분} \\ -\ 2\text{시} & 45\text{분} \\ \hline 1\text{시간} & 25\text{분} \end{array}$$

⇨ 1시간=60분이므로

1시간 25분=1시간+25분

=60분+25분

=85분

주의

• (시각)−(시각)=(시간)

$$\begin{array}{rr} \overset{3}{\cancel{4}}\text{시} & \overset{60}{10}\text{분} \\ -\ 2\text{시} & 45\text{분} \\ \hline 1\text{시} & 25\text{분}\ (\times) \end{array} \qquad \begin{array}{rr} \overset{3}{\cancel{4}}\text{시} & \overset{60}{10}\text{분} \\ -\ 2\text{시} & 45\text{분} \\ \hline 1\text{시간} & 25\text{분}\ (\bigcirc) \end{array}$$

15

$$\begin{array}{rr} \overset{20}{\cancel{21}}\text{분} & \overset{60}{27}\text{초} \\ -\ 19\text{분} & 30\text{초} \\ \hline 1\text{분} & 57\text{초} \end{array}$$

1분=60초이므로

1분 57초=1분+57초

=60초+57초

=117초

유형 9 • 숙제를 시작한 시각: 4시 50분 20초

• 숙제를 끝낸 시각:

$$\begin{array}{rrr} 4\text{시} & \overset{1}{50}\text{분} & 20\text{초} \\ + & 50\text{분} & 45\text{초} \\ \hline 5\text{시} & 41\text{분} & 5\text{초} \end{array}$$

⇨ 숙제를 끝냈을 때 시계의 초바늘은 숫자 1을 가리킵니다.

참고

초바늘이 가리키는 숫자는

5초 → 1, 10초 → 2, 15초 → 3……이므로

■초 → (■÷5)입니다.

16 • 동화책 읽기를 시작한 시각: 2시 48분 35초

• 동화책 읽기를 끝낸 시각:

$$\begin{array}{rrr} 2\text{시} & \overset{1}{48}\text{분} & 35\text{초} \\ +\ 1\text{시간} & 20\text{분} & 40\text{초} \\ \hline 4\text{시} & 9\text{분} & 15\text{초} \end{array}$$

⇨ 동화책 읽기를 끝냈을 때 시계의 초바늘은 숫자 3을 가리킵니다.

유형 10 서울역에서 출발한 시각이 오전 9시 26분이고, 부산역에 도착하는 시각이 오후 12시 33분입니다.

$$\begin{array}{rr} 12\text{시} & 33\text{분} \\ -\ 9\text{시} & 26\text{분} \\ \hline 3\text{시간} & 7\text{분} \end{array}$$

⇨ 3시간 7분=3시간+7분

=(60×3)분+7분

=180분+7분

=187분

참고

(걸리는 시간)=(도착하는 시각)−(출발한 시각)

17 **푸는 순서**

❶ 서울역에서 대구역까지 가는 데 걸린 시간 구하기

❷ 걸린 시간이 몇 분인지 구하기

❶ (서울역에서 대구역까지 가는 데 걸린 시간)

=(대구역에 도착하는 시각)

−(서울역에서 출발한 시각)

$$\begin{array}{rr} \overset{11}{\cancel{12}}\text{시} & \overset{60}{14}\text{분} \\ -\ 8\text{시} & 53\text{분} \\ \hline 3\text{시간} & 21\text{분} \end{array}$$

❷ 3시간 21분=3시간+21분

=(60×3)분+21분

=180분+21분

=201분

5단원 기출 유형 정답률 55% 이상

52~53쪽

유형 11	11	18	20
유형 12	6	19	6
유형 13	600		
20	300	21	800
유형 14	6	22	6300

유형 11 시계가 나타내는 시각: 7시 30분 45초

숙제를 끝낸 시각:

$$\begin{array}{rrr} & {}^{1} & \\ 7\text{시} & 30\text{분} & 45\text{초} \\ +\,1\text{시간} & 40\text{분} & 25\text{초} \\ \hline 9\text{시} & 11\text{분} & 10\text{초} \end{array}$$

⇨ ㉠=9, ㉡=11, ㉢=10이므로 ㉡의 값은 11입니다.

참고

(숙제를 끝낸 시각)
=(숙제를 시작한 시각)−(숙제를 한 시간)

18 푸는 순서

❶ 시계가 나타내는 시각 구하기
❷ 축구 경기를 끝낸 시각 구하기
❸ ㉠, ㉡, ㉢에 알맞은 수의 합 구하기

❶ 시계가 나타내는 시각: 3시 30분 5초
❷ 축구 경기를 끝낸 시각:
3시 30분 5초+45분+10분+45분
=5시 10분 5초
❸ ㉠=5, ㉡=10, ㉢=5이므로
㉠+㉡+㉢=5+10+5=20입니다.

다른 풀이

시계가 나타내는 시각: 3시 30분 5초
축구 경기를 한 시간:
45분+10분+45분=100분
=1시간 40분
축구 경기를 끝낸 시각:

$$\begin{array}{rrr} {}^{1} & & \\ 3\text{시} & 30\text{분} & 5\text{초} \\ +\,1\text{시간} & 40\text{분} & \\ \hline 5\text{시} & 10\text{분} & 5\text{초} \end{array}$$

⇨ ㉠=5, ㉡=10, ㉢=5이므로
㉠+㉡+㉢=5+10+5=20입니다.

유형 12 어제 오전 7시부터 오늘 오후 7시 사이의 시각 중에서 3시와 9시인 시각은 다음과 같습니다.
어제: 오전 9시, 오후 3시, 오후 9시
오늘: 오전 3시, 오전 9시, 오후 3시
⇨ 모두 6번입니다.

참고

긴바늘이 12를 가리킬 때 긴바늘과 짧은바늘이 이루는 각이 직각인 시각은 3시와 9시입니다.

3시

9시

19 어제 오전 10시와 오늘 오후 10시 사이의 시각 중에서 3시와 9시인 시각은 다음과 같습니다.
어제: 오후 3시, 오후 9시
오늘: 오전 3시, 오전 9시, 오후 3시, 오후 9시
⇨ 모두 6번입니다.

유형 13 수직선에서 작은 눈금 한 칸의 크기는 100 m입니다. 표시된 곳은 4 km보다 600 m 더 긴 길이이므로 4 km 600 m입니다.
⇨ ▲=600

참고

4 km와 5 km 사이를 10칸으로 똑같이 나눈 작은 눈금 한 칸의 크기는 100 m입니다.

20 수직선에서 작은 눈금 한 칸의 크기는 100 m입니다. 표시된 곳은 6 km보다 300 m 더 긴 길이이므로 6 km 300 m입니다.
⇨ ■=300

21 수직선에서 작은 눈금 한 칸의 크기는 200 m이고 ㉠과 ㉡은 4칸 떨어져 있으므로 차는 800 m입니다.

다른 풀이

수직선에서 작은 눈금 한 칸의 크기는 200 m입니다.
㉠: 3 km에서 작은 눈금 3칸 더 간 곳이므로
3 km 600 m입니다.
㉡: 4 km에서 작은 눈금 2칸 더 간 곳이므로
4 km 400 m입니다.

$$\begin{array}{rr} {}^{3}\not{4}\text{ km} & {}^{1000}400\text{ m} \\ -\,3\text{ km} & 600\text{ m} \\ \hline & 800\text{ m} \end{array}$$

유형 14 (한 시간 동안 걸었을 때 두 사람 사이의 거리)
=1 km 800 m+2 km 200 m
=1800 m+2200 m
=4000 m
=4 km
30분 동안 벌어진 두 사람 사이의 거리는 4 km의 반이므로 2 km입니다.
⇨ 1시간 30분 동안 걸었을 때 두 사람 사이의 거리는 4 km+2 km=6 km입니다.

22 전략 가이드

한 시간 동안 좁혀진 두 사람 사이의 거리는 두 사람이 각각 한 시간 동안 걷은 거리의 합과 같음을 이용합니다.

(한 시간 동안 걸었을 때 좁혀진 두 사람 사이의 거리)
=2 km+2 km 200 m
=2000 m+2200 m
=4200 m
30분 동안 좁혀진 두 사람 사이의 거리는 4200 m의 반이므로 2100 m입니다.
⇨ (1시간 30분 전에 처음 두 사람 사이의 거리)
=4200 m+2100 m
=6300 m

5단원 종합

54~56쪽

1 468	**2** 40
3 540	**4** 10
5 ④	**6** 10, 15
7 4	**8** 78
9 113	**10** 51
11 8	**12** 56

1 1분=60초이므로
7분 48초=7분+48초
=(60×7)초+48초
=420초+48초
=468초

2 시계가 나타내는 시각은 5시 45분 35초이므로 ㉠=5, ㉡=35입니다.
⇨ ㉠+㉡=5+35=40

• 초바늘이 가리키는 숫자와 나타내는 시각

가리키는 숫자	1	2	3	4	5	6	7	8	9	10	11
나타내는 시각(초)	5	10	15	20	25	30	35	40	45	50	55

3 1 cm=10 mm이므로
16 cm 4 mm=16 cm+4 mm
=160 mm+4 mm
=164 mm
⇨ 16 cm 4 mm+376 mm=164 mm+376 mm
=540 mm

4 색연필은 1 cm가 7번이고 작은 눈금 3칸을 더 갔으므로 색연필의 길이는 7 cm 3 mm입니다.
⇨ ㉠=7, ㉡=3이므로
㉠+㉡=7+3=10입니다.

주의

물건의 끝이 가리키는 지점이 물건의 길이라고 읽지 않도록 주의합니다.

5 ① 4 km 80 m=4080 m
② 4 km 180 m=4180 m
③ 4050 m
④ 4008 m
⑤ 4 km 800 m=4800 m
⇨ 길이가 가장 짧은 것은 ④입니다.

참고

단위가 다른 길이를 비교할 때에는 같은 단위로 고쳐서 비교합니다.

6 서연이가 집에서 나온 시각은 9시 35분입니다.
(할머니 댁에 도착한 시각)
=(집에서 나온 시각)+(걸린 시간)
=9시 35분+40분
=10시 15분

참고

분 단위끼리의 합이 60분이거나 60분보다 클 때는 60분=1시간으로 받아올림합니다.

7 • 낮잠 자기 시작한 시각: 1시 35분 30초
• 낮잠에서 깨어난 시각:

	1시	35분	30초
+	1시간	40분	50초
	3시	16분	20초

⇨ 낮잠에서 깨어난 시각이 3시 16분 20초이므로 시계의 초바늘이 20÷5=4에서 숫자 4를 가리킵니다.

참고
초바늘이 가리키는 숫자는
5초 → 1, 10초 → 2, 15초 → 3……이므로
■초 → (■÷5)입니다.

8 운동을 시작한 시각:

	6 / ~~7~~시	59	60
−	2시간	20분	25초
	4시	39분	35초

⇨ ㉠=4, ㉡=39, ㉢=35이므로
㉠+㉡+㉢=4+39+35
=78

9 푸는 순서
❶ 서울역에서 대전역까지 가는 데 걸리는 시간 구하기
❷ 걸리는 시간이 몇 분인지 구하기

❶ (서울역에서 대전역까지 가는 데 걸리는 시간)
=(대전역에 도착하는 시각)
−(서울역에서 출발한 시각)

	6시	31분
−	4시	38분
	1시간	53분

❷ 1시간 53분=1시간+53분
=60분+53분
=113분

10 푸는 순서
❶ 시계가 나타내는 시각 구하기
❷ 책 읽기를 끝낸 시각 구하기
❸ ㉡의 값 구하기

❶ 시계가 나타내는 시각: 8시 20분 35초
❷ 책 읽기를 끝낸 시각:

	8시	20분	35초
+	1시간	30분	50초
	9시	51분	25초

❸ ㉠=9, ㉡=51, ㉢=25이므로 ㉡의 값은 51입니다.

11 (한 시간 동안 걸었을 때 두 사람 사이의 거리)
=1 km 600 m+2 km 400 m
=1600 m+2400 m
=4000 m
=4 km
⇨ 2시간 동안 걸었을 때 두 사람 사이의 거리는 4 km+4 km=8 km입니다.

다른 풀이
• (지효가 2시간 동안 걸은 거리)
=1 km 600 m+1 km 600 m
=3 km 200 m
• (민수가 2시간 동안 걸은 거리)
=2 km 400 m+2 km 400 m
=4 km 800 m
⇨ (2시간 동안 걸었을 때 두 사람 사이의 거리)
=3 km 200 m+4 km 800 m
=8 km

12 해가 뜬 시각은 오전 6시 17분이고, 해가 진 시각은 오후 6시 45분입니다.
(낮의 길이)=18시 45분−6시 17분
=12시간 28분
(밤의 길이)=24시간−12시간 28분
=11시간 32분
⇨ (낮의 길이)−(밤의 길이)
=12시간 28분−11시간 32분
=56분

참고
• 낮의 길이, 밤의 길이 구하기

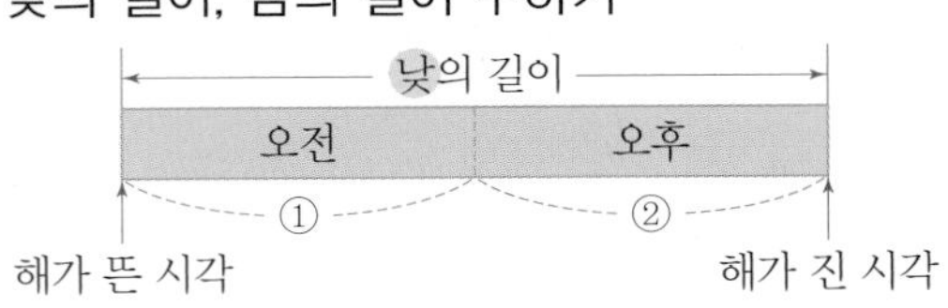

⇨ (낮의 길이)
=(해가 뜬 시각부터 낮 12시까지의 시간)
+(낮 12시부터 해가 진 시각까지의 시간)
=①+②

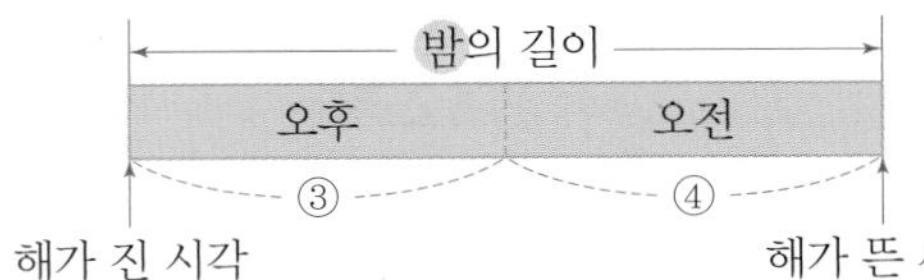

⇨ (밤의 길이)
=(해가 진 시각부터 밤 12시까지의 시간)
+(밤 12시부터 해가 뜬 시각까지의 시간)
=③+④

실전 모의고사 1회

57~62쪽

1 450	**2** 873
3 1	**4** 3
5 76	**6** 200
7 28	**8** 41
9 88	**10** 8
11 105	**12** 42
13 2	**14** 2
15 257	**16** 8
17 9	**18** 7
19 19	**20** 4
21 880	**22** 239
23 936	**24** 72
25 5	

1 1000 m=1 km이므로

$$\begin{aligned}3450\text{ m}&=3000\text{ m}+450\text{ m}\\&=3\text{ km}+450\text{ m}\\&=3\text{ km }450\text{ m}\end{aligned}$$

2

$$\begin{array}{r}\scriptstyle 1\\ 2\,1\,5\\ +\,6\,5\,8\\ \hline 8\,7\,3\end{array}$$

3

㉡ 굽은 선으로만 이루어진 도형에는 각이 없습니다.

4 8의 단 곱셈구구를 이용하여 구합니다.

24÷8=3 ⟷ 8×3=24

5

$$\begin{array}{r}\scriptstyle 1\\ 3\,8\\ \times2\\ \hline 7\,6\end{array}$$

6

$$\begin{array}{r}\scriptstyle 2\\ 6\,6\\ \times4\\ \hline 2\,6\,4\end{array}$$

㉠=2이고 ㉠이 나타내는 값은 200입니다.

7 정사각형은 네 변의 길이가 모두 같습니다.

⇨ 7 cm인 변이 4개 있으므로 네 변의 길이의 합은 7×4=28(cm)입니다.

8 100초=60초+40초

=1분+40초

=1분 40초

⇨ ㉠=1, ㉡=40이므로

㉠+㉡=1+40=41입니다.

9 전략 가이드

어떤 수를 □라 하여 나눗셈식을 세워 계산합니다.

어떤 수를 □라 하면

□÷8=11 ⇨ 8×11=11×8=□,

□=88

10

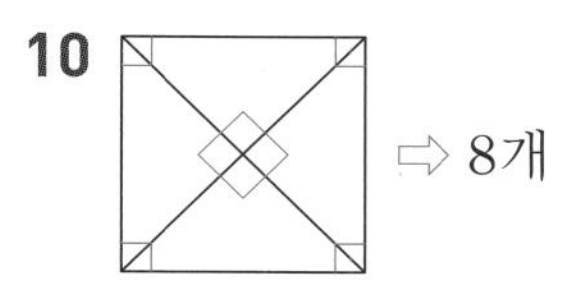

⇨ 8개

11

$$\begin{array}{r}\scriptstyle 3\;\,9\;10\\ \not{4}\,0\,2\\ -\,2\,9\,7\\ \hline 1\,0\,5\end{array}$$

12 • 9×2=18이므로 3×㉠=18입니다.

3×㉠=18 ⇨ 18÷3=㉠, ㉠=6

• 곱셈에서 곱하는 두 수의 순서를 바꾸어도 곱은 항상 같으므로 ㉡=7입니다.

⇨ ㉠×㉡=6×7=42

13 48÷8=6, 18÷2=9

⇨ 6<□<9에서 □ 안에 들어갈 수 있는 수는 7, 8로 모두 2개입니다.

14 푸는 순서

❶ 숙제를 시작한 시각 구하기
❷ 숙제를 끝낸 시각 구하기
❸ 초바늘이 가리키는 숫자 구하기

❶ 숙제를 시작한 시각: 5시 50분 15초

❷ 숙제를 끝낸 시각:

$$\begin{array}{rrr} \scriptstyle 1 & \scriptstyle 1 & \\ 5\text{시} & 50\text{분} & 15\text{초}\\ + & 40\text{분} & 55\text{초}\\ \hline 6\text{시} & 31\text{분} & 10\text{초}\end{array}$$

❸ 숙제를 끝낸 시각이 6시 31분 10초이므로 시계의 초바늘이 10÷5=2에서 숫자 2를 가리킵니다.

15 $182+269=194+㉠$

$451=194+㉠$

$451-194=㉠$

$㉠=257$

16 (연필 4타)$=12\times4$

$=48$(자루)

(전체 연필 수)$=48+8$

$=56$(자루)

⇨ $56\div7=8$이므로 학생 한 명에게 줄 수 있는 연필은 8자루입니다.

17 푸는 순서

❶ 기계 한 대가 한 시간에 만드는 공의 수 구하기
❷ 기계 한 대가 공 36개를 만드는 데 걸리는 시간 구하기

❶ (기계 한 대가 한 시간에 만드는 공의 수)
$=24\div6=4$(개)

❷ (기계 한 대가 공 36개를 만드는 데 걸리는 시간)
$=36\div4=9$(시간)

18 $7★9=(7\times9)\div(7+2)$

$=63\div9$

$=7$

19 직사각형 1개짜리: 7개
직사각형 2개짜리: 6개
직사각형 3개짜리: 3개
직사각형 5개짜리: 2개
직사각형 7개짜리: 1개

⇨ 찾을 수 있는 크고 작은 직사각형은 모두 $7+6+3+2+1=19$(개)입니다.

20 전략 가이드

만들어진 도형의 네 변의 길이의 합은 정사각형 모양의 한 변의 길이의 몇 배인지 알아봅니다.

정사각형 모양의 색종이 3장을 겹치지 않게 이어 붙였으므로 만들어진 도형에서 네 변의 길이의 합은 정사각형의 한 변의 길이의 8배와 같습니다.

정사각형의 한 변을 □cm라 하면

□$\times8=32$ ⇨ $32\div8=$□

□$=4$

⇨ (정사각형의 한 변)$=4$ cm

21 전략 가이드

오후 7시 50분 40초를 19시 50분 40초로 바꾼 다음 하지의 낮의 길이를 구합니다.

오후 7시 50분 40초$=$19시 50분 40초

(하지의 낮의 길이)$=$(해가 진 시각)$-$(해가 뜬 시각)

	19시	50분	40초
$-$	5시	10분	40초
	14시간	40분	

1시간$=$60분이므로

14시간 40분$=(14\times60)$분$+40$분

$=840$분$+40$분

$=880$분

22 푸는 순서

❶ 노란색 테이프의 길이 구하기
❷ 겹친 부분의 길이 구하기

❶ (노란색 테이프의 길이)
$=$(분홍색 테이프의 길이)$+168$
$=395+168$
$=563$ (cm)

❷ (겹친 부분의 길이)
$=$(노란색 테이프의 길이)$+$(분홍색 테이프의 길이)
$-$(전체 길이)
$=563+395-719$
$=958-719$
$=239$ (cm)

23 서로 다른 두 상자에서 공을 절반씩 꺼내었을 때의 공의 합이 주어져 있고, 각 상자에 들어 있는 공의 절반을 2번씩 더했으므로 이는 각 상자에 들어 있는 공의 수의 합과 같습니다.

⇨ ((㉠ 상자의 공의 수 절반)
$+$(㉡ 상자의 공의 수 절반))
$+$((㉡ 상자의 공의 수 절반)
$+$(㉢ 상자의 공의 수 절반))
$+$((㉢ 상자의 공의 수 절반)
$+$(㉣ 상자의 공의 수 절반))
$+$((㉣ 상자의 공의 수 절반)
$+$(㉠ 상자의 공의 수 절반))
$=162+202+306+266$
$=936$(개)

참고

절반씩을 2번 더하면 전체 공의 수가 됩니다.

24 (가장 작은 직사각형 1개의 가로와 세로의 합)
$=18\div2=9$ (cm)
가장 작은 직사각형 1개의 가로와 세로가 다음과 같을 때 가장 큰 정사각형의 변의 길이를 알아보면 다음과 같습니다.

가장 작은 직사각형의 가로(cm)	1	2	3	4	5
가장 큰 정사각형의 가로(cm)	6	12	18	24	30
가장 작은 직사각형의 세로(cm)	8	7	6	5	4
가장 큰 정사각형의 세로(cm)	24	21	18	15	12

가장 큰 정사각형의 가로와 세로가 같을 때를 찾으면 정사각형의 한 변은 18 cm입니다.
⇨ (정사각형의 네 변의 길이의 합)
$=18\times4=72$ (cm)

25

	가장 큰 수	두 번째로 큰 수	세 번째로 큰 수	가장 작은 수	두 번째로 작은 수	세 번째로 작은 수
♥=0	872	870	827	207	208	270
♥=1	872	871	827	127	128	172
2<♥<7	87♥	872	8♥7	2♥7	2♥8	27♥
♥=9	987	982	978	278	279	287

♥$=0$일 때 $827-270=557$
♥$=1$일 때 $827-172=655$
♥$=3$일 때 $837-273=564$
♥$=4$일 때 $847-274=573$
♥$=5$일 때 $857-275=582$
♥$=6$일 때 $867-276=591$
♥$=9$일 때 $978-287=691$

⇨ ♥$=5$일 때 세 번째로 큰 수가 세 번째로 작은 수보다 582만큼 더 큽니다.

참고
- 가장 큰 세 자리 수: 백의 자리부터 큰 수를 차례로 놓습니다.
- 가장 작은 세 자리 수: 백의 자리에 0을 제외한 가장 작은 수를 놓고 작은 수를 차례로 놓습니다.

실전 모의고사 2회

63~68쪽

1 52	2 329
3 2	4 8
5 457	6 75
7 8	8 270
9 8	10 347
11 432	12 9
13 180	14 6
15 388	16 294
17 36	18 340
19 325	20 400
21 4	22 44
23 20	24 356
25 9	

1
$$\begin{array}{r} \scriptstyle 1 \\ 13 \\ \times\ \ 4 \\ \hline 52 \end{array}$$

2 1분$=60$초이므로
5분 29초$=$5분$+$29초
$=$300초$+$29초
$=$329초

3
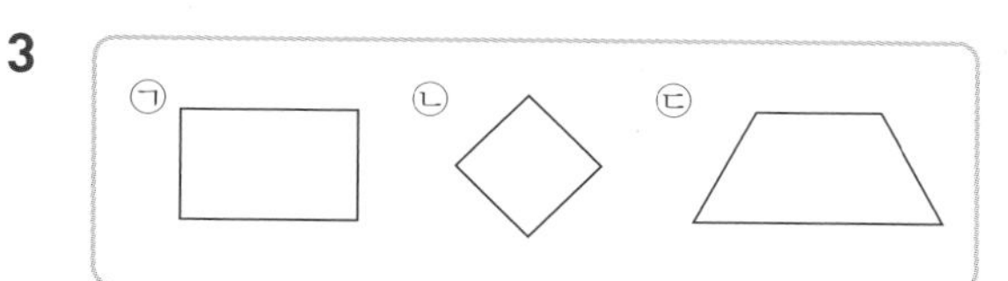

⇨ 직사각형은 ㉠, ㉡으로 모두 2개입니다.

참고
- 직사각형은 네 각이 모두 직각인 사각형입니다.
- 정사각형도 네 각이 모두 직각이므로 직사각형이라 할 수 있습니다.

4 $64\div\square=8$ ⇨ $\square\times8=64$에서 $8\times8=64$이므로 $\square=8$입니다.

5 $455+\square=912$
$912-455=\square$
$\square=457$

6 푸는 순서

❶ 세 수의 크기 비교하기
❷ 가장 큰 수, 가장 작은 수 찾기
❸ ❷의 두 수의 곱 구하기

❶ 세 수의 크기를 비교하면 $25>17>3$입니다.
❷ 가장 큰 수는 25, 가장 작은 수는 3입니다.
❸ $25\times3=75$

7 (핀 무궁화의 수)
=(전체 꽃잎 수)÷(한 송이의 꽃잎 수)
$=40\div5=8$(송이)

8

$$\begin{array}{rr} \overset{37}{\cancel{38}}\text{분} & \overset{60}{20}\text{초} \\ -\,33\text{분} & 50\text{초} \\ \hline 4\text{분} & 30\text{초} \end{array}$$

⇨ 4분 30초=4분+30초
=240초+30초
=270초

9 (직사각형의 네 변의 길이의 합)$=6+2+6+2$
$=16$ (cm)
⇨ (직사각형의 네 변의 길이의 합)÷(세로)
$=16\div2=8$(배)

참고
(직사각형의 네 변의 길이의 합)
=(가로)+(세로)+(가로)+(세로)

10 $579+■=784$ ⇨ $784-579=■$
$■=205$
$926-●=784$ ⇨ $926-784=●$
$●=142$
⇨ $■+●=205+142$
$=347$

11 앞의 두 수를 더해서 그 다음에 놓는 규칙입니다.
세 번째: $6+9=15$
네 번째: $9+15=24$
다섯 번째: $15+24=39$
여섯 번째: $24+39=63$
일곱 번째: $39+63=102$
여덟 번째: $63+102=165$
아홉 번째: $102+165=267$
열 번째: $165+267=432$

12

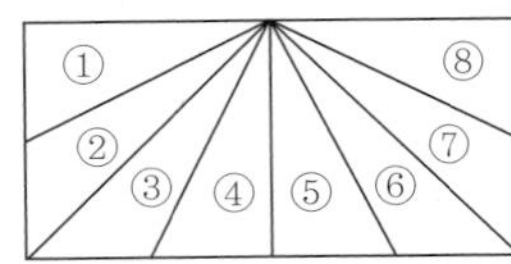

도형 1개짜리: ①, ④, ⑤, ⑧ → 4개
도형 2개짜리: ①②, ③④, ⑤⑥, ⑦⑧ → 4개
도형 4개짜리: ③④⑤⑥ → 1개
⇨ $4+4+1=9$(개)

13 초바늘이 숫자 7에서 작은 눈금 한 칸 더 간 곳을 가리키므로 시계의 시각은 10시 5분 36초입니다.
⇨ ㉠=5, ㉡=36이므로
㉠×㉡$=5\times36=36\times5$
$=180$

14 수 카드를 이용하여 만들 수 있는 나눗셈식 중에서 몫이 3이 되는 식은 $24\div8=3$입니다.
⇨ ㉠=2, ㉡=4, ㉢=8이므로
㉢−㉠$=8-2=6$입니다.

15 전략 가이드

백의 자리 수끼리의 차가 3 또는 4인 두 수를 찾아 두 수의 차와 400을 비교합니다.

두 수의 차가 400에 가까운 뺄셈식을 만들면
$927-539=388$, $816-395=421$이고
$400-388=12$, $421-400=21$입니다.
⇨ 두 수의 차가 400에 가장 가까운 뺄셈식은 $927-539=388$이므로 ㉠=388입니다.

주의
두 수의 차가 400보다 작은 수가 400에 가깝다고 생각하지 않도록 주의합니다.

16 푸는 순서

❶ ㉮ 구하기
❷ ㉯ 구하기
❸ ㉮×㉯의 값 구하기

❶ ㉮$=(16\times4)-(3\times5)$
$=64-15$
$=49$
❷ ㉯$=(27\times2)-(6\times8)$
$=54-48$
$=6$
❸ ㉮×㉯$=49\times6$
$=294$

17

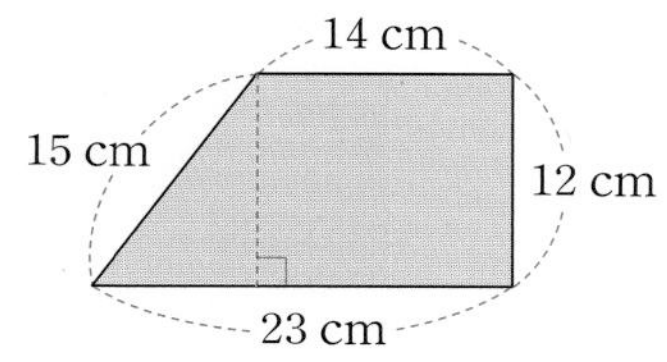

가장 큰 직사각형은 점선을 따라 잘랐을 때 생깁니다.
잘라내고 남은 도형은 삼각형이므로
(세 변의 길이의 합)$=15+12+(23-14)$
$=27+9$
$=36$ (cm)

18 (20일에 통장에 남은 돈)$=620+290$
$=910$(원)
(30일에 통장에 남은 돈)$=910-570$
$=340$(원)

19 $758-199=559$이므로 $235+\square>559$입니다.
$235+\square=559$라 하면
$559-235=\square$
$\square=324$
이므로 □는 324보다 커야 합니다.
⇨ 324보다 큰 수 중에서 가장 작은 수는 325입니다.

참고
- ●+□>▲일 경우:
  □는 ▲−●보다 큰 수를 구합니다.
- ●+□<▲일 경우:
  □는 ▲−●보다 작은 수를 구합니다.

20 은영이와 채림이가 함께 걸은 거리는 우체국에서 학교까지입니다.
(은영이와 채림이가 함께 걸은 거리)
=(집~학교)+(우체국~문방구)−(집~문방구)
$=600$ m$+800$ m-1 km
$=1400$ m-1 km
$=1$ km 400 m-1 km
$=400$ m

21 (처음에 있던 달걀의 수)$=10\times4$
$=40$(개)
달걀 8개가 깨졌으므로
(남은 달걀의 수)$=40-8=32$(개)
⇨ 달걀말이 하나를 만드는 데 달걀 $32\div8=4$(개)를 사용하였습니다.

22 각 정사각형의 한 변은 큰 것부터 $28\div4=7$ (cm), $20\div4=5$ (cm), $12\div4=3$ (cm)입니다.

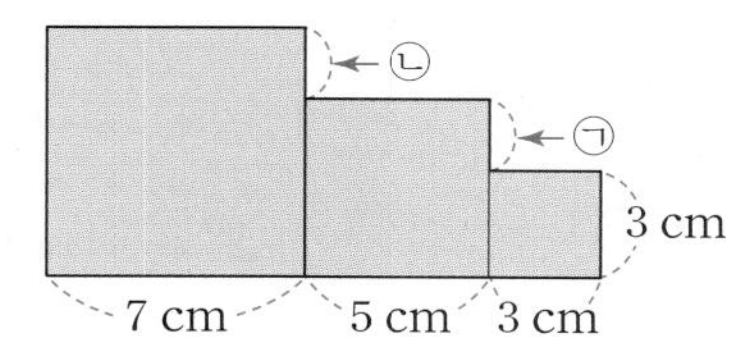

㉠$=5-3=2$ (cm)
㉡$=7-5=2$ (cm)
⇨ (만든 도형의 모든 변의 길이의 합)
$=7+5+3+3+3+2+5+2+7+7$
$=44$ (cm)

23 0에서 24 cm까지 눈금 한 칸의 크기는 $24\div6=4$ (cm)이고, 24 cm에서 42 cm까지 $42-24=18$ (cm)이므로 눈금 한 칸의 크기는 $18\div3=6$ (cm)입니다.
⇨ (㉮에서 ㉯까지의 길이)$=4+4+6+6$
$=20$ (cm)

24 어떤 세 자리 수를 ■▲●라 하면

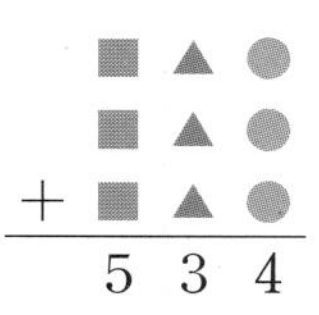

- 일의 자리 계산:
  ●+●+●의 일의 자리 숫자가 4이므로
  $8\times3=24$에서 ●$=8$입니다.
- 십의 자리 계산:
  2+▲+▲+▲의 일의 자리 숫자가 3이므로
  ▲+▲+▲의 일의 자리 숫자는 1입니다.
  ⇨ $7\times3=21$에서 ▲$=7$입니다.
- 백의 자리 계산:
  2+■+■+■=5이므로 ■+■+■=3,
  ■=1입니다.

⇨ ■▲●는 178이므로 바르게 계산하면 $178+178=356$입니다.

25 점판 위에 직각삼각형을 그려서 알아보면 다음과 같습니다.

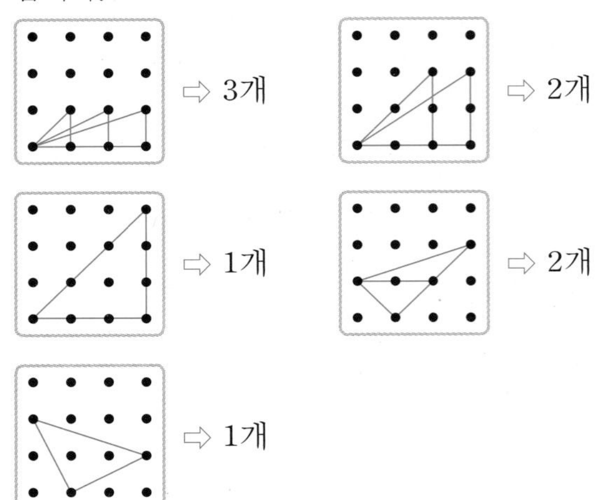

⇨ 그릴 수 있는 서로 다른 모양과 크기의 직각삼각형은 모두 $3+2+1+2+1=9$(개)입니다.

실전 모의고사 3회

69 ~ 74쪽

1 390	**2** ③
3 9	**4** 3
5 855	**6** ③
7 235	**8** 27
9 7	**10** 8
11 4	**12** 346
13 105	**14** 13
15 145	**16** 768
17 9	**18** 288
19 13	**20** 54
21 524	**22** 4
23 8	**24** 8
25 16	

1

$$\begin{array}{r} \scriptstyle 1 \\ 2\ 5\ 4 \\ +\ 1\ 3\ 6 \\ \hline 3\ 9\ 0 \end{array}$$

2 $\underbrace{64+64+64+64}_{4번}=64\times4$

참고

$\underbrace{■+■+■+\cdots\cdots+■}_{▲번}=■\times▲$

3 $72\div8=\boxed{9}$ ⟷ $8\times\boxed{9}=72$

4

가 나 다 라 마 바

⇨ 한 각이 직각인 삼각형은 나, 라, 바로 모두 3개입니다.

5 $397+458=\square$

$\square=855$

6 직각 삼각자의 직각 부분을 이용합니다.

7 • 20 cm 5 mm = 20 cm + 5 mm

= 200 mm + 5 mm

= 205 mm

• 300 mm = 30 cm

⇨ ㉠ = 205, ㉡ = 30이므로

㉠ + ㉡ = 205 + 30 = 235입니다.

8 $54\div6=9$이므로 $\square\div3=9$입니다.

$\square\div3=9$ ⇨ $3\times9=\square$

$\square=27$

9 (삽살개의 수)

=(전체 다리 수)÷(삽살개 한 마리의 다리 수)

$=28\div4=7$(마리)

10

$$\begin{array}{r} 5\square \\ \times\ \ 6 \\ \hline 348 \end{array}$$

5×6=30이므로 일의 자리에서 올림한 수 4가 있습니다.

⇨ □×6=48에서 8×6=48이므로 □=8입니다.

참고

일의 자리에서 올림이 있으면 올림한 수를 십의 자리 계산에 더합니다.

11 • 6×6=36

• 36÷㉠=9 ⇨ ㉠×9=36에서 36÷9=㉠, ㉠=4입니다.

12

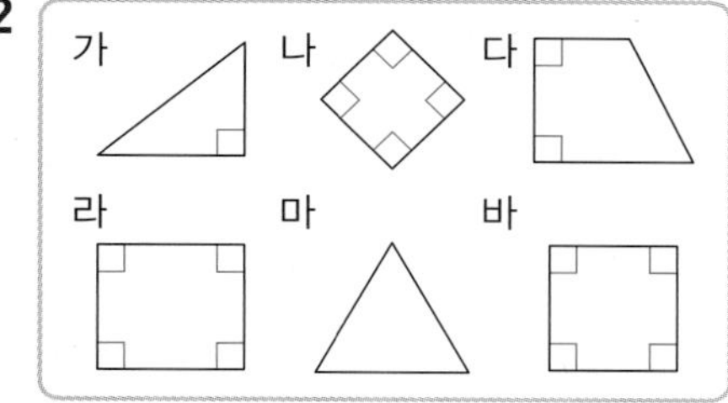

⇨ 정사각형은 나, 바이므로 785−439=346입니다.

13 수영을 시작한 시각: 3시 45분 10초

수영을 끝낸 시각: 5시 30분 10초

	4	60	
	~~5~~시	30분	10초
−	3시	45분	10초
	1시간	45분	

⇨ 1시간 45분=1시간+45분
=60분+45분
=105분

14

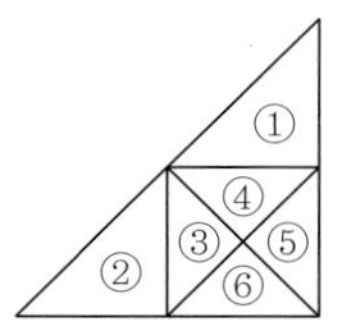

직각삼각형 1개짜리: ①, ②, ③, ④, ⑤, ⑥ → 6개

직각삼각형 2개짜리: ③④, ④⑤, ⑤⑥, ③⑥ → 4개

직각삼각형 3개짜리: ①④⑤, ②③⑥ → 2개

직각삼각형 6개짜리: ①②③④⑤⑥ → 1개

⇨ 6+4+2+1=13(개)

15 푸는 순서

❶ 상자에 담은 지우개의 수 구하기
❷ 전체 지우개의 수 구하기

❶ (상자에 담은 지우개의 수)=35×4
=140(개)

❷ (전체 지우개의 수)=140+5
=145(개)

16 cm 단위로 나타내면

㉮ 1 m 74 cm=1 m+74 cm
=100 cm+74 cm
=174 cm

㉰ 2 m 25 cm=2 m+25 cm
=200 cm+25 cm
=225 cm

⇨ ㉮+㉯+㉰=174 cm+369 cm+225 cm
=543 cm+225 cm
=768 cm

17 전략 가이드

직사각형의 네 변의 길이의 합을 구하면 정사각형의 네 변의 길이의 합을 알 수 있습니다.

직사각형과 정사각형의 네 변의 길이의 합이 같습니다.

(직사각형의 네 변의 길이의 합)
=12+6+12+6
=36 (cm)

⇨ (정사각형의 한 변)=36÷4
=9 (cm)

18 어떤 수를 □라 하면

□÷6=16 ⇨ 6×16=16×6=□,
□=96

⇨ 어떤 수의 3배는 96×3=288입니다.

19 (두 반이 받은 칭찬 붙임 딱지의 수)
=154+128=282(개)

141+141=282이므로 두 반은 칭찬 붙임 딱지를 각각 141개씩 가져야 합니다.

1반이 2반에게 줄 칭찬 붙임 딱지의 수를 □개라 하면

154−□=141
154−141=□
□=13

⇨ 1반은 2반에게 칭찬 붙임 딱지를 13개 주어야 합니다.

20 전략 가이드

> 직사각형 ㉮의 가로와 세로를 각각 구하여 네 변의 길이의 합을 구합니다.

(직사각형 ㉮의 세로)$=27-19$
$=8$ (cm)
가로는 작은 정사각형의 한 변의 길이와 같으므로 19 cm입니다.
⇨ (직사각형 ㉮의 네 변의 길이의 합)
$=19+8+19+8$
$=54$ (cm)

21 $27\div3=9$이므로 $532-\square<9$입니다.
$532-\square=9$라 하면
$532-9=\square$
$\square=523$
이므로 □는 523보다 커야 합니다.
⇨ 523보다 큰 수 중 가장 작은 수는 524입니다.

참고

> < 또는 > 대신 =를 놓고 □ 안에 들어갈 수 있는 수를 구합니다.

22 긴바늘이 12를 가리킬 때 긴바늘과 짧은바늘이 이루는 작은 쪽의 각이 직각인 시각은 3시와 9시입니다.
⇨ 어느 날 오전 8시부터 다음날 오전 8시까지 ‖조건‖을 만족하는 시각은 오전 9시, 오후 3시, 오후 9시, 오전 3시로 모두 4번 있습니다.

23 전략 가이드

> 짧은 양초의 길이를 □cm라 하면 긴 양초의 길이는 (□+28) cm라 하여 양초의 길이를 구합니다.

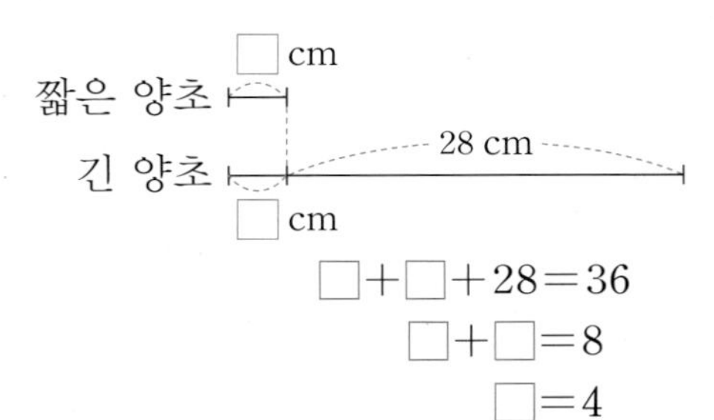

$\square+\square+28=36$
$\square+\square=8$
$\square=4$
이므로 짧은 양초의 길이는 4 cm, 긴 양초의 길이는 $4+28=32$ (cm)입니다.
⇨ $32\div4=8$이므로 긴 양초의 길이는 짧은 양초의 길이의 8배입니다.

24 2시부터 2시 55분까지는 55분입니다.
나무를 자른 횟수를 □번이라 하면 마지막까지 자르고 1분 쉰다고 했을 때 걸린 시간은 $(55+1)$분입니다.
$(6+1)\times\square=55+1$
$7\times\square=56$
$\square=8$
즉, 자른 횟수가 8번이므로 잘린 도막은 9도막입니다.
⇨ (잘린 한 도막의 길이)$=72\div9$
$=8$ (cm)

25

①	②	③	④
⑤	♥	⑥	⑦
⑧	⑨		

직사각형 1개짜리: ♥ → 1개
직사각형 2개짜리: ②♥, ⑤♥, ♥⑥, ♥⑨ → 4개
직사각형 3개짜리: ②♥9, ⑤♥⑥, ♥⑥⑦ → 3개
직사각형 4개짜리: ①②⑤♥, ②③♥⑥, ⑤♥⑥⑦, ⑤♥⑧⑨ → 4개
직사각형 6개짜리: ①②⑤♥⑧⑨, ①②③⑤♥⑥, ②③④♥⑥⑦ → 3개
직사각형 8개짜리: ①②③④⑤♥⑥⑦ → 1개
찾을 수 있는 ♥ 모양을 포함한 직사각형은 모두 $1+4+3+4+3+1=16$(개)입니다.

실전 모의고사 4회

75 ~ 80 쪽

1	72	**2**	3
3	30	**4**	237
5	6	**6**	53
7	165	**8**	2
9	5	**10**	922
11	9	**12**	90
13	4	**14**	3
15	115	**16**	868
17	12	**18**	85
19	15	**20**	42
21	104	**22**	18
23	20	**24**	5
25	20		

1

$$\begin{array}{r} {}^{1}\\ 2\ 4 \\ \times\quad 3 \\ \hline 7\ 2 \end{array}$$

2

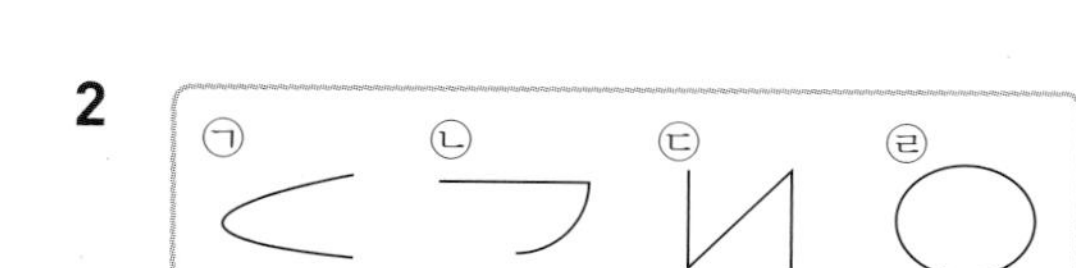

각은 한 점에서 그은 두 반직선으로 이루어진 도형입니다.
㉠과 ㉣은 굽은 선만 있고, ㉡은 반직선과 굽은 선이 만났으므로 각이 아닙니다.

3 450초=420초+30초
=7분+30초
=7분 30초

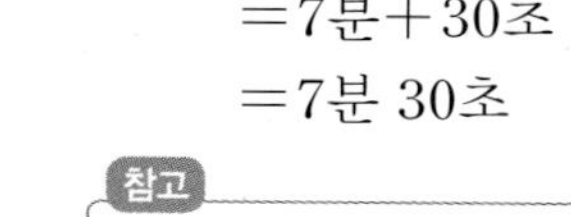

참고

60초=1분임을 이용합니다.

4

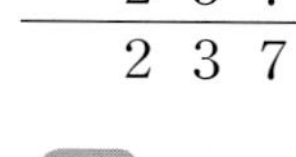

$$\begin{array}{r} {}^{8\ \ 10}\\ 4\ \not{9}\ 4 \\ -\ 2\ 5\ 7 \\ \hline 2\ 3\ 7 \end{array}$$

주의

받아내림에 주의하여 계산합니다.

5
- 42÷□=7, □×7=42, □=6
- 30÷5=□, □=6
- 54÷□=9, □×9=54, □=6

6 물감을 1 cm가 5번이고 작은 눈금 3칸을 더 갔으므로 5 cm 3 mm입니다.

5 cm 3 mm=5 cm+3 mm
=50 mm+3 mm
=53 mm

7 827−534=293이므로 293=□+128입니다.

293=□+128
293−128=□
□=165

8 56÷7=8 ↔ 7×8=56

8÷4=2 ↔ 4×2=8

9 ㉠=4, ㉡=1
⇨ ㉠+㉡=4+1=5

참고

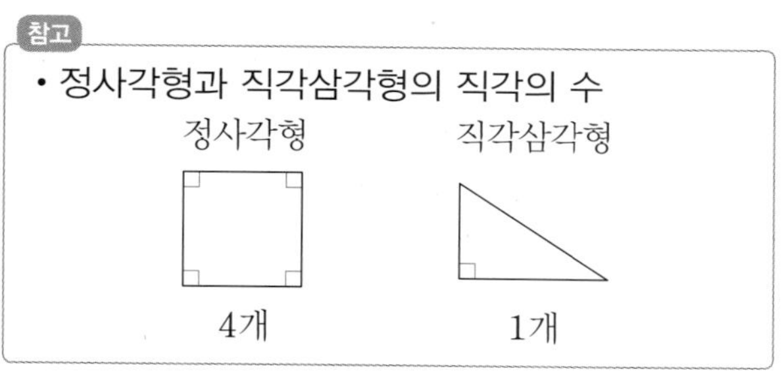

10

$$\begin{array}{r} {}^{1\ \ 1\ \ }\\ 5\ 2\ 8 \\ +\ 3\ 9\ 4 \\ \hline 9\ 2\ 2 \end{array}$$

참고

같은 자리 수끼리의 합이 10이거나 10보다 크면 윗자리로 10을 받아올림합니다.

11 직사각형 모양의 종이를 접어서 잘라 만든 도형은 정사각형입니다. 직사각형의 짧은 변이 9 cm이므로 정사각형의 한 변도 9 cm입니다.

12 '◆' 앞의 수와 뒤의 수를 더한 다음, 두 수의 합에 뒤의 수를 곱하는 규칙입니다.
13◆5 ⇨ 13+5=18, 18×5=90

13 오징어 한 축은 20마리이므로 5명이 똑같이 나누어 가진다면 한 명이 20÷5=4(마리)씩 가지게 됩니다.

주의

문제를 해결할 때 오이 한 거리는 필요없는 조건입니다.

14 48×4=192이므로 곱이 192인 것을 모두 찾습니다.
(24×8=192) 62×3=186 (96×2=192)
37×5=185 56×2=112 (32×6=192)

15 (삼각형의 변의 수)$=15\times3$
$=45$(개)
(오각형의 변의 수)$=14\times5$
$=70$(개)
⇨ $45+70=115$(개)

참고
• (삼각형 ■개의 변의 수)$=(3\times$■$)$개
• (오각형 ★개의 변의 수)$=(5\times$★$)$개

16 전략 가이드
먼저 일의 자리 수의 차가 2가 되는 두 수를 찾아 계산합니다.

먼저 일의 자리 수의 차가 2가 되는 두 수를 찾아 계산해 봅니다.
$751-269=482$(×)
$670-198=472$(○)
⇨ $670+198=868$

17
$$\begin{array}{r} 7\ 4\ ㉠ \\ -\ ㉡\ 6\ 5 \\ \hline 3\ ㉢\ 7 \end{array}$$
• 일의 자리 계산: $10+㉠-5=7$
$5+㉠=7$
$7-5=㉠$
$㉠=2$
• 십의 자리 계산: $13-6=㉢$
$㉢=7$
• 백의 자리 계산: $6-㉡=3$
$6-3=㉡$
$㉡=3$
⇨ $㉠+㉡+㉢=2+3+7$
$=12$

18 • $35\div$★$=7$ ⇨ ★$\times7=35$에서 $5\times7=35$이므로 ★$=5$입니다.
• ▲$\div5=17$ ⇨ $5\times17=17\times5=$▲
▲$=85$

19 가
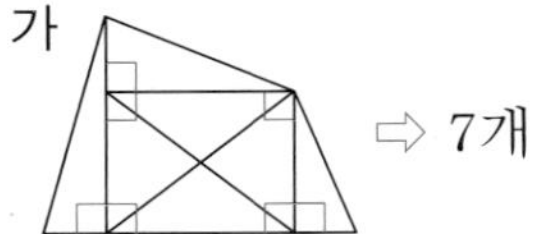
⇨ 7개

나

⇨ 8개

⇨ 도형 가와 나에서 찾을 수 있는 직각은 모두 $7+8=15$(개)입니다.

20 ●$\div$▲$=6$이 될 때 ●$+$▲$=49$가 되는 경우를 표로 알아봅니다.

●	18	24	30	36	42	48
▲	3	4	5	6	7	8
합	21	28	35	42	49	56

21 정사각형 4개를 이어 붙여 만들 수 있는 직사각형은 (2×2 모양), (1×4 모양)로 두 가지입니다.
이때, 네 변의 길이의 합이 작은 경우는 정사각형 모양입니다.
작은 정사각형의 한 변은 13 cm이고 만든 정사각형의 네 변의 길이의 합은 13 cm가 8개 있는 것과 같으므로 $13\times8=104$ (cm)입니다.

22 푸는 순서
❶ ㉠의 길이 구하기
❷ ㉡의 길이 구하기
❸ 빨간색 선의 길이 구하기

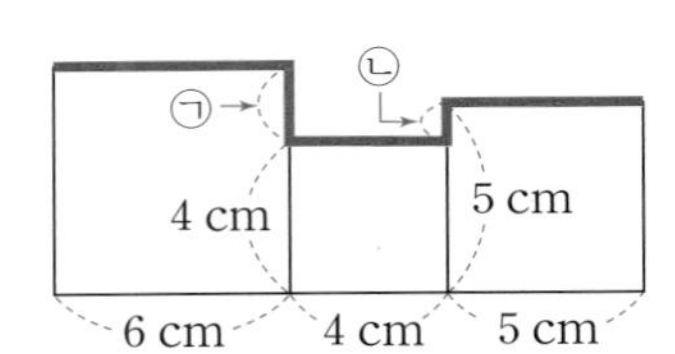

❶ $㉠=6-4=2$ (cm)
❷ $㉡=5-4=1$ (cm)
❸ (빨간색 선의 길이)$=6+2+4+1+5$
$=18$ (cm)

23 전략 가이드
오늘 오전 7시부터 오늘 오후 7시까지 몇 시간인지 알아보고 고장 난 시계가 빨라지는 시간을 구합니다.

오늘 오전 7시부터 오늘 오후 7시까지는 12시간이므로 고장 난 시계가 빨라지는 시간은
$6\times12=12\times6=72$(초) → 1분 12초입니다.
오늘 오후 7시에 고장 난 시계가 가리키는 시각은
7시+1분 12초=7시 1분 12초입니다.
⇨ $㉠=7$, $㉡=1$, $㉢=12$이므로
$㉠+㉡+㉢=7+1+12=20$입니다.

24 직사각형의 네 변의 길이의 합은
처음 정사각형에 정사각형 1개를 이어서 그리면
$1+2+1+2=6$ (cm),
정사각형 2개를 이어서 그리면
$3+2+3+2=10$ (cm),
정사각형 3개를 이어서 그리면
$3+5+3+5=16$ (cm),
정사각형 4개를 이어서 그리면
$8+5+8+5=26$ (cm),
정사각형 5개를 이어서 그리면
$8+13+8+13=42$ (cm)입니다.
⇨ 정사각형 5개를 더 이어서 그리면 됩니다.

25 곱셈식 □×□=□□를 만든 후 각각의 곱셈식을 보고 나눗셈식을 2개씩 만들어 봅니다.

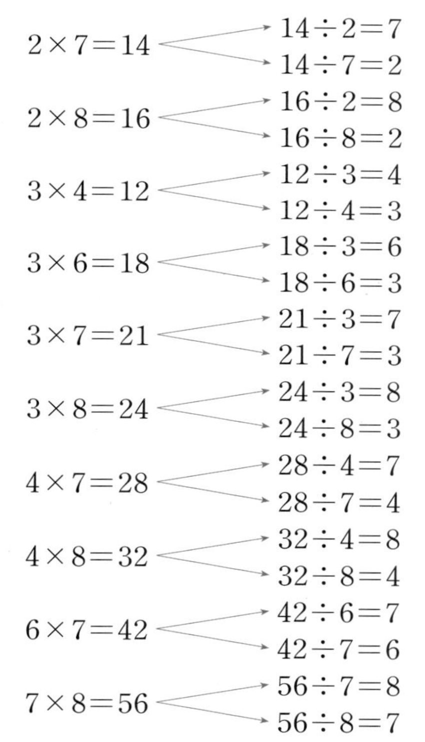

⇨ 만들 수 있는 나눗셈식은 모두 20개입니다.

• 곱셈식을 나눗셈식 2개로 만들기

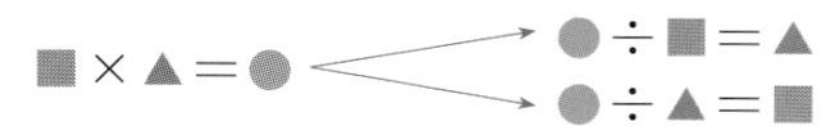

최종 모의고사 1회

81~86쪽

1	6	**2**	4
3	100	**4**	328
5	390	**6**	917
7	252	**8**	63
9	3	**10**	610
11	6	**12**	243
13	15	**14**	5
15	19	**16**	2
17	64	**18**	12
19	12	**20**	25
21	320	**22**	455
23	914	**24**	8
25	30		

1 $36\div6=\boxed{6}$ ⟷ $6\times\boxed{6}=36$

2 직사각형에서 직각은 모두 4개 있습니다.

3 $1+3+9=13$에서 10을 백의 자리로 받아올림한 수이므로 $\boxed{1}$은 실제로 100을 나타냅니다.

4

$$\begin{array}{r} 8\ 2 \\ \times\quad 4 \\ \hline 3\ 2\ 8 \end{array}$$

5 $780-\square=390$
$780-390=\square$
$\square=390$

6 $249+372=621$이므로 $621=\square-296$입니다.
$621=\square-296$ ⇨ $621+296=\square$
$\square=917$

7 $14\times3=42$, $42\times6=$㉠ ⇨ ㉠$=252$

8 $18\div2=9$이므로 $\square\div7=9$입니다.
$\square\div7=9$ ⇨ $7\times9=\square$, $\square=63$

9 $24\div8=3$, $32\div8=4$, $64\div8=8$
⇨ 8로 나누어지는 수는 24, 32, 64로 모두 3개입니다.

10 전략 가이드

차가 가장 크게 되려면 가장 큰 수에서 가장 작은 수를 빼면 됩니다.

481 > 337 > 253 > 129이므로 차가 가장 큰 두 수는 481, 129입니다.

⇨ 481 + 129 = 610

11

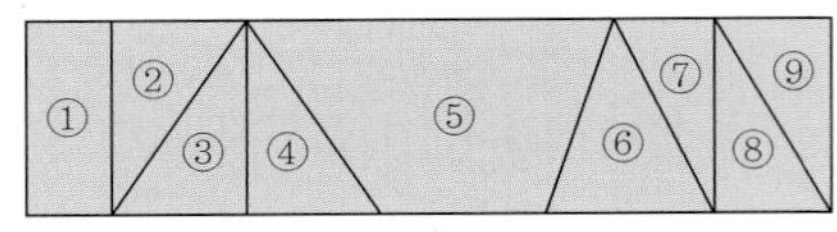

⇨ 직각삼각형은 ②, ③, ④, ⑦, ⑧, ⑨로 모두 6개입니다.

12 도형의 변이 모두 9개이고 모든 변의 길이가 같습니다.

⇨ (모든 변의 길이의 합) = 27 × 9
= 243 (cm)

13 46 cm 4 mm = 460 mm + 4 mm
= 464 mm

(짧은 도막의 길이) = 464 mm − 307 mm
= 157 mm

⇨ (두 도막의 길이의 차) = 307 mm − 157 mm
= 150 mm
= 15 cm

14 (전체 빵의 수) = 7 × 8 = 56(개)

(남은 빵의 수) = 56 − 11 = 45(개)

⇨ (친구 한 명에게 나누어 준 빵의 수)
= 45 ÷ 9 = 5(개)

15

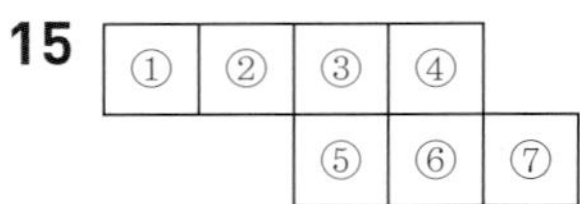

직사각형 1개짜리: ①, ②, ③, ④, ⑤, ⑥, ⑦ → 7개

직사각형 2개짜리: ①②, ②③, ③④, ③⑤, ④⑥, ⑤⑥, ⑥⑦ → 7개

직사각형 3개짜리: ①②③, ②③④, ⑤⑥⑦ → 3개

직사각형 4개짜리: ①②③④, ③④⑤⑥ → 2개

⇨ 크고 작은 직사각형은 모두 7 + 7 + 3 + 2 = 19(개)입니다.

16

$$\begin{array}{rrr} & 2 & ㉠ \\ \times & & ㉠ \\ \hline ㉡ & 2 & 4 \end{array}$$

㉠ × ㉠의 일의 자리 숫자가 4인 경우는 2 × 2 = 4, 8 × 8 = 64이므로 ㉠ = 2 또는 8입니다.

㉠ = 2이면 22 × 2 = 44(×)

㉠ = 8이면 28 × 8 = 224(○)이므로 ㉡ = 2입니다.

17

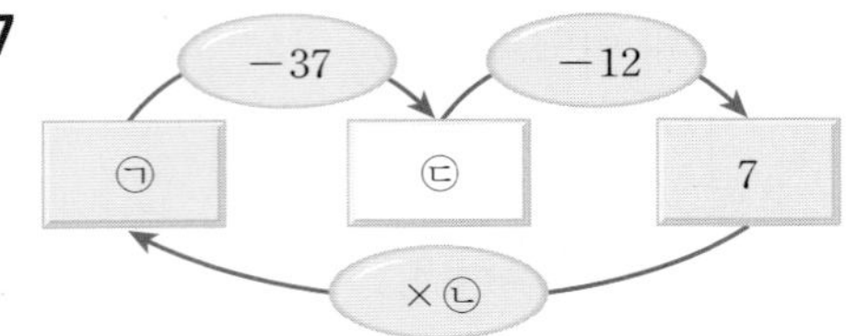

• ㉢ − 12 = 7, 7 + 12 = ㉢, ㉢ = 19

• ㉠ − 37 = ㉢, ㉠ − 37 = 19, 19 + 37 = ㉠, ㉠ = 56

• 7 × ㉡ = ㉠, 7 × ㉡ = 56, 56 ÷ 7 = ㉡, ㉡ = 8

⇨ ㉠ + ㉡ = 56 + 8 = 64

18 전략 가이드

가장 큰 정사각형의 한 변은 가장 작은 직사각형의 가로의 몇 배인지 생각해 봅니다.

가장 작은 직사각형의 가로를 □cm라 하면 정사각형의 한 변은 (□ × 4) cm입니다.

가장 작은 직사각형의 세로는 (□ × 2) cm가 되고 직사각형의 네 변의 길이의 합은

□ + (□ × 2) + □ + (□ × 2) = (□ × 6)cm가 됩니다.

⇨ □ × 6 = 18, □ = 3

따라서 가장 큰 정사각형의 한 변은 3 × 4 = 12 (cm)입니다.

19 시계가 가리키는 시각은 5시 10분 20초입니다.

$$\begin{array}{rrr} & \overset{1}{} & \\ & 5시 & 10분\ 20초 \\ + & & 30분\ 40초 \\ \hline & 5시 & 41분 \end{array}$$

⇨ 초바늘이 가리키는 숫자는 12입니다.

주의

거울에 비치는 모습은 왼쪽과 오른쪽의 위치가 바뀐 모습임에 주의합니다.

20 오후 5시 40분 20초 = 17시 40분 20초

(낮의 길이) = (해 지는 시각) − (해 뜨는 시각)

$$\begin{array}{rrrr} & & 39 & 60 \\ & 17시 & \cancel{40}분 & 20초 \\ - & 6시 & 30분 & 57초 \\ \hline & 11시간 & 9분 & 23초 \end{array}$$

(낮의 길이) + (밤의 길이) = 24시간이므로

(밤의 길이) = 24시간 − (낮의 길이)

$$\begin{array}{rrrr} & 23 & 59 & 60 \\ & \cancel{24}시간 & & \\ - & 11시간 & 9분 & 23초 \\ \hline & 12시간 & 50분 & 37초 \end{array}$$

⇨ ㉠ = 12, ㉡ = 50, ㉢ = 37이므로

㉠ + ㉡ − ㉢ = 12 + 50 − 37 = 25입니다.

21

㉠		342
㉡	605	188
473		426

342+188+426=530+426=956
가로의 두 번째 줄에서
㉡+605+188=956, ㉡+793=956,
956−793=㉡, ㉡=163
⇨ ㉠+163+473=956
㉠+636=956
956−636=㉠
㉠=320

22 7>6>5>3이므로 곱이 가장 크게 되려면 곱하는 수에 가장 큰 수인 7을, 곱해지는 수의 십의 자리에는 두 번째로 큰 수인 6을 놓습니다.
⇨ 65×7=455

23

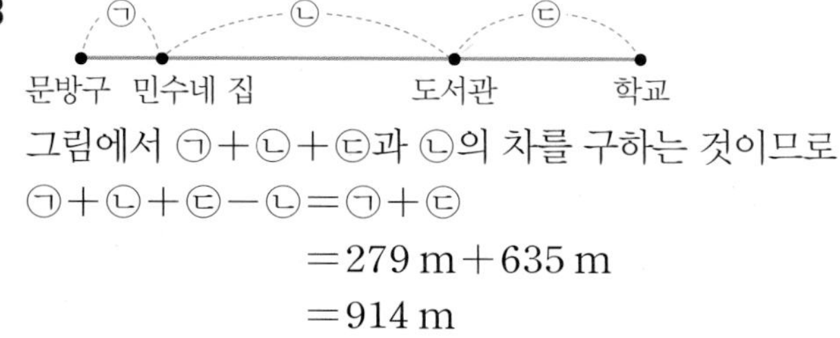

그림에서 ㉠+㉡+㉢과 ㉡의 차를 구하는 것이므로
㉠+㉡+㉢−㉡=㉠+㉢
=279 m+635 m
=914 m

24

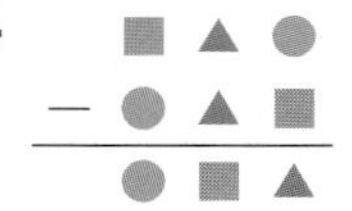

세 자리 수끼리의 뺄셈식이므로 ■는 0이 아니고, ▲−▲=■이므로 일의 자리와 십의 자리로 받아내림이 있는 뺄셈입니다.

- 일의 자리 계산: 10+●−■=▲ ··· ①
- 십의 자리 계산: 10+▲−1−▲=■,
  ■=9
- 백의 자리 계산: ■−1−●=●
  9−1−●=●
  8−●=●
  ●+●=8
  ●=4

①에서 10+●−■=▲
10+4−9=▲
▲=5
⇨ ■−▲+●=9−5+4=8

25 한 변이 점 2개로 이루어진 정사각형: 16개
한 변이 점 3개로 이루어진 정사각형: 9개
한 변이 점 4개로 이루어진 정사각형: 4개
한 변이 점 5개로 이루어진 정사각형: 1개
그릴 수 있는 크고 작은 정사각형은 모두
16+9+4+1=30(개)입니다.

최종 모의고사 2회

87 ~ 92쪽

1 6	**2** 73
3 9	**4** 284
5 200	**6** 5
7 2	**8** 364
9 45	**10** 637
11 4	**12** 522
13 45	**14** 25
15 25	**16** 160
17 7	**18** 18
19 56	**20** 2
21 459	**22** 114
23 6	**24** 9
25 160	

1 48÷8=[6] ⟷ 8×[6]=48

2 7 cm 3 mm=7 cm+3 mm
=70 mm+3 mm
=73 mm

참고
1 cm=10 mm임을 이용합니다.

3 63÷□=7 ⇨ □×7=63에서 63÷7=□,
□=9입니다.

4 259<543이므로 543−259=284입니다.

참고
두 수의 크기를 비교하여 (큰 수)−(작은 수)를 구합니다.

5 3분 20초＝3분＋20초
＝180초＋20초
＝200초
⇨ 200초＞190초이므로 더 긴 시간은 200초입니다.

6 직사각형의 네 변의 길이의 합은
$7+\square+7+\square=24$
$14+\square+\square=24$
$\square+\square=10$
$\square=5$

참고
(직사각형의 네 변의 길이의 합)
＝(가로)＋(세로)＋(가로)＋(세로)

7

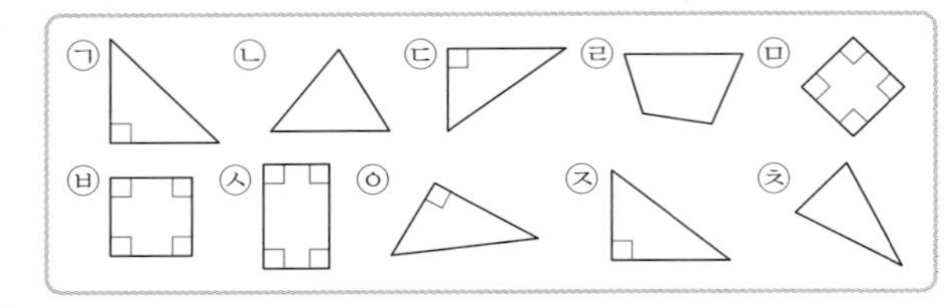

• 직각삼각형: ㉠, ㉢, ㉧, ㉨ → 4개
• 정사각형: ㉤, ㉥ → 2개
⇨ $4-2=2$(개)

8 앞에서부터 차례로 계산합니다.
⇨ $13\times4=52$, $52\times7=364$

9 (공책의 수)＝15×3
＝45(권)

10 $719-376+294=343+294$
$=637$

주의

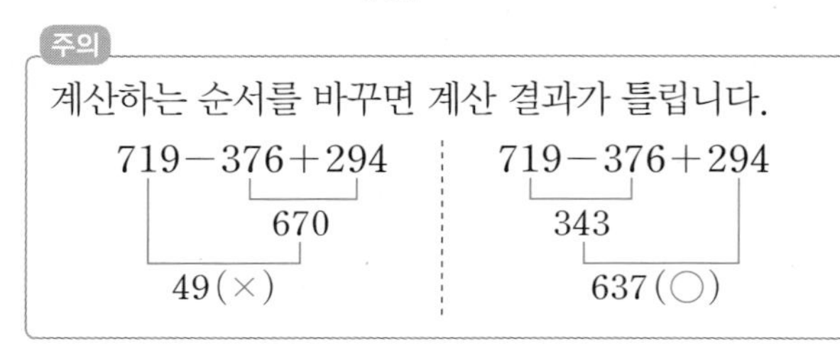

11 푸는 순서
❶ ㉮ 구하기
❷ ㉯ 구하기
❸ ㉮＋㉯ 구하기

❶ $3\times8=$㉮, ㉮＝24
❷ ㉯×6＝36 → 36÷6＝㉯, ㉯＝6
❸ ㉮÷㉯＝24÷6＝4

12 324명＞271명＞235명＞198명이므로
동물원(324명)에 가고 싶어 하는 학생 수가 가장 많고 민속촌(198명)에 가고 싶어 하는 학생 수가 가장 적습니다.
⇨ $324+198=522$(명)

13 ㉠ 25 cm 7 mm＝250 mm＋7 mm
＝257 mm
㉣ 29 cm 4 mm＝290 mm＋4 mm
＝294 mm
⇨ 302 mm＞294 mm＞259 mm＞257 mm이므로 302 mm－257 mm＝45 mm입니다.

14
```
    7 ㉠ ㉡
＋ ㉢ 3  5
──────────
 1  6  2  4
```
• 일의 자리 계산: ㉡＋5＝14
14－5＝㉡
㉡＝9
• 십의 자리 계산: 1＋㉠＋3＝12
12－4＝㉠
㉠＝8
• 백의 자리 계산: 1＋7＋㉢＝16
16－8＝㉢
㉢＝8
⇨ ㉠＋㉡＋㉢＝8＋9＋8＝25

15 직각이 직각삼각형 5개에는 $1\times5=5$(개),
직사각형 2개에는 $4\times2=8$(개),
정사각형 3개에는 $4\times3=12$(개) 있습니다.
⇨ 직각은 모두 $5+8+12=25$(개)입니다.

16 (1분 동안 접은 종이학의 수)＝$32\div4$
＝8(개)
(20분 동안 접을 수 있는 종이학의 수)
＝$8\times20=20\times8$
＝160(개)

17 전략 가이드

철사의 길이에서 직사각형의 네 변의 길이의 합을 빼면 정사각형의 네 변의 길이의 합이 됩니다.

(직사각형의 네 변의 길이의 합)$=4+3+4+3$
$=14$ (cm)

철사의 길이가 42 cm이므로 정사각형의 네 변의 길이의 합은 $42-14=28$ (cm)입니다.

⇨ (정사각형의 한 변)$=28\div4$
$=7$ (cm)

18 ☆♡●☆이 되풀이되고, 되풀이되는 묶음 안의 모양은 4개입니다.
$36\div4=9$(묶음)이 되고 한 묶음에 ☆모양이 2개씩이므로 9묶음에는 $2\times9=18$(개) 있습니다.

19 전략 가이드

경기 시간을 구해 축구 경기가 시작한 시각과 더합니다.

(경기 시간)=45분+10분 30초+45분
=1시간 40분 30초

축구 경기가 끝난 시각:

	2시	15분	30초
+	1시간	40분	30초
	3시 ㉠	56분 ㉡	

⇨ ㉡$=56$

20 $50\bigstar6=(50+6)\div(6+1)$
$=56\div7$
$=8$
$19\bigstar5=(19+5)\div(5+1)$
$=24\div6$
$=4$
⇨ $(50\bigstar6)\div(19\bigstar5)=8\div4$
$=2$

21 (배나무 수의 합)$=960-245-287$
$=715-287$
$=428$(그루)

세호와 재석이네 과수원에 있는 배나무의 수를 각각 □그루라 하면
□+□$=428$, □$=214$입니다.
⇨ 세호네 과수원에 있는 사과나무와 배나무는 $245+214=459$(그루)입니다.

22 푸는 순서

❶ 체육 또는 음악을 좋아하는 학생 수 구하기
❷ 체육과 음악 둘다 좋아하지 않는 학생 수 구하기

❶ (체육 또는 음악을 좋아하는 학생 수)
=(체육을 좋아하는 학생 수)
+(음악을 좋아하는 학생 수)
−(체육과 음악을 모두 좋아하는 학생 수)
$=189+134-95$
$=323-95$
$=228$(명)

❷ (체육과 음악 둘다 좋아하지 않는 학생 수)
$=342-228$
$=114$(명)

23 점 ㅂ을 꼭짓점으로 하는 각은 각 ㄱㅂㄴ, 각 ㄱㅂㄷ, 각 ㄱㅂㄹ, 각 ㄴㅂㄷ, 각 ㄴㅂㄹ, 각 ㄷㅂㄹ로 모두 6개입니다.

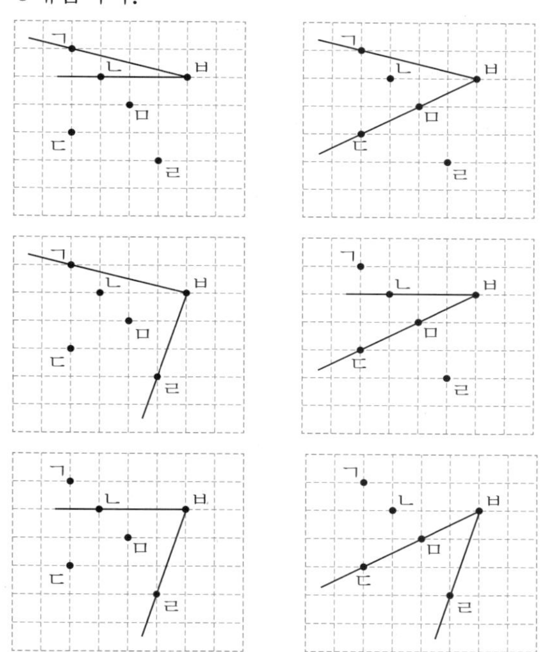

24 정사각형 ㉮의 한 변을 □cm라 하면
□+□+□+□$=48$, □$=12$입니다.
정사각형 ㉮의 한 변의 길이는 가장 작은 정사각형의 한 변의 길이의 4배와 같습니다.
⇨ 가장 작은 정사각형의 한 변은 $12\div4=3$ (cm)이고, 정사각형 ㉯의 한 변의 길이는 가장 작은 정사각형의 한 변의 길이의 3배와 같으므로 $3\times3=9$ (cm)입니다.

25 32층에서 7층까지 $32-7=25$(층)을 내려가는 데 걸리는 시간은 8층에서 3층까지 $8-3=5$(층)을 내려가는 데 걸리는 시간의 $25\div5=5$(배)입니다.
⇨ 32층에서 7층까지 내려가는 데 걸리는 시간은 $32\times5=160$(초)입니다.

최종 모의고사 3회

93~98쪽

1 372	**2** 2
3 865	**4** 537
5 8	**6** 16
7 106	**8** 245
9 30	**10** 30
11 9	**12** 578
13 24	**14** 305
15 549	**16** 143
17 186	**18** 108
19 8	**20** 104
21 6	**22** 4
23 42	**24** 10
25 90	

1
$$\begin{array}{r} \scriptstyle 1\ \ \\ 6\ 2 \\ \times\quad 6 \\ \hline 3\ 7\ 2 \end{array}$$

2
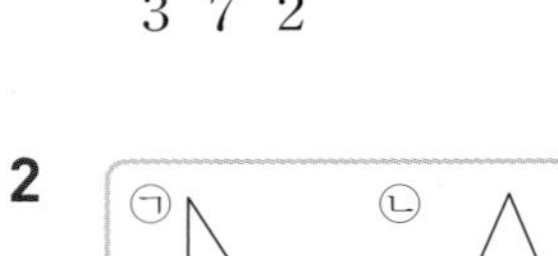
⇨ 한 각이 직각인 삼각형은 ㉠, ㉣로 모두 2개입니다.

3
$$\begin{array}{r} \scriptstyle 1\ 1\ \ \\ 3\ 7\ 9 \\ +\ 4\ 8\ 6 \\ \hline 8\ 6\ 5 \end{array}$$

4 8분 57초$=$8분$+$57초
$=$480초$+$57초
$=$537초

5 • $32\div\square=4$, $\square\times4=32$, $\square=8$
• $48\div\square=6$, $\square\times6=48$, $\square=8$
• $40\div5=\square$, $\square=8$

6
삼각자의 직각 부분과 꼭맞게 겹쳐지는 각을 찾으면 모두 16개입니다.

7 수직선에서 작은 눈금 한 칸의 크기는 1 mm이므로 표시된 곳은 10 cm 6 mm입니다.
10 cm 6 mm$=$10 cm$+$6 mm
$=$100 mm$+$6 mm
$=$106 mm

8 일주일은 7일이므로
(우진이가 읽은 동화책 쪽수)$=35\times7$
$=245$(쪽)

9 시작한 시각: 5시 40분 15초
끝낸 시각: 6시 10분 15초
피아노를 친 시간:
$$\begin{array}{rrr} \scriptstyle 5 & \scriptstyle 60 & \\ \not{6}\text{시} & 10\text{분} & 15\text{초} \\ -\ 5\text{시} & 40\text{분} & 15\text{초} \\ \hline & 30\text{분} & \end{array}$$

10 (2교시 수업이 시작하는 시각)
$=$8시 40분$+$40분$+$10분
$=$9시 30분
(3교시 수업이 시작하는 시각)
$=$9시 30분$+$40분$+$10분
$=$10시 20분
⇨ ㉠$=10$, ㉡$=20$이므로
㉠$+$㉡$=10+20=30$입니다.

다른 풀이
1교시와 2교시의 수업 시간과 쉬는 시간을 더하면
40분(1교시 수업)$+$10분(쉬는 시간)$+$40분(2교시 수업)$+$10분(쉬는 시간)$=$100분$=$1시간 40분
(3교시 수업이 시작하는 시각)
$=$8시 40분$+$1시간 40분
$=$10시 20분
⇨ ㉠$=10$, ㉡$=20$이므로
㉠$+$㉡$=10+20=30$입니다.

11 $30 \div 6 = 5$이므로 $45 \div \square = 5$입니다.

$45 \div \square = 5$ ⇨ $\square \times 5 = 45$

$45 \div 5 = \square$

$\square = 9$

12 100이 5개 → 500

10이 46개 → 460

1이 19개 → 13

973

⇨ 973보다 395 작은 수는 $973 - 395 = 578$입니다.

13 직사각형을 잘라 만들 수 있는 가장 큰 정사각형의 한 변은 6 cm입니다.

⇨ (정사각형의 네 변의 길이의 합)

$= 6 \times 4 = 24$ (cm)

14 (어른이 아닌 사람 수)

=(전체 입장한 사람 수)−(남자 어른의 수)

−(여자 어른의 수)

$= 726 - 194 - 227$

$= 532 - 227$

=305(명)

15 전략 가이드

먼저 일의 자리 수의 합이 7 또는 17인 두 수를 찾아 그 합을 구합니다.

일의 자리 수의 합이 7 또는 17인 두 수를 찾으면 569와 898, 434와 983입니다.

$569 + 898 = 1467$(×)

$434 + 983 = 1417$(○)

⇨ $983 - 434 = 549$

16 $452 + 329 = 781$이므로 $781 < 925 - \square$입니다.

$781 = 925 - \square$라 하면

$925 - 781 = \square$

$\square = 144$

이므로 □는 144보다 작은 수입니다.

⇨ 144보다 작은 수 중에서 가장 큰 수는 143입니다.

참고

- ● − □ > ▲일 경우:
  □는 ● − ▲보다 작은 수를 구합니다.
- ● − □ < ▲일 경우:
  □는 ● − ▲보다 큰 수를 구합니다.

17 (가야금의 줄 수)$= 12 \times 9$

=108(줄)

(거문고의 줄 수)$= 6 \times 13 = 13 \times 6$

=78(줄)

⇨ $108 + 78 = 186$(줄)

18 ●÷3=4에서 3×4=●, ●=12입니다.

■÷9=●에서

■÷9=12 ⇨ 9×12=12×9=■,

■=108

19

주어진 그림에서 빨간색 선의 길이는 가장 작은 정사각형의 한 변의 길이의 18배입니다.

가장 작은 정사각형의 한 변을 □cm라 하면

$\square \times 18 = 18 \times \square = 36$에서 $18 \times 2 = 36$이므로

□=2입니다.

⇨ (가장 작은 정사각형 한 개의 네 변의 길이의 합)

$= 2 \times 4 = 8$ (cm)

20 푸는 순서

❶ 두 번째로 큰 수 구하기
❷ 세 번째로 작은 수 구하기
❸ ❶과 ❷의 차 구하기
❹ 399와 ❸의 차 구하기

❶ 가장 큰 수: 875, 두 번째로 큰 수: 874

❷ 가장 작은 수: 457, 두 번째로 작은 수: 458,
세 번째로 작은 수: 475

❸ (두 수의 차)$= 874 - 475$

$= 399$

❹ 399는 295보다 $399 - 295 = 104$ 더 큽니다.

21

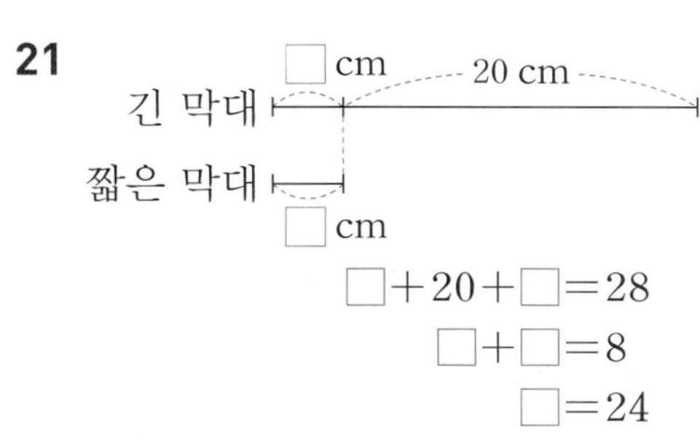

$\square + 20 + \square = 28$

$\square + \square = 8$

$\square = 24$

짧은 막대의 길이는 4 cm,

긴 막대의 길이는 $4 + 20 = 24$ (cm)입니다.

⇨ $24 \div 4 = 6$(배)

22 전략 가이드

만든 두 자리 수를 모두 구해 이 중에서 7의 단 곱셈구구를 찾습니다.

만든 두 자리 수는 23, 24, 25, 26, 32, 34, 35, 36, 42, 43, 45, 46, 52, 53, 54, 56, 62, 63, 64, 65입니다.
이 중에서 7로 나누어지는 수는
$35\div7=5$, $42\div7=6$, $56\div7=8$, $63\div7=9$로 모두 4개입니다.

23 빨간색 선은 길이가 6 cm인 부분이 3개,
길이가 $6\div2=3$ (cm)인 부분이 8개이므로
$6\times3=18$ (cm), $3\times8=24$ (cm)입니다.
⇨ $18+24=42$ (cm)

24 (두 사람이 한 시간 동안 걸은 거리의 합)
$=2$ km 400 m$+2$ km 600 m
$=4$ km$+1000$ m
$=5$ km
두 사람 사이의 거리는 두 사람이 2시간 동안 걸은 거리의 합과 같으므로
5 km$+$5 km$=$10 km입니다.

25 전략 가이드

도형의 변을 이동하여 길이의 합을 구할 수 있는 간단한 도형으로 만들어 봅니다.

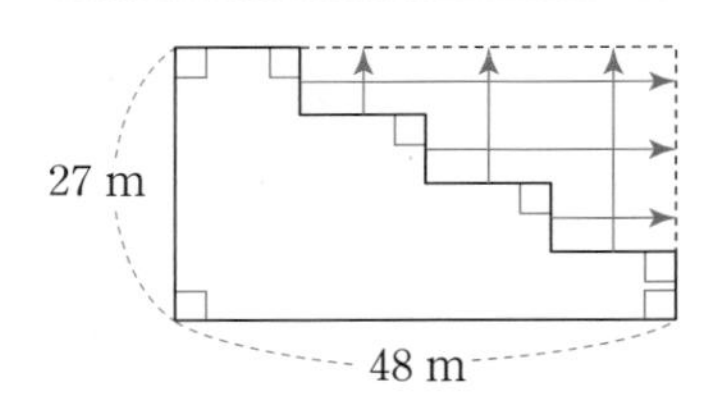

㉮와 ㉯ 달팽이가 처음 만날 때까지 이동한 거리의 합은 직사각형의 네 변의 길이의 합인
$48+27+48+27=150$ (m)입니다.

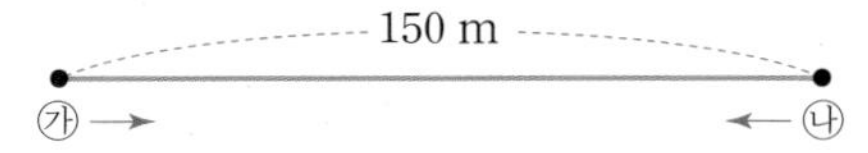

㉮ 달팽이는 1분에 6 m씩 이동하고, ㉯ 달팽이는 1분에 9 m씩 이동하므로 두 달팽이는 1분에 $6+9=15$ (m)를 이동합니다.
두 달팽이가 이동한 거리를 합하여 150 m가 되려면 10분이 걸리고, 출발한 지 10분 만에 두 달팽이가 만납니다.
⇨ 10분 동안 ㉮ 달팽이는 60 m, ㉯ 달팽이는 90 m를 이동합니다.

최종 모의고사 4회

99 ~ 104 쪽

1 408	**2** 7
3 6	**4** ③
5 37	**6** 8
7 4	**8** 267
9 7	**10** 100
11 192	**12** 4
13 326	**14** ③
15 15	**16** 13
17 251	**18** 150
19 595	**20** 99
21 18	**22** 8
23 990	**24** 8
25 5	

1 6분 48초$=$6분$+$48초
$=$360초$+$48초
$=$408초

2 $63\div\square=9$ ⇨ $\square\times9=63$에서 $63\div9=\square$,
$\square=7$입니다.

3
$$\begin{array}{r} {}^{4}\ \ \\ \square\,6 \\ \times\ \ 7 \\ \hline 4\,6\,2 \end{array}$$

$6\times7=42$이므로 십의 자리에 올림한 수 4가 있습니다.
$\square\times7$에 일의 자리 계산에서 올림한 수 4를 더하여 46이 되었으므로 $\square\times7=42$이고, $6\times7=42$에서 $\square=6$입니다.

참고

일의 자리 계산에서 올림한 수를 십의 자리 계산에 더해야 합니다.

4 각은 한 점에서 그은 두 반직선으로 이루어진 도형입니다.

5 클립은 1 cm가 3번이고 작은 눈금 7칸을 더 갔으므로 클립의 길이는 3 cm 7 mm입니다.

3 cm 7 mm = 3 cm + 7 mm
= 30 mm + 7 mm
= 37 mm

6 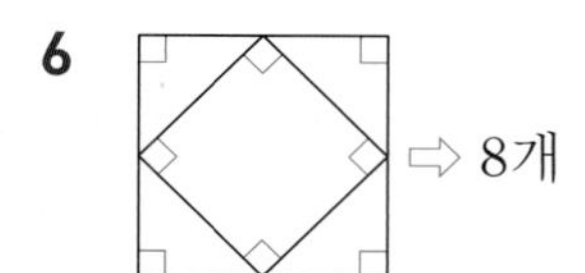 ⇨ 8개

7 64 ÷ ● = 8 ⇨ ● × 8 = 64에서 8 × 8 = 64이므로 ● = 8입니다.
● ÷ 2 = ♥ ⇨ 8 ÷ 2 = 4이므로 ♥ = 4입니다.

8 찢어진 종이에 적힌 세 자리 수를 □라 하면

568 + □ = 835
835 − 568 = □
□ = 267

9 24 ÷ 4 = 6이므로 42 ÷ □ = 6입니다.
42 ÷ □ = 6 ⇨ □ × 6 = 42에서 42 ÷ 6 = □, □ = 7입니다.

10 푸는 순서
❶ 읽은 동화책의 쪽수 구하기
❷ 동화책의 전체 쪽수 구하기

❶ (읽은 동화책의 쪽수) = 27 × 3
= 81(쪽)
❷ (동화책의 전체 쪽수) = 81 + 19
= 100(쪽)

11 앞에서부터 차례로 계산합니다.
⇨ 32 × 2 = 64, 64 × 3 = ㉠, ㉠ = 192

12 37 × 7 = 259이고 □ 안에 9부터 수를 차례로 넣어 봅니다.

45 × 9 = 405 ⇨ 259 < 405(○)
45 × 8 = 360 ⇨ 259 < 360(○)
45 × 7 = 315 ⇨ 259 < 315(○)
45 × 6 = 270 ⇨ 259 < 270(○)
45 × 5 = 225 ⇨ 259 > 225(×)
⋮

따라서 □ 안에 들어갈 수 있는 수는 6, 7, 8, 9로 모두 4개입니다.

참고
• ● + □ > ▲일 경우:
  □는 ▲ − ●보다 큰 수를 구합니다.
• ● + □ < ▲일 경우:
  □는 ▲ − ●보다 작은 수를 구합니다.

13 전략 가이드
어떤 수를 □라 하여 덧셈식을 세워 계산합니다.

어떤 수를 □라 하면

□ + 247 = 820
820 − 247 = □
□ = 573

따라서 바르게 계산하면 573 − 247 = 326입니다.

14 푸는 순서
❶ 청팀이 넣은 화살의 수 구하기
❷ 백팀이 넣은 화살의 수 구하기
❸ ❶과 ❷의 차 구하기

❶ (청팀이 넣은 화살의 수) = 139 + 293
= 432(개)
❷ (백팀이 넣은 화살의 수) = 207 + 199
= 406(개)
❸ 432개 > 406개이므로 청팀이 화살을 432 − 406 = 26(개) 더 많이 넣었습니다.

15 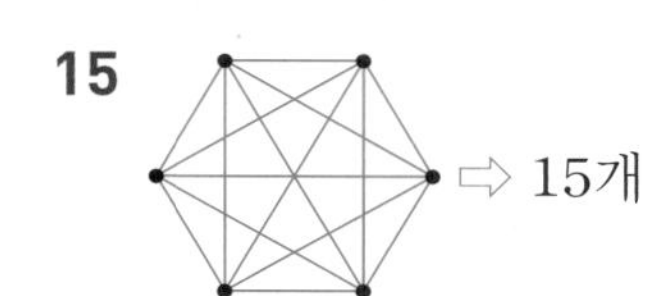 ⇨ 15개

16 만든 직사각형의 세로를 □ cm라 하면

28 + □ + 28 + □ = 82
56 + □ + □ = 82
□ + □ = 26
□ = 13

참고
(직사각형의 네 변의 길이의 합)
= (가로) + (세로) + (가로) + (세로)

17 (서점에서 민수네 집까지의 거리)
= (공원~민수네 집) + (서점~선우네 집)
 − (공원~선우네 집)
= 608 + 343 − 700
= 951 − 700
= 251 (m)

18 푸는 순서
❶ 승아가 가지고 있는 돈 구하기
❷ 각각 가져야 할 돈 구하기
❸ 은우가 승아에게 주어야 할 돈 구하기

❶ (승아가 가지고 있는 돈)$=580-300$
$=280$(원)
❷ 두 사람이 가지고 있는 돈이 모두 $580+280=860$(원)이고 $430+430=860$이므로 두 사람은 각각 430원씩 가져야 합니다.
❸ 은우가 승아에게 $580-430=150$(원)을 주어야 합니다.

다른 풀이
은우가 승아에게 300원의 반인 150원을 주면 같아집니다.

19 크기를 비교하면 $1<5<7<8$이므로 곱이 가장 큰 곱셈식은 $75\times8=600$입니다.
따라서 곱이 두 번째로 클 때의 곱셈식은 $85\times7=595$입니다.

20 일주일은 7일이므로
(일주일 동안 느려지는 시간)
$=12\times7=84$(초) ⟶ 1분 24초
(오늘 오전 6시에 고장난 시계가 가리키는 시각)
=6시−1분 24초=5시 58분 36초
⇨ ㉠=5, ㉡=58, ㉢=36이므로
㉠+㉡+㉢$=5+58+36=99$입니다.

참고
• 시간이 느려지는 고장난 시계의 시각:
(주어진 시각)−(느려지는 시간)
• 시간이 빨라지는 고장난 시계의 시각:
(주어진 시각)+(빨라지는 시간)

21 푸는 순서
❶ ㉯ 공장에서 장난감 자동차 35개를 만드는 데 걸리는 시간 구하기
❷ ㉮ 공장에서 만든 장난감 자동차의 수 구하기

❶ ㉯ 공장에서 장난감 자동차를 35개 만드는 데 $35\div7=5$(분)이 걸립니다.
❷ ㉯ 공장에서 5분 동안 만들 때 ㉮ 공장에서는 $5-3=2$(분) 동안 장난감 자동차를 $9\times2=18$(개) 만들었습니다.

22 • 3에서 시작하면 세 수는 3, 8, 2이므로 가장 작은 세 자리 수를 만들면 238입니다.
→ ㉢=238
• 4에서 시작하면 세 수는 4, 6, 2이므로 가장 작은 세 자리 수를 만들면 246입니다.
→ ㉡=246
• 5에서 시작하면 세 수는 5, 6, 8이므로 가장 작은 세 자리 수를 만들면 568입니다.
→ ㉠=568
⇨ ㉡−㉢$=246-238=8$

23
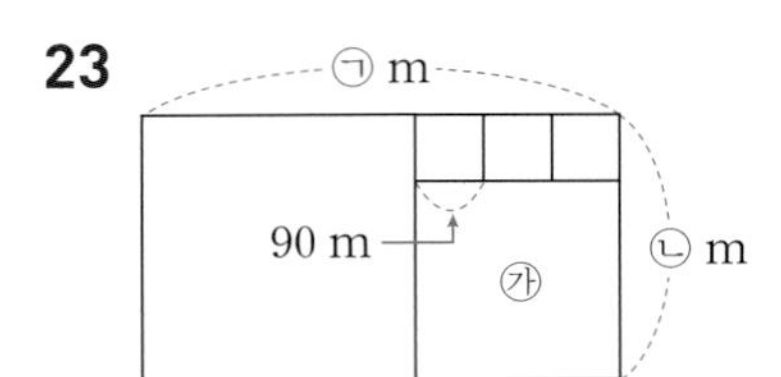

• 정사각형 ㉮의 한 변: $90\times3=270$ (m)
• ㉡: $270+90=360$
• ㉠: $360+270=630$
⇨ ㉠+㉡$=630+360=990$

24 ㉮+㉯+㉰=63 cm, ㉯=22 cm에서
㉮+㉰$=63-22=41$이고 ㉮=㉰+27입니다.
㉮+㉰=41, ㉰+27+㉰=41, ㉰+㉰=14
㉰=7 (cm)
㉮=㉰+27=7+27
=34 (cm)
⇨ (㉮와 ㉯ 막대의 길이의 합)$=34+22=56$ (cm)이므로 ㉮와 ㉯ 막대의 길이의 합은 ㉰ 막대의 길이의 $56\div7=8$(배)입니다.

25 안쪽 칸과 바깥쪽 칸에 있는 두 수의 곱이 모두 60입니다.
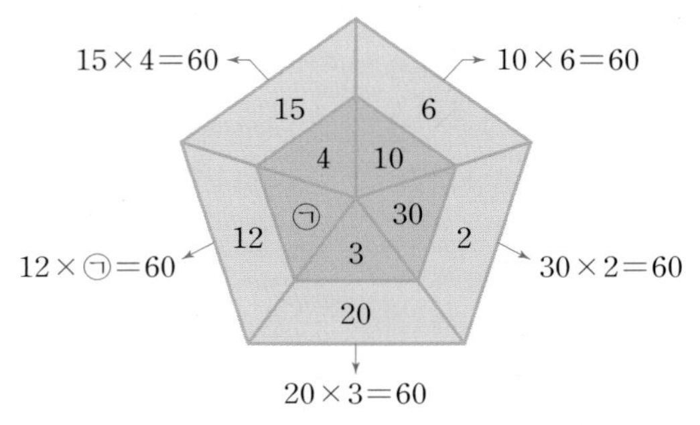

⇨ 12×㉠=60이므로 ㉠=5입니다.

HME 수학 학력평가

상반기 대비

정답 및 풀이